D0120790

Éloge de la lenteur

Éloge de la lenteur

CARL HONORÉ

ÉLOGE DE LA LENTEUR

MARABOUT

Publié pour la première fois en Grande-Bretagne en 2004 par Orion Books sous le titre *In Praise of Slow.*
Certains passages de ce livre ont été publiés tout d'abord dans le *National Post.* Certains noms de personnes ont été modifiés pour protéger leur vie privée.

Traduction : Sophie Artaud.

À Miranda, Benjamin et Susannah

Nous avons mieux à faire de la vie que d'en accélérer le rythme.

Gandhi

Sommaire

Avant-propos
La fureur de vivre

Les gens naissent et se marient, puis vivent et meurent dans une folle agitation, dont il est étonnant qu'elle ne leur fasse pas perdre la raison.

William Dean Howells (1907)

Été 1985. Par un après-midi écrasé de soleil, mon voyage de jeunesse en Europe fait halte en grinçant des freins devant un square de la périphérie de Rome. Notre bus, qui est reparti en ville, a vingt minutes de retard et n'a pas l'air de vouloir réapparaître. Mais cela ne me perturbe pas le moins du monde. Au lieu de marcher de long en large sur le trottoir ou d'appeler la compagnie de bus pour récriminer, je pose un Walkman sur mes oreilles et je me couche sur un banc pour écouter Simon and Garfunkel chanter le bonheur du temps qui passe et l'art de le faire durer. Chaque détail de cette scène reste gravé dans ma mémoire : deux petits garçons tapent dans un ballon de football autour d'une fontaine médiévale ; des branches viennent se frotter contre le haut d'un mur de pierre ; une veuve âgée transporte des légumes dans son filet à provisions...

Quinze ans plus tard, les choses n'ont plus rien à voir avec la scène qui précède. Me voici désormais dans l'aéroport bondé de Rome Fiumicino, et je suis un correspondant étranger courant pour attraper son vol de retour pour Londres. Au lieu de battre le pavé et de jouir de l'instant, je me précipite en salle d'embarquement, maudissant silencieusement toute personne moins pressée que moi qui oserait me ralentir le passage. Au lieu d'écouter de la musique folk sur un vieux Walkman, je discute sur mon portable avec mon rédacteur en chef, qui se trouve à des milliers de kilomètres.

Arrivé à la porte d'embarquement, je prends place au bout d'une longue file d'attente où il n'y a plus, justement, qu'à attendre. Sauf que je ne suis plus capable de ne *rien* faire. Pour rendre cette attente plus productive, pour qu'elle ressemble moins à ce qu'elle est, je commence à parcourir le journal. Et c'est là que mes yeux tombent sur un article qui allait, au bout du compte, m'inspirer l'écriture d'un livre sur la lenteur.

Le titre qui retient alors mon attention vante les mérites d'une « histoire-minute pour aller au lit ». Pour aider les parents à négocier le temps que leur prennent leurs tout-petits, divers auteurs ont en effet condensé les classiques du conte de fées en extraits de soixante secondes. Imaginez Hans Christian Andersen passé au crible du management. Mon premier réflexe est de crier : *Eurêka !* À l'époque, je suis confronté chaque soir à une lutte pied à pied avec mon fils de deux ans, qui adore les histoires longues, lues à un rythme tranquille et décousu. Et tous les soirs, je l'oriente vers les histoires les plus courtes, que je lui lis à toute vitesse. La confrontation est systématique. « Tu vas trop vite ! » proteste-t-il. Ou bien, au moment où je passe la porte : « J'en veux une autre ! » Une part de moi-même se juge horriblement égoïste d'accélérer ainsi le rituel du coucher, mais l'autre part ne peut tout simplement pas résister à la tentation de se jeter sur ce qu'il lui reste à faire – le dîner, consulter les courriels et les factures, travailler ou regarder le bulletin d'informations télévisé. Faire un lent détour par l'univers du conte pour enfants n'est pas envisageable. Cela prend trop de temps.

À première vue, donc, la fameuse histoire résumée pour endormir les enfants paraît trop belle pour être vraie. Débiter six ou sept histoires à toute vitesse et expédier l'affaire en dix minutes : que rêver de mieux ? Mais alors que je suis déjà en train de me demander dans quels délais Amazon.com serait en mesure de m'en expédier un volume, la rédemption m'apparaît sous la forme d'une question contradictoire : *Suis-je devenu complètement fou ?* Alors que la file serpente en direction de la borne de contrôle des billets, je mets de côté mon journal et commence à réfléchir. Ma vie entière s'est transformée en un gymkhana sans merci consistant à remplir chacune de mes heures un peu plus chaque jour. Je suis un grippe-sou armé d'un chronomètre, vivant dans l'obsession de récupérer la moindre parcelle de temps, une minute ici, quelques secondes là. Et je ne suis pas le seul. Tout le monde autour de moi – collègues, amis, famille – est pris dans le même vortex.

En 1982, le médecin américain Larry Dossey a inventé le concept de « maladie du temps » pour décrire cette croyance obsessionnelle selon laquelle « le temps s'enfuit, qu'il n'y en a pas assez et qu'il nous faut pédaler pour le rattraper ». De nos jours, le monde entier en souffre. Nous sommes tous prisonniers du même culte de la vitesse. Debout dans cette file d'attente, je commence à me colleter avec les questions qui sont au cœur de ce livre : « Pourquoi sommes-nous toujours si pressés ? Comment guérir de cette obsession du temps ? Est-il possible, ou seulement désirable, d'aller moins vite ? »

En ce début de XXIe siècle, tout un chacun est sommé d'aller plus vite. Il n'y a pas si longtemps, Klaus Schwab, fondateur et président du Forum économique mondial, a formulé ce besoin de vitesse en termes crus : « Nous troquons un monde dans lequel le gros mange le petit pour celui où les plus rapides mangent les plus lents. » Cet avertissement retentit bien au-delà du monde darwinien du commerce. Par les temps agités et affairés qui sont les nôtres, tout est une course contre la montre. Selon le psychologue britannique Guy Claxton, l'accélération est désormais notre seconde nature : « Nous avons développé une intériorisation psychologique des notions de vitesse, de gain de temps et d'efficacité maximale, qui se renforce de jour en jour. »

Il est temps désormais de défier notre obsession de tout faire plus vite. La vitesse n'est pas toujours la meilleure des politiques.

L'évolution fonctionne sur le principe de la survie du plus résistant et non du plus rapide. Souvenez-vous du vainqueur de la course du Lièvre et de la Tortue. Tandis que nous traversons notre vie ventre à terre, en exigeant chaque jour un peu plus de nos heures déjà bien remplies, nous tirons sur la corde jusqu'au point de rupture.

Avant d'aller plus loin, il nous faut clarifier un point : ce livre n'est pas une déclaration de guerre à la vitesse. Celle-ci nous a permis de reconstruire le monde dans un sens merveilleux et libérateur. Qui aujourd'hui voudrait vivre sans Internet ni avion à réaction ? Le problème est que notre amour de la vitesse, notre obsession d'en faire toujours plus en moins en moins de temps ont passé les bornes. Elle s'est transformée en dépendance, en une sorte d'idolâtrie. Même lorsque la vitesse semble se retourner contre nous, nous invoquons les mânes du « toujours plus vite ». Du travail en retard ? Adoptez une connexion plus rapide à Internet. Pas de temps pour lire ce roman qu'on vous a offert à Noël ? Apprenez la lecture rapide. Les régimes ne marchent pas ? Essayez la liposuccion. Trop occupé(e) pour cuisiner ? Achetez un four à micro-ondes. Pourtant, il y a certaines choses qui ne peuvent pas, et *ne devraient pas* aller plus vite. Elles prennent du temps, elles demandent de la lenteur. Lorsque vous accélérez des choses qui ne devraient pas l'être, lorsque vous oubliez comment calmer le jeu, il y a un prix à payer.

Le procès de la vitesse commence par l'économie. Le capitalisme moderne génère une richesse extraordinaire, mais au prix d'une consommation effrénée des ressources naturelles, menée à un rythme que Mère Nature ne peut plus soutenir. Des milliers de kilomètres carrés de forêt primaire amazonienne disparaissent chaque année, tandis qu'une pêche au chalut trop intensive a mis l'esturgeon, le loup de mer du Chili et d'autres poissons au nombre des espèces en danger. Le capitalisme va trop vite, voire à l'encontre de son propre intérêt, lorsque l'exigence de finir avant la concurrence laisse trop peu de temps au contrôle de la qualité. Prenez l'industrie informatique. Ces dernières années, les fabricants de logiciels ont pris l'habitude de faire sortir leurs produits avant qu'ils n'aient été complètement testés. Il en résulte une épidémie d'incidents, bogues et autres pépins techniques coûtant chaque année aux entreprises des milliards de dollars.

Puis vient le coût humain du « turbo-capitalisme ». De nos jours, nous existons pour servir l'économie, et non l'inverse. De longues heures passées au travail nous rendent finalement improductifs, sujets à l'erreur, insatisfaits et mal en point. Les cabinets médicaux regorgent de patients souffrant d'affections liées au stress : insomnies, migraines, hypertension, asthme et troubles gastro-intestinaux, pour n'en citer que quelques-unes. La culture actuelle du travail menace également notre santé mentale. « Auparavant, on ne rencontrait des états limites de surmenage qu'au-delà de quarante ans, observe un coach de vie basé à Londres. À présent, je rencontre des hommes et des femmes de trente ans, parfois même de vingt ans, qui ont brûlé toutes leurs réserves. »

Le culte du travail, qui peut être bénéfique à doses modérées, a désormais pris le dessus. Il n'est que d'observer la progression de cette aversion répandue à prendre de vraies vacances. Dans une étude Reed menée auprès de 5 000 travailleurs anglais, 60 % des personnes interrogées envisageaient de ne pas prendre toutes leurs vacances en 2003. En moyenne, les Américains délaissent un cinquième de leurs congés payés. Même la maladie ne parvient plus à éloigner de son bureau l'employé moderne : un Américain sur cinq retourne travailler quand il devrait se trouver alité ou en visite chez le médecin.

Quant à approfondir les conséquences effrayantes d'un tel phénomène, il suffit de se tourner vers le Japon, où l'on dispose d'un mot, *karoshi*, pour désigner la « mort par surmenage ». L'une des plus célèbres victimes du *karoshi* fut Kamei Shuji, un courtier de haut vol travaillant régulièrement quatre-vingt-dix heures par semaine au moment de l'expansion de la Bourse japonaise, à la fin des années 1980. Son employeur vantait l'endurance surhumaine de sa recrue dans des *newsletters* et des brochures de formation, faisant de lui l'étalon-or auquel devait se référer tout employé. Lors des rares pauses ménagées dans le protocole japonais, on lui demandait de former des collaborateurs plus âgés à l'art de la vente – ce qui ne faisait qu'ajouter au stress pesant déjà sur ses épaules de flanelle aux fines rayures. Lorsque la bulle boursière explosa en 1989, Shuji travailla encore plus dur pour compenser les pertes. En 1990, il mourut subitement d'une crise cardiaque. Il avait vingt-six ans.

Même si certains prennent cette triste histoire pour un avertissement, la culture du « marche-ou-crève » reste très profondément ancrée au Japon. En 2001, le gouvernement a enregistré un taux record de 143 victimes du *karoshi*. Ses détracteurs évaluent en milliers le nombre annuel des victimes du surmenage au Japon.

Mais sans même évoquer le *karoshi*, une main-d'œuvre à bout de force est de toute façon néfaste sur un plan strictement économique. Le Conseil national américain de la sécurité estime que le stress au travail pousse chaque jour des millions de citoyens à l'absentéisme, coûtant à l'économie plus de 150 milliards de dollars par an. En 2003, le stress a détrôné le mal de dos au titre de première cause d'absentéisme en Grande-Bretagne.

Le surmenage présente d'autres types de risques pour la santé. Il nous laisse moins de temps et d'énergie pour faire de l'exercice et nous expose à la consommation excessive d'alcool et de plats tout préparés. Ce n'est pas un hasard si les nations les plus dominées par la vitesse le sont aussi par les graisses : près d'un tiers des Américains et un cinquième des Britanniques sont désormais cliniquement obèses.

Même les Japonais prennent du poids. En 2002, une enquête nationale sur la nutrition a montré qu'un tiers des Japonais de plus de trente ans était en surpoids.

Pour suivre le rythme du monde moderne, beaucoup ont délaissé le café au profit d'excitants plus puissants. La cocaïne demeure un stimulant de choix chez les cols blancs, mais les amphétamines, également connues sous le nom de *speed*, sont en passe de les rattraper. Aux États-Unis, la consommation de drogues sur le lieu de travail a fait un bond de 70 % depuis

1998. De nombreux employés préfèrent la méthamphétamine cristal, qui procure une montée d'euphorie et d'énergie persistant au-delà de la journée de travail et épargne l'embarrassante loquacité qui accompagne toujours la prise de cocaïne. Le piège, c'est que les formes les plus puissantes de *speed* rendent plus dépendant que l'héroïne, et que le retour à la réalité peut déclencher dépression, agitation et comportements violents.

L'une des raisons pour lesquelles nous avons besoin de stimulants est que nous sommes nombreux à manquer de sommeil. Avec tant de choses à faire et si peu de temps pour les accomplir, l'Américain moyen dort quatre-vingt-dix minutes de moins qu'il y a un siècle. En Europe du Sud, foyer spirituel de la *dolce vita*, la sieste de l'après-midi a fini par céder du terrain à la traditionnelle journée de huit heures ouvrée : aujourd'hui, 7 % seulement des Espagnols prennent encore le temps d'un somme postprandial. Le manque de sommeil peut endommager les systèmes cardiovasculaires et immunitaires, provoquer un diabète et des problèmes cardiaques et déclencher indigestion, irritabilité et dépression. Dormir moins de six heures par nuit peut déséquilibrer la coordination motrice, le discours, les réflexes et le jugement. La fatigue a joué un rôle dans les pires désastres de l'ère moderne : Tchernobyl, l'*Exxon Valdez*, Three Mile Island, Union Carbide et la navette spatiale *Challenger*.

La somnolence cause plus d'accidents de voiture que l'alcool. Il ressort ainsi d'un récent sondage Gallup que 11 % des conducteurs britanniques ont reconnu s'être déjà assoupis au volant. Une étude émanant de la Commission nationale américaine des désordres du sommeil impute à la fatigue la moitié des accidents de la circulation. Combinez cela avec notre penchant pour la vitesse, et le résultat est un carnage. Le nombre annuel mondial des accidents de la route atteint à présent 1,3 million, soit plus du double qu'en 1990. Bien que de meilleures normes de sécurité aient fait baisser le nombre de victimes de la route dans les pays développés, les Nations Unies prévoient que la circulation sera la troisième cause de mortalité à l'horizon 2020. À l'heure qu'il est, plus de 40 000 personnes sont tuées et 1,6 million blessées chaque année sur les routes d'Europe.

Notre impatience rend même nos loisirs plus dangereux. Chaque année, des millions de personnes de par le monde souffrent de blessures occasionnées par le sport et l'activité physique. Beaucoup sont dues au fait d'avoir poussé le corps trop loin, trop vite et trop tôt hors de ses limites. Même le yoga n'est pas à l'abri : l'une de mes amies s'est récemment froissé les muscles du cou en tentant une posture sur la tête avant que son corps ne soit prêt à la tenir. Certains souffrent des pires problèmes. À Boston, dans le Massachusetts, un professeur impatient a brisé les os pubiens d'une de ses élèves en la poussant à forcer une position. Dans un club à la mode de Manhattan, un homme d'une trentaine d'années s'est retrouvé avec une partie de la cuisse droite insensibilisée après s'être pincé un nerf au cours d'une séance de yoga.

Inévitablement, une vie agitée peut devenir superficielle. Lorsque nous nous hâtons, nous écrémons la surface des choses et échouons à créer de vrais contacts avec les autres et le monde qui nous entoure. Comme l'écrit Milan Kundera dans *La Lenteur*: « Quand les choses se passent trop vite, personne ne peut être sûr de rien, de rien du tout, même pas de soi-même. » Toutes les choses qui nous relient et donnent du prix à la vie – la communauté, la famille, l'amitié – se nourrissent de ce dont nous manquons perpétuellement : le temps. Dans un récent sondage de l'Institut des médecines de complément, la moitié des adultes britanniques ont déclaré que leur emploi du temps surchargé leur avait fait perdre le contact avec leurs amis.

Considérons les dégâts que la vie à grande vitesse peut infliger à la vie de famille. Chaque membre menant sa vie de son côté, les Post-it collés sur la porte du réfrigérateur deviennent aujourd'hui la principale forme de communication dans bien des foyers. D'après les chiffres publiés par le gouvernement britannique, les parents actifs passent en moyenne deux fois plus de temps à gérer leur courrier électronique qu'à jouer avec leurs enfants. Au Japon, les parents réservent des places pour leurs enfants dans des centres de prise en charge ouverts 24 heures sur 24. Partout dans le monde industrialisé, les petits rentrent de l'école pour trouver une maison vide, où personne n'est là pour prêter l'oreille à leurs histoires, à leurs triomphes ou à leurs peurs. Dans une enquête du magazine *Newsweek* menée en 2000 auprès d'adolescents américains, 73 % d'entre eux déclaraient passer trop peu de temps avec leurs parents.

Les plus jeunes souffrent probablement davantage de cette orgie d'accélération. Ils mûrissent plus vite encore que jamais ; beaucoup sont désormais aussi occupés que leurs parents, jonglant avec des emplois du temps bourrés d'occupations allant des cours particuliers aux leçons de piano en passant par l'entraînement de football. Ce type de situation a été croqué dans un dessin animé récent : deux petites filles attendent le bus à une station, chacune tenant son agenda électronique. L'une dit à l'autre : « D'accord, je recule mon cours de danse d'une heure, je change mon cours de gymnastique et j'efface le cours de piano... Toi, tu déplaces à jeudi ton cours de violon et tu sautes ton entraînement de foot... Cela nous laisse un créneau le mercredi 16, pour jouer de 15 h 15 à 15 h 45. »

Vivre la vie d'adultes tout-puissants laisse bien peu de temps à ce qui fait la vérité de l'enfance : rire avec les copains, jouer sans le contrôle des adultes, rêver... Cela a également des incidences sur la santé, et les enfants sont moins capables de résister à la privation de sommeil et au stress qui sont le prix à payer pour ces existences bousculées et sans pause. Les psychologues spécialisés dans le traitement de l'anxiété chez les adolescents voient affluer dans leurs salles d'attente des enfants de cinq ans souffrant de maux d'estomac, de maux de tête, d'insomnie, de dépression et de troubles de l'alimentation. Dans de nombreux pays industrialisés, les suicides d'adolescents sont en hausse – ce qui n'est pas un hasard compte tenu de la charge que beaucoup doivent assumer en classe. En 2002, Louise Kitching, une jeune fille du Lincolnshire âgée de dix-sept ans s'est enfuie en larmes de sa salle d'examen. Cette lycéenne vedette venait juste de passer son cinquième examen de la journée et n'avait eu droit qu'à dix minutes de battement entre chaque épreuve.

Si nous continuons à ce rythme, le culte de la vitesse ne peut qu'empirer. Lorsque tout le monde choisit d'aller vite, l'avantage de notre propre vitesse s'évanouit, nous forçant à accélérer encore et encore. En fin de compte, il ne nous reste qu'à soutenir une course à l'armement basée sur la vitesse, et nous savons tous comment cela se termine : dans l'impasse effrayante des armes de destruction massive.

Beaucoup de choses ont déjà été sacrifiées sur l'autel de la vitesse. Nous avons oublié ce qu'est l'attente et comment profiter du moment où arrivent les événements. Les restaurateurs ont noté que de plus en plus de dîneurs pressés demandaient à régler la note et commander leur taxi avant même d'avoir entamé leur dessert. Beaucoup de fans quittent le lieu d'une rencontre sportive avant son issue, simplement pour prendre de l'avance sur leur trajet de retour. Et puis il y a cette malédiction de faire plusieurs choses à la fois. Accomplir deux choses en même temps nous paraît si intelligent, si efficace, si moderne... Et pourtant, cela équivaut souvent à faire moins bien les deux activités. Comme beaucoup de gens, je lis le journal tout en regardant la télévision – et je constate que je ne retire pas grand-chose de l'une et l'autre de ces occupations.

Dans cette époque riche en informations, gavée de médias, vouée au nomadisme télévisuel et aux jeux électroniques, nous avons perdu l'art de ne rien faire, de fermer la porte aux bruits de fond et à ce qui nous distrait, de ralentir le rythme en restant simplement seuls avec nous-mêmes. L'*ennui* – un mot qui existait à peine il y a cent cinquante ans – est une invention moderne. Retirez toute stimulation extérieure et nous ne tenons plus en place, nous paniquons et cherchons quelque chose, n'importe quoi, pour occuper notre temps. Quand avez-vous vu pour la dernière fois un passager laisser filer son regard à travers la vitre d'un train ? Chacun est trop occupé à lire le journal, à jouer à des jeux vidéo, à écouter son iPod, à travailler sur son portable ou à marmonner dans son téléphone mobile.

Au lieu de penser en profondeur ou de laisser une idée mûrir au fond de notre tête, notre instinct nous commande à présent de trouver le résumé le plus immédiat. Dans les conflits modernes, les correspondants sur le terrain et les experts dans les studios pondent des analyses à chaud des événements. Leurs jugements se révèlent souvent faux, mais cela importe peu de nos jours : le pays de la vitesse consacre le règne de la réponse toute prête. Avec des retours satellite et des chaînes d'information actives 24 heures sur 24, les médias électroniques sont dominés par ce qu'un sociologue français a baptisé « la pensée rapide » – par ceux qui, sans perdre le rythme un seul instant, peuvent fournir une réponse désinvolte à n'importe quelle question.

D'une certaine manière, nous sommes tous entraînés aujourd'hui à cette pensée rapide. Notre impatience est devenue si implacable que, comme le résumait l'actrice Carrie Fisher sur le ton de la plaisanterie, « même la gratification immédiate prend trop de temps ». Cela explique en partie la frustration chronique bouillonnant à la surface de nos vies modernes. Toute personne ou toute chose se trouvant sur notre passage, qui nous ralentit et nous empêche d'obtenir exactement ce que nous voulons quand nous le voulons, devient l'ennemi. Ainsi le plus petit contretemps, le plus léger délai, la plus légère bouffée de lenteur peut désormais provoquer une colère noire chez des gens tout à fait ordinaires.

On en voit des preuves partout. À Los Angeles, un homme a provoqué un esclandre au supermarché parce que le client qui était devant lui prenait trop de temps pour empaqueter ses courses. À Londres, une femme érafle la peinture d'un véhicule qui arrive avant elle sur une place de parking, un cadre s'en prend à une hôtesse de l'air en apprenant que son avion est obligé de passer vingt minutes de plus à tourner au-dessus de l'aéroport d'Heathrow avant d'atterrir. « Je veux atterrir maintenant ! Tout de suite ! » hurle-t-il en enfant gâté.

Une camionnette s'arrête devant la maison de mes voisins, forçant les voitures qui la suivent à attendre que le conducteur ait livré une table basse. En l'espace d'une minute, la femme d'affaires assise dans la voiture de derrière, la quarantaine, commence à l'agonir, levant les bras en l'air et oscillant sèchement la tête. De sa fenêtre ouverte, elle laisse finalement échapper une plainte grave et gutturale. On se croirait dans une scène de *L'Exorciste.* J'en conclus qu'elle doit être en train d'avoir une crise d'épilepsie et me précipite en bas pour aider. Mais il s'avère, lorsque j'arrive sur le trottoir, qu'elle est simplement agacée de se retrouver coincée derrière la camionnette. Elle se penche à sa fenêtre et hurle à la cantonade : « Si vous ne bougez pas votre p... de camion, c'est moi qui vais vous dézinguer. » Le livreur hausse les épaules comme s'il avait déjà vu cela mille fois, se glisse derrière son volant et s'en va. J'ouvre la bouche pour demander à la mécontente de baisser un peu le ton, mais ma voix est couverte par le crissement de ses pneus dérapant sur l'asphalte.

Voilà où nous mène notre obsession d'aller vite et de gagner du temps. À la furie. Furie au volant, en avion, dans les magasins, en couple, au bureau, en vacances, à la gym. Grâce à la vitesse, nous vivons l'âge de la rage.

Après cette radicale prise de conscience à l'aéroport de Rome, je retourne à Londres avec une mission : évaluer le coût de la vitesse et les chances existantes de pouvoir décélérer dans un monde obsédé par l'idée d'aller toujours plus vite. Nous sommes nombreux à nous plaindre de nos emplois du temps surchargés ; mais faisons-nous vraiment quoi que ce soit pour en changer ? Eh bien, oui. Tandis que le reste du monde carbure à cent à l'heure, une minorité grandissante a choisi de ne pas tout faire à toute vitesse. Dans tous les aspects de l'activité humaine, qu'il s'agisse de sexe, de travail, d'exercice, d'alimentation, de médecine ou d'urbanisme, ces rebelles accomplissent l'impensable : ils font de la place à la lenteur. Et la bonne nouvelle, c'est que ça marche. En dépit des imprécations de Cassandre des marchands de vitesse, il apparaît qu'*aller moins vite* veut souvent dire « aller mieux ». Ce qui signifie : être en meilleure santé, être meilleur au travail et en affaires, être meilleur en sport, jouir d'une meilleure vie de famille et d'une meilleure sexualité.

Nous en sommes déjà passés par là. Au XIXe siècle, les gens ont résisté à la pression de la vitesse par des moyens qui nous sont familiers aujourd'hui. Les syndicats ont alors réclamé plus de temps libre, les citadins stressés ont trouvé refuge et réconfort à la campagne ; peintres et poètes, écrivains et artisans ont cherché les moyens de privilégier une esthétique de la lenteur à l'ère de la machine. Aujourd'hui cependant, cette violente réaction à l'encontre de la vitesse gagne le grand public dans une urgence accrue. C'est un mouvement populaire, des cuisines aux bureaux, des salles de concerts aux usines, des chambres à coucher aux clubs de gym, des quartiers aux galeries d'art et aux hôpitaux, des écoles aux centres de loisirs, qui refuse d'accepter le diktat selon lequel le plus vite est toujours le mieux. Et dans cette décision de ralentir de façon multiple et variée se cache le ferment d'un mouvement global en faveur de la lenteur.

Il est temps désormais de définir nos termes. Dans ce livre, vitesse et lenteur font plus que désigner un changement de rythme. Ce sont des termes incarnant des styles ou des philosophies de vie. La vitesse est occupée, autoritaire, agressive, agitée, analytique, stressée, superficielle, impatiente, active et privilégie la quantité sur la qualité. La lenteur est son opposé : calme, attentive, réceptive, immobile, intuitive, tranquille, patiente, réflexive et préfère la qualité à la quantité. Avec elle, il est question de contacts vrais et profonds – avec les gens, avec une culture, avec le travail, avec la nourriture, avec tout. Le paradoxe est que *lent* ne veut pas toujours dire « au ralenti ». Comme nous le verrons, accomplir une tâche à la manière lente donne souvent de bien meilleurs résultats, et il est également possible de faire les choses rapidement tout en maintenant un état d'esprit calme. Un siècle après ce vers de Rudyard Kipling nous intimant de garder la tête sur les épaules quand tous les autres l'auront perdue, les gens apprennent à conserver leur calme. Ils apprennent comment rester lents à l'intérieur, même lorsqu'ils tentent de tenir un délai au travail ou de déposer les enfants à l'heure à l'école. L'un des buts de ce livre est de montrer comment ils y parviennent.

En dépit du discours de certains critiques, ce mouvement pour la lenteur ne milite pas pour agir à la vitesse de l'escargot. Il ne s'agit pas non plus d'une mouvance réactionnaire visant à faire régresser toute la planète vers on ne sait quelle utopie préindustrielle. Au contraire, ce mouvement est constitué de gens comme vous et moi, qui veulent vivre mieux dans ce monde rapide qu'est le monde moderne. C'est pourquoi cette philosophie peut être résumée en un seul mot : *équilibre.* Allez vite lorsqu'il est logique de le faire. Et allez lentement lorsque la lenteur s'impose. Cherchez à vivre à ce rythme que les musiciens appellent le *tempo giusto* – la « bonne cadence ».

L'un des grands partisans de la décélération est l'Italien Carlo Petrini, le fondateur de Slow Food, un mouvement international dédié à cette notion très civilisée selon laquelle ce que nous mangeons devrait être cultivé, cuisiné et consommé tranquillement. Bien que la table soit son cheval de bataille, Slow Food représente bien plus qu'un prétexte à de longs repas. Le manifeste du groupe est un appel aux armes contre le culte de la vitesse sous toutes ses formes : « Notre siècle, qui a débuté et s'est développé sous le signe de la révolution industrielle, a commencé par inventer la machine, puis en a fait un modèle de vie. Nous sommes les esclaves de la vitesse et avons tous succombé au même virus insidieux : la vie à grande vitesse, qui brise nos habitudes, envahit nos espaces privés et nous contraint à consommer du fast-food. »

Au cours d'un brûlant après-midi d'été à Bra, la petite ville piémontaise qui abrite le quartier général de Slow Food, je rencontre Petrini pour bavarder ; sa recette de vie conserve une rassurante vibration de modernité. « Si vous allez toujours lentement, c'est stupide – et ce n'est pas du tout le but de notre démarche ! me dit-il. Aller lentement revient à contrôler les rythmes de sa propre vie. Vous décidez à quelle vitesse vous devez aller, dans tel ou tel contexte. Si aujourd'hui j'ai envie d'aller vite, je vais vite. Si demain je veux aller doucement, je vais doucement. Nous nous battons pour le droit à déterminer notre propre tempo. »

Cette philosophie très simple gagne du terrain sur bien des scènes. Au travail, des millions de gens se battent – et gagnent – pour un meilleur équilibre entre le travail et la vie. Dans les chambres, les gens découvrent les joies du sexe au ralenti par le biais du tantrisme et d'autres formes de décélération érotique. L'idée que ce qui va lentement est meilleur sous-tend la vogue des disciplines – du yoga au taï-chi en passant par les médecines alternatives, de la phytothérapie à l'homéopathie – qui adoptent une approche du corps globale et douce. Partout, les villes refondent leur paysage urbain et encouragent les gens à conduire moins et à marcher plus. Beaucoup d'enfants échappent à la dictature de la vitesse quand leurs parents allègent leur emploi du temps.

Inévitablement, la philosophie de la lenteur se superpose à la croisade contre la mondialisation. Des deux côtés, les partisans sont convaincus que le turbo-capitalisme ne peut mener qu'au surmenage de la planète comme de ses habitants, et cela sans espoir de retour. Ils affirment que nous pouvons vivre mieux en consommant, produisant et travaillant à un rythme plus raisonnable. Comme les altermondialistes modérés, les activistes Slow ne sont pas pour détruire le système capitaliste. Ils cherchent plutôt à lui donner un visage humain. Petrini lui-même parle de « globalisation vertueuse ». Mais ce mouvement en faveur de la lenteur va bien plus en profondeur et balaie un champ bien plus large qu'une simple réforme économique. En s'attaquant au vain totem de la vitesse, il touche au cœur de l'identité humaine à l'ère numérique. La devise de la lenteur peut produire des résultats lorsqu'elle est appliquée par petites touches. Pour en retirer le plus grand bénéfice, nous devons aller au-delà et repenser notre approche globale. Un monde authentiquement « lent » ne suppose rien moins qu'une révolution de nos modes de vie.

La philosophie de la lenteur est encore en gestation. Elle ne dispose pas de quartier général, ni d'un site Internet, ni d'un représentant unique, pas plus qu'elle ne s'appuie sur un parti politique pour porter son message. De nombreuses personnes décident de ralentir sans pour autant se sentir appartenir à une tendance culturelle, sans même parler de croisade mondiale. Ce qui compte, néanmoins, c'est qu'une minorité agissante est en train de privilégier la lenteur par rapport à la vitesse. Chaque acte allant dans ce sens est un point de plus pour le mouvement.

Comme les altermondialistes, les activistes de la lenteur se forgent des réseaux, soutiennent leur élan et affûtent leur philosophie à travers des conférences internationales, Internet et les médias. Des groupes pro-Slow éclosent un peu partout. Certains, comme le Slow Food, se concentrent principalement sur un aspect de la vie. D'autres appliquent la philosophie de la lenteur à plus large échelle. C'est le cas du Sloth Club japonais (ou « Club de la paresse »), de la fondation américaine Long Now (« Du temps maintenant ») et de la Société européenne pour la décélération du temps. Le développement du mouvement viendra pour beaucoup de pollinisations croisées. Slow Food a déjà fait des petits. Sous la bannière des Citta Slow, plus de soixante villes en Italie et ailleurs s'efforcent de se transformer en oasis de calme. La ville de Bra est également le berceau du Slow Sex, un groupe voué à bannir toute précipitation dans le domaine amoureux. Aux États-Unis, la doctrine Petrini a inspiré à un éducateur le mouvement du Slow Schooling (l'« École progressive »).

Le but de ce livre est de faire connaître la philosophie de la lenteur à un plus large public, d'en expliquer les motivations et le développement, de nommer les obstacles qu'elle rencontre sur sa route et de dire ce qu'elle a à nous offrir. Ma motivation, cependant, n'est pas entièrement altruiste. Je suis moi-même un accro de la vitesse, et ce livre représente aussi une odyssée personnelle. À la fin de ce travail, j'ambitionne de retrouver une part de la sérénité que j'avais éprouvée à Rome en attendant mon bus. Je veux être capable de lire une histoire à mon fils sans regarder ma montre.

Comme la plupart des gens, je veux trouver le moyen de vivre mieux en trouvant un équilibre entre vitesse et lenteur.

CHAPITRE 1
TOUJOURS PLUS VITE

Nous déclarons que la splendeur du monde s'est enrichie d'une beauté nouvelle : la beauté de la vitesse.

Manifeste futuriste (1909)

Quelle est la toute première chose que vous faites lorsque vous vous levez le matin ? Tirer les rideaux ? Vous blottir contre votre compagne ou compagnon d'oreiller ? Sauter du lit et faire une série de dix pompes pour activer la circulation ? Non, la première chose que vous faites et que tout le monde fait, c'est de regarder l'heure. Perché sur la table de nuit, le réveil nous donne nos repères et nous indique non seulement où nous en sommes par rapport au reste de la journée, mais aussi comment réagir. S'il est tôt, je ferme les yeux et tente de me rendormir. S'il est tard, je saute hors du lit et me dirige immédiatement vers la salle de bains. Dès le tout premier moment de la journée, le réveil mène le jeu. Et il en ira de même jusqu'au soir, tandis que nous courons d'un rendez-vous, d'une échéance à l'autre. Chaque moment s'inscrit dans un emploi du temps général et, où que nous regardions, qu'il s'agisse de la table de nuit, de la cantine du bureau, de l'écran de notre ordinateur ou de notre propre poignet, l'heure tourne, suivant nos progrès, nous enjoignant de ne pas prendre de retard.

Dans notre monde moderne et rapide, le temps nous semble un train sur le point de quitter la gare au moment où nous arrivons sur le quai. Aussi vite que nous allions et quelle que soit l'efficacité de notre organisation, il n'y a jamais assez d'heures dans une journée. Dans une certaine mesure, il en a toujours été ainsi. Mais aujourd'hui nous ressentons plus que jamais cette pression du temps. Pourquoi ? En quoi sommes-nous différents de nos ancêtres ? Si nous devons jamais parvenir à nous arrêter de courir, il nous faut d'abord comprendre ce qui nous fait accélérer le rythme et pourquoi le monde tourne à ce régime, avec un emploi du temps si fermement cadenassé. Pour cela, nous devons revenir au tout début, en explorant notre relation au temps lui-même.

L'humanité a toujours été fascinée par le temps, ressentant sa présence et son pouvoir, sans jamais être sûre de pouvoir le définir. Au IVe siècle, saint Augustin songeait : « Qu'est-ce donc que le temps ? Si personne ne me le demande, je le sais ; mais si j'étais désireux de l'expliquer à qui me le demande, à l'évidence, je n'en saurais rien. »

Seize cents ans plus tard, après avoir bataillé avec quelques pages de Stephen Hawking, nous comprenons exactement son sentiment. Car si le temps reste insaisissable, chaque société a pourtant élaboré des moyens de mesurer son passage. D'après les archéologues, il y a vingt mille ans, les chasseurs européens de l'âge glaciaire comptaient les jours écoulés entre les phases lunaires en inscrivant des lignes et des trous dans le bois et l'os. Chaque grande civilisation de l'Antiquité – Sumériens et Babyloniens, Égyptiens et Chinois, Mayas et Aztèques – a créé son propre calendrier. L'un des premiers documents à sortir de l'imprimerie de Gutenberg fut le « Calendrier de 1448 ».

Une fois que nos ancêtres eurent appris à mesurer les années, les mois et les jours, il leur restait à découper le temps en unités plus petites. L'un des plus anciens instruments connus permettant de diviser le temps en parts égales est un cadran solaire égyptien datant de 1500 av. J.-C. Les premières horloges se basaient sur le temps écoulé à faire passer de l'eau ou du sable par un trou, ou à faire brûler une chandelle ou une coupe d'huile.

La mesure du temps fit un bond en avant au XIIIe siècle, avec l'invention, en Europe, de l'horloge mécanique. À la fin du XVe siècle, les gens mesuraient précisément non seulement les heures, mais également les minutes et les secondes.

L'une des motivations essentielles de la mesure du temps fut la subsistance. Les civilisations antiques usaient de calendriers pour savoir quand planter et récolter. Dès ses origines, cependant, ce « calcul » du temps s'est révélé être une arme à double tranchant. Les plannings ont ceci de bon qu'ils peuvent rendre n'importe qui plus efficace – de l'agriculteur à l'ingénieur en informatique –, mais dès que nous commençons à découper le temps, les rôles s'inversent et c'est le temps qui prend le dessus. Nous devenons esclaves de notre emploi du temps ; les horaires nous donnent des délais à respecter, et ces délais, par leur essence même, nous donnent des raisons de nous presser. Comme le dit le proverbe italien, « l'homme mesure le temps, le temps mesure l'homme ».

En nous permettant la planification quotidienne, les montres ont maintenu la promesse d'une efficacité (et d'un contrôle) toujours plus grande. Les premiers instruments de mesure temporelle étaient trop peu fiables pour diriger le monde comme le font aujourd'hui nos horloges. Les cadrans solaires ne marchaient pas la nuit ni par temps nuageux, et la longueur d'une heure solaire variait d'un jour à l'autre en fonction de l'inclinaison de la Terre. Idéals pour mesurer la durée d'une tâche spécifique, les sabliers et les clepsydres n'étaient pas en mesure d'indiquer l'heure. Pourquoi tant de duels, de batailles et autres événements historiques se tenaient-ils à l'aube ? Non que nos ancêtres aient particulièrement prisé les levers au petit jour, mais parce que l'aube était un moment que chacun pouvait reconnaître, et duquel il était aisé de convenir. En l'absence d'horloges fiables, la vie était rythmée par ce que les sociologues appellent « le temps naturel ». Les gens accomplissaient les choses quand ils l'estimaient bon, et non parce qu'une montre au poignet leur en intimait l'ordre. Ils mangeaient lorsqu'ils avaient faim et dormaient quand la fatigue les gagnait. Néanmoins et très tôt, *« dire » le temps* a rimé avec *diriger les gens.*

Dès le VIe siècle de notre ère, époque lointaine, les moines bénédictins avaient adopté une routine que ne renierait pas un chef d'entreprise. À l'aide d'horloges rudimentaires, ils sonnaient les cloches nuit et jour à intervalles précis pour s'entraîner les uns les autres à suivre le rythme de leurs tâches, de la prière à l'étude, des travaux des champs au repos, pour revenir à la prière. Lorsque les horloges firent leur apparition sur les places dans les villes d'Europe, la frontière entre contrôle du temps et contrôle social devint encore plus floue. La ville de Cologne représente un véritable cas d'école. Des archives historiques suggèrent qu'une horloge publique y fut érigée vers 1370. En 1374, la ville édicta un statut fixant le début et la fin d'une journée de labeur, en limitant les heures de repas à « une heure et pas plus ». En 1391, la ville imposa un couvre-feu à partir de 21 heures (20 heures en hiver) pour les visiteurs étrangers, qui fut suivi en 1398 d'un couvre-feu général dès 23 heures. En l'espace d'une génération, les citoyens de Cologne étaient passés d'un monde où l'on ne savait jamais précisément l'heure qu'il était aux diktats d'une horloge vous indiquant quand travailler, combien de temps prendre pour déjeuner et à quelle heure rentrer chez soi tous les soirs. Le temps mécanique avait vaincu le temps naturel.

Suivant la voie qu'avaient balisée les bénédictins, les Européens aux idées modernes commencèrent à se conformer à des horaires quotidiens pour vivre et travailler plus efficacement. Au temps de la Renaissance italienne, en sa qualité de philosophe, architecte, musicien, peintre et sculpteur, Leon Battista Alberti était un homme occupé. Pour faire le meilleur usage de son temps, il commençait chaque jour en établissant un programme : « Lorsque je me lève le matin, je me demande avant toute autre chose ce que je dois faire dans la journée. J'en fais la liste, j'y réfléchis et assigne un temps particulier à chaque tâche : celle-ci ce matin, cette autre l'après-midi, cette autre encore dans la soirée. » On imagine assez bien qu'Alberti aurait adoré posséder un Palm.

La programmation du temps devint le credo de la révolution industrielle, alors que le monde prenait un virage en vitesse surmultipliée. Avant l'ère de la machine, nul ne pouvait aller plus vite qu'un cheval au galop ou qu'un navire à pleines voiles. La vitesse mécanique vint tout bouleverser. D'un seul coup, rien qu'en appuyant sur un bouton, les gens, les informations et les matériaux pouvaient traverser de grandes distances plus vite que jamais auparavant. Une usine pouvait recracher plus de produits finis en une journée qu'un artisan ne pouvait en produire au cours de sa vie entière. Cette nouvelle vitesse promettait des sensations et une prospérité inimaginables, et les gens buvaient du petit-lait. Lorsque le premier passager en train à vapeur fit son voyage inaugural dans le Yorkshire de l'Angleterre de 1825, il fut accueilli par une foule de 40 000 personnes et une salve de vingt et un coups de fusil.

Le capitalisme industriel se reput littéralement de la vitesse et la récompensa comme jamais. L'entreprise qui manufacturait et expédiait ses produits le plus vite pouvait court-circuiter ses rivales. Plus vite vous transformiez le capital en profit, plus vite vous pouviez le réinvestir en vue de meilleurs gains. L'expression « se faire de l'argent facile » n'est pas apparue par hasard dans la langue du XIXe siècle.

En 1748, à l'aube de l'ère industrielle, Benjamin Franklin bénit le mariage entre temps et profit avec un aphorisme que nous avons toujours sur la langue aujourd'hui : « Le temps, c'est de l'argent. » Rien n'a mieux reflété ni renchéri ce nouvel état d'esprit que la décision de payer la main-d'œuvre à l'heure au lieu de la rémunérer pour ce qu'elle produisait ; à partir du moment où chaque minute a eu un coût, l'entreprise s'est retrouvée piégée dans une course sans fin en vue d'une accélération de la production. « Plus de pièces à l'heure » signifiait « plus de profit ». Rester au-dessus du lot supposait d'installer, avant ses concurrents, la technologie économe en temps la plus récente. Le capitalisme moderne arriva avec un impératif planifié de progrès technique et d'accélération, pour se rendre toujours plus efficace.

L'urbanisation, autre aspect de l'ère industrielle, contribua à accélérer le rythme. Les villes ont toujours attiré les personnes énergiques et dynamiques, mais la vie urbaine elle-même agit comme un accélérateur géant de particules. Lorsque les gens sont venus vivre en ville, ils ont commencé à tout faire plus vite. En 1871, voici ce qu'un diariste anonyme disait du monde des affaires anglais : « À Londres, l'usure des nerfs et la dépense d'intelligence sont impressionnantes. Le Londonien vit à toute allure. Londres vous décape – ailleurs, on rouille... L'esprit est sans cesse sollicité par la succession rapide de nouvelles images, de nouveaux visages et de nouvelles sensations. Toute affaire se conclut à un rythme accéléré. Acheter et vendre, compter et évaluer, et jusqu'aux conversations de comptoir, rien ne s'accomplit sans une touche de célérité et un art consommé... Les gens lents ou ennuyeux pensent bientôt qu'ils n'ont aucune chance ; mais au bout de quelque temps, comme un cheval médiocre attelé à une voiture rapide, ils adoptent à leur tour un rythme inconnu jusqu'alors. »

Pendant que s'étendait l'industrialisation, le XIXe siècle produisait un défilé sans fin d'inventions destinées à aider les gens à voyager, travailler et communiquer plus vite. En 1850, la plupart des 15 000 machines enregistrées à l'Institut national de la propriété industrielle américaine étaient vouées, comme le consigne un visiteur suédois, « à accroître la vitesse et à l'économie de temps et de travail ». La première ligne de métro fut inaugurée à Londres en 1863. À Berlin, on électrifie le premier tram en 1879. Otis dévoile son premier Escalator en 1900. Dès 1908, les premières voitures Ford Modèle T sortent des chaînes d'assemblage. Les communications enregistrent elles aussi cette accélération avec l'apparition du télégraphe électrique en 1837, suivie du câble transatlantique en 1866 et dix ans plus tard du téléphone et de la radiotransmission sans fil.

Néanmoins, aucune de ces nouvelles technologies ne pouvait être pleinement exploitée sans une maîtrise pointue du temps. Celle-ci est en quelque sorte le système opératoire du capitalisme moderne, l'élément qui rend tout le reste possible – réunions, délais, contrats, procédés de fabrication, plannings, transports, roulement des équipes. Lewis Mumford, éminent observateur de la société, a reconnu dans la pointeuse un élément clé de la révolution industrielle. Mais il fallut attendre la fin du XIXe siècle pour que l'organisation d'un temps « normé » libère son plein potentiel. Auparavant, chaque ville déterminait le temps à son midi solaire, ce moment particulier où toutes les ombres disparaissent tandis que le Soleil semble à la verticale de la Terre. Il en résultait un véritable méli-mélo de fuseaux horaires. Par exemple, au début des années 1880, la Nouvelle-Orléans avait vingt-trois minutes de retard sur Baton Rouge, située à une cinquantaine de kilomètres plus à l'ouest. Au temps où l'on ne voyageait guère plus vite qu'un cheval au galop, de telles absurdités ne dérangeaient personne – mais alors déjà les trains se déplaçaient assez vite pour s'en préoccuper. Afin d'établir des horaires de trains efficaces, les nations commencèrent à harmoniser leurs temps respectifs. Dès 1855, une grande partie de l'Angleterre avait adopté le temps télégraphié par l'Observatoire royal de Greenwich. En 1884, vingt-sept pays reconnurent le méridien de Greenwich comme le premier de tous – ce qui mena au final à la création d'une norme de temps universel. En 1911, une grande partie du monde était à la même heure.

Il ne fut pas facile de persuader les premiers ouvriers de l'industrie de se conformer aux horaires. Beaucoup travaillaient à leur propre rythme, prenaient leur pause quand cela leur chantait et ne se présentaient parfois carrément pas au travail – un désastre pour les directeurs d'usine qui les payaient à l'heure. Pour leur inculquer cette nouvelle discipline qu'exigeait le capitalisme moderne, les classes dominantes commencèrent à promouvoir la ponctualité comme un devoir civique et une vertu morale, tout en consignant la lenteur et le retard au rang des péchés capitaux. Dans son catalogue de 1891, la Société des horloges à signaux électriques mettait en garde contre le fléau de la lenteur : « S'il existe une vertu à cultiver plus que toute autre, pour qui voudrait réussir dans la vie, c'est la ponctualité : s'il y a une erreur à éviter, c'est bien d'être en retard. » L'une des pointeuses fabriquées par l'entreprise, la bien-nommée « Autocrate », promettait de « révolutionner les traînards et les retardataires ».

La ponctualité fut grandement encouragée par l'apparition sur le marché du premier réveille-matin, en 1876. Quelques années plus tard, les usines commencèrent à installer des pointeuses que les ouvriers devaient actionner au début et à la fin de leur journée de travail, ancrant ainsi dans un rituel quotidien le principe édictant que le temps vaut de l'argent. Et tandis que la pression s'accumulait jusqu'à faire compter chaque seconde, le port d'une montre devint un signe de prestige. Aux États-Unis, les gens pauvres participaient à des tombolas dont le lot de la semaine était une montre. L'école elle aussi faisait la promotion de cette nouvelle norme de ponctualité. Dans son édition de 1881, une leçon du manuel de lecture McGuffey mettait les enfants en garde contre les horreurs qu'un retard d'origine humaine pouvait entraîner : accidents ferroviaires, contrats manqués, défaites militaires, exécutions injustes, amours contrariées : « Il en va continuellement ainsi dans la vie, les plans les mieux préparés, les affaires les plus importantes, les fortunes individuelles, l'honneur, le bonheur, la vie elle-même sont chaque jour sacrifiés parce que quelqu'un n'est pas à l'heure. »

Et tandis que le temps resserrait son emprise et que la technologie permettait de tout faire plus vite, l'empressement et la hâte s'insinuèrent dans chaque recoin de la vie. On attendait des gens qu'ils pensent, travaillent, parlent, lisent, écrivent, mangent et se déplacent plus vite. Un observateur du XIXe siècle notait en plaisantant que le citadin moyen de New York « marchait toujours comme s'il se rendait à un bon dîner et était suivi d'un huissier ». En 1880, Friedrich Nietzsche observait l'émergence d'une culture « de la précipitation, de l'empressement indécent et transpirant, exigeant que tout soit fait tout de suite ».

Les intellectuels commencèrent à remarquer que la technologie nous modelait autant que nous la façonnions. En 1910, l'historien Herbert Casson écrivait que « le téléphone a induit une nouvelle tournure d'esprit. Les humeurs lambines et léthargiques ont été balayées..., l'existence est devenue plus intense, plus alerte, plus vivante ». Casson ne serait pas surpris d'apprendre que passer de longues heures à travailler sur un ordinateur peut rendre les gens impatients envers quiconque ne parvient pas à aller à la vitesse d'un logiciel informatique.

La culture de la vitesse est encore montée d'un cran à la fin du XIXe siècle à la faveur d'un précurseur en sciences du management du nom de Frederick Taylor. Aux usines Bethlehem Steel de Pennsylvanie, Taylor se servait d'un chronomètre et d'une règle à calcul pour définir à la fraction de seconde près le temps qui devait être imparti à chaque tâche, puis combina le tout dans un souci de rendement maximum. « Dans le passé, l'homme venait en premier, déclarait-il sur un ton menaçant. À l'avenir, c'est le système qui viendra en premier. » Mais, bien que ses écrits fussent lus avec intérêt dans le monde entier, Taylor lui-même ne retira qu'un succès mitigé des applications pratiques de sa « science du management ». Dans sa propre usine, il demanda à un ouvrier de fournir chaque jour quatre fois plus de fonte brute que la moyenne. Nombre d'employés donnèrent leur congé à Bethlehem Steel, se plaignant du stress et de la fatigue. Taylor n'était pas facile à vivre et, au bout du compte, fut licencié en 1901. Et bien que l'homme, figure de haine pour les syndicats, ait terminé sa vie dans une relative obscurité, sa devise – le système en premier, l'homme en second – laissa une marque indélébile dans la psyché occidentale – et pas seulement dans le monde du travail. Michael Schwarz, producteur en 1999 d'un documentaire sur le taylorisme, nous le confirme : « Taylor est peut-être mort dans l'ignominie, mais il a probablement eu le dernier mot, parce que sa conception du rendement a fini par modeler notre mode de vie actuel, non seulement au travail mais également dans nos vies personnelles. »

À peu près à l'époque où Taylor s'efforçait de calculer en combien de centièmes de seconde on pouvait changer une ampoule, Henry Olerich publiait un roman intitulé *Un monde sans villes et sans campagnes,* décrivant une civilisation née sur Mars où le temps est si précieux qu'il en devient une monnaie. Un siècle plus tard, sa prophétie s'est virtuellement réalisée : le temps est plus que jamais comparable à une monnaie. Nous allons jusqu'à utiliser des expressions telles que « riche en temps » ou, plus souvent, « pauvre en temps ».

Pourquoi, au milieu d'une telle richesse matérielle, le manque de temps est-il devenu si endémique ? La faute en incombe lourdement à notre condition mortelle. La médecine moderne peut bien avoir accordé une décennie de plus aux soixante-dix ans que nous octroie la Bible, nous vivons toujours dans l'ombre de la plus grande échéance qui soit : la mort. Pas étonnant que nous trouvions le temps court et luttions pour que chaque moment compte. Mais, s'il s'agit d'un instinct universel, pourquoi certaines cultures sont-elles plus enclines que d'autres à cette course contre la montre ?

Une partie de la réponse tient à la façon dont nous considérons le temps lui-même. Certaines traditions philosophiques – chinoise, hindoue et bouddhiste, pour n'en nommer que trois – en ont une conception cyclique. Au Canada, sur l'île de Baffin, les Inuits se servent du même mot – *uvatiarru* – pour signifier à la fois « dans un lointain passé » et « dans un futur lointain ». Pour ces cultures, le temps ne cesse d'affluer et de refluer. Il nous environne constamment, dans un renouvellement perpétuel, comme l'air que nous respirons. Dans la tradition occidentale, le temps est linéaire, à l'image d'une flèche allant implacablement d'un point A vers un point B. Il constitue une ressource finie et par conséquent précieuse. Le christianisme soutient cette injonction pressante de faire bon usage de chaque instant. Les moines bénédictins suivaient un emploi du temps serré parce qu'ils tenaient l'oisif pour une proie facile du Malin. Au XIXe siècle, Charles Darwin résuma l'obsession occidentale de tirer le meilleur parti de chaque minute dans ce sévère appel à l'action : « Un homme qui gaspille une heure de sa vie n'en a pas découvert le sens. »

Au Japon, dans la tradition originelle du shinto, qui coexiste harmonieusement avec une forme locale de bouddhisme, le temps est cyclique. Or, après 1868, le Japon entreprit de rattraper l'Occident avec un zèle presque surhumain. Pour créer une économie capitaliste moderne, le gouvernement Meiji importa de l'Ouest horloges et calendriers, et commença à promouvoir les vertus de la ponctualité et du rendement. Le culte de l'efficacité laissa le Japon en ruine après la Seconde Guerre mondiale. Aujourd'hui, lorsque vous attendez à une station de métro dans le quartier de Shinjuku et que vous observez les voyageurs courir pour attraper leur train alors que le prochain est attendu dans les deux minutes, vous comprenez que les Japonais ont intégré l'idée du temps comme ressource finie.

La société de consommation, que le Japon connaît également aujourd'hui, est un autre puissant facteur d'accélération. Dès les années 1830, Alexis de Tocqueville accusait l'instinct de consommation d'accélérer le rythme de l'existence : « Celui qui se consacre exclusivement à la poursuite des biens de ce monde est toujours pressé parce qu'il ne dispose que d'un temps limité pour atteindre son but et en profiter. » Cette analyse sonne encore plus vrai aujourd'hui, quand le monde se présente comme un vaste marché dont les hommes et les femmes sont devenus les consommateurs. Tentés et titillés à chaque coin de rue, nous brûlons d'accumuler autant de biens de consommation et d'expériences que possible. Outre une carrière éblouissante, nous désirons cultiver une discipline artistique, faire de la gym, lire les journaux et toute la liste des best-sellers en librairie, sortir dîner avec nos amis, fréquenter les boîtes de nuit, pratiquer un sport, regarder la télévision pendant des heures, écouter de la musique, passer du temps en famille, acheter les derniers vêtements et gadgets à la mode, aller au cinéma, jouir d'une intimité sexuelle enviable avec notre compagne ou notre compagnon, passer des vacances à l'autre bout du monde et peut-être même donner de notre temps dans un utile bénévolat. Il en résulte un obsédant décalage entre ce que nous attendons de la vie et ce que nous pouvons réellement en obtenir, qui nourrit le constat que nous n'avons jamais assez de temps.

C'est l'histoire de ma vie. L'éducation des enfants représente beaucoup de travail, et la seule façon de s'en sortir quand on est parent, c'est de réduire l'éventail de son emploi du temps. Mais je ne veux rien lâcher. Alors, au lieu de prendre sur mes loisirs, je trouve le moyen de les faire tenir dans un emploi du temps déjà passablement compressé. Après m'être esquivé pour une partie de tennis à la sauvette, je passe le reste de la journée à tenter de gagner du temps. Je conduis plus vite, je marche plus vite, et j'écourte la lecture des histoires au moment de coucher les enfants.

Comme tout le monde, je me tourne vers la technologie pour me faire gagner du temps et avoir l'opportunité d'être moins pressé. Mais la technologie est une fausse amie. Même lorsqu'elle nous fait gagner du temps, elle nous en fait perdre en générant toute une nouvelle gamme d'obligations et de désirs. Lorsque la machine à laver fit son apparition au début du XXe siècle, elle libéra les femmes au foyer d'heures de corvée épuisantes. Puis, au fil des années, les standards de l'hygiène évoluèrent, nous amenant à laver nos vêtements toujours plus souvent. Résultat : le panier débordant de linge sale caractérise le foyer moderne au même titre que la pile de factures sur le paillasson. L'usage des courriels nous en fournit une autre illustration. Le plus de cette technologie, c'est qu'elle rapproche les gens les uns des autres comme jamais auparavant. Mais cette facilité mène à un abus rampant lorsque chacun envoie un courriel pour un oui, pour un non. Chaque jour, la « super-autoroute » de l'information transporte plus de cinq milliards d'*e-mails*, au nombre desquels beaucoup de mémos superflus, jeux de mots vulgaires et autres *spams.* Pour la plupart d'entre nous, cela se traduit par un épluchage quotidien d'une montagne de messages.

Avec une telle pression, même le plus dévoué des apôtres de la lenteur a du mal à ne pas mettre le turbo. Prenez Satish Kumar, un ex-moine jaïn qui se rendit à pied de son Inde natale jusqu'en Angleterre dans les années 1960 et n'a cessé depuis de parcourir le monde de cette façon. Il vit aujourd'hui dans le Devon, dans le sud-ouest de l'Angleterre, où il publie *Résurgence,* un magazine bimensuel épousant bon nombre des idées chères à la philosophie de la lenteur. Je le rencontre un merveilleux soir d'été à Hyde Park. Mince petite silhouette habillée de lin blanc, il avance sereinement à travers les hordes stressées de joggers et d'adeptes de la marche athlétique. Nous nous asseyons à l'ombre d'un arbre. Kumar retire chaussures et chaussettes et enfonce ses infatigables pieds dans l'herbe haute. Je le questionne à propos de cette obsession de la vitesse.

« Il s'agit d'un malaise occidental tendant à faire du temps une chose finie, puis à imposer la vitesse dans tous les aspects de la vie, dit-il. Ma mère me disait souvent : "Lorsque Dieu créa le temps, Il ne fut pas avare" – et elle avait raison. »

Mais sa mère avait vécu toute sa vie dans une Inde rurale, observai-je. Et il est certain que l'injonction d'aller plus vite, contre la montre, est irrésistible dans le monde moderne.

« Oui, cela est vrai dans une certaine mesure. En vivant ici, je succombe, moi aussi, à la précipitation et à la vitesse. Parfois, il n'y a pas d'autre moyen de respecter les échéances du magazine. En vivant à l'Ouest, on lutte constamment pour ne pas être dominé par le temps. »

Un avion gronde plaintivement au-dessus de nos têtes. Kumar jette un œil à sa montre. Son prochain rendez-vous, le lancement d'un livre, commence dans quinze minutes. « Il est temps que je parte, dit-il dans un faible sourire. Je ne veux pas être en retard. »

Cette maladie de la vitesse peut aussi être le symptôme d'un malaise existentiel plus profond. Juste avant d'atteindre l'épuisement complet, les gens se mettent souvent sous pression afin d'éviter de se confronter à leur insatisfaction. Pour Milan Kundera, la vitesse nous aide à refouler l'horreur et la stérilité du monde moderne ; ainsi écrit-il dans *La Lenteur* : « Notre époque s'adonne au démon de la vitesse et c'est pour cette raison qu'elle s'oublie si facilement elle-même. Or je préfère inverser cette affirmation et dire : notre époque est obsédée par le désir d'oubli et c'est afin de combler ce désir qu'elle s'adonne au démon de la vitesse ; elle accélère le pas parce qu'elle veut nous faire comprendre qu'elle ne souhaite plus qu'on se souvienne d'elle, qu'elle se sent lasse d'elle-même, écœurée d'elle-même, qu'elle veut souffler la petite flamme tremblante de la mémoire. »

D'autres pensent que la vitesse est une échappatoire, non de la vie elle-même, mais de la mort. Marc Kingwell, professeur de philosophie à l'université de Toronto, fait preuve d'une grande acuité dans ses écrits sur le culte moderne de la vitesse. Lorsque nous nous rencontrons devant un café, il éloigne notre conversation des fusées et de l'Internet à haut débit. « En dépit de ce que pensent les gens, le débat à propos de la vitesse ne se joue pas sur l'état actuel de la technologie. L'enjeu est bien plus profond et s'ancre dans le désir humain de la transcendance, dit-il. Il est difficile d'envisager l'idée que nous allons mourir ; c'est déplaisant et c'est pourquoi nous cherchons constamment des moyens de nous distraire de la conscience de notre propre mortalité. La vitesse, dans l'ivresse sensorielle qu'elle procure, est une stratégie de distraction. »

Qu'on le veuille ou non, le cerveau humain est « programmé » pour la vitesse. Nous réagissons au danger, au bourdonnement, à la montée exaltante, vibrante et entêtante des informations sensorielles qui nous submergent lorsque nous allons vite. La vitesse entraîne la libération de deux substances chimiques – l'épinéphrine et la norépinéphrine –, également présentes dans notre corps lors d'un rapport sexuel. Kundera vise juste lorsqu'il parle d'une « extase de la vitesse ».

Non seulement nous adorons la vitesse, mais nous nous y accoutumons. Nous devenons des « drogués de la vitesse ». Lorsque nous conduisons pour la première fois sur l'autoroute, une vitesse de 130 km/h nous paraît élevée. Au bout de quelques minutes, elle est devenue une routine. Prenez une route de traverse, descendez à 50 km/h et votre nouvelle allure vous paraîtra lente à grincer des dents. L'habitude de la vitesse alimente le besoin constant d'aller plus vite.

Lorsque nous sommes habitués à rouler à 130, nous sommes tentés d'appuyer un peu plus sur l'accélérateur, de pousser le compteur jusqu'à 140, voire 150. En 1899, un ingénieur belge conçut la première voiture purement destinée à dépasser les records de vitesse. Carénée comme une torpédo et propulsée par deux moteurs électriques, elle portait un nom résumant ce désir d'aller toujours plus vite : la Jamais Contente.

Cette malédiction de la vitesse s'exerce au-delà du réseau routier. Revenons à Internet. Nous ne sommes jamais satisfaits de notre vitesse de connexion. Lorsque j'ai commencé à surfer sur le Net avec un modem à haut débit, cela me semblait aller à la vitesse de l'éclair. À présent, c'est devenu banal, presque un peu léthargique ; lorsqu'une page ne se charge pas immédiatement, je perds patience. Même un délai de deux ou trois secondes suffit à me faire appuyer nerveusement sur la souris pour tenter d'accélérer les choses. La seule solution me semble résider dans une connexion plus rapide.

Tandis que nous persistons dans notre accélération, notre relation au temps devient toujours plus tendue et tourmentée. N'importe quel ouvrage médical vous dira qu'une obsession microscopique du détail est un symptôme classique de la névrose. La tendance incessante à réduire le temps en morceaux toujours plus petits – un claquement de doigts prend cinq cents millions de nanosecondes, soit dit en passant – nous rend plus conscients de son passage, plus désireux d'en tirer le maximum... et plus névrosés.

La nature même du temps semble également avoir changé. Dans un lointain passé, la Bible enseignait qu'« il y a une saison pour chaque chose et un temps pour toute entreprise sur cette Terre » – un temps pour naître, pour mourir, pour se soigner, pour pleurer, pour rire, pour aimer et ainsi de suite. Dans *Don Quichotte*, Cervantès observe : *« Que no son todos los tiempos unos »* (« Tous les temps ne se ressemblent pas »). Dans un monde ouvert 24 heures sur 24 et 7 jours sur 7, cependant, tous les temps se confondent : nous payons nos factures le samedi, faisons du shopping le dimanche, emportons notre ordinateur portable dans notre lit, travaillons la nuit, nous lançons dans des petits déjeuners qui durent toute la journée. Nous nous moquons des saisons en consommant des fraises au milieu de l'hiver et des galettes des Rois toute l'année. Avec le portable, les récepteurs d'appels et Internet, tout un chacun est désormais joignable en permanence.

Certains avancent qu'une culture du « tout accessible à toute heure » peut permettre aux gens de se sentir moins pressés en leur donnant la liberté de travailler et de faire les courses quand bon leur semble. Cela équivaut à prendre ses désirs pour des réalités. Une fois les limites envolées, la compétition, l'avidité et la peur nous encouragent à appliquer le principe de Franklin à chaque moment du jour ou de la nuit. C'est pourquoi le sommeil lui-même n'échappe pas à cette hâte frénétique. Nous sommes des millions à étudier, apprendre des langues étrangères ou réviser des techniques de management pendant notre sommeil. Sur un site Internet consacré à l'apprentissage nocturne, l'agression de ce qui demeurait comme l'unique moment où nous pouvions ralentir sans nous sentir coupables est présentée comme une excitante perspective de développement personnel. « Vos heures de non-éveil – un tiers de votre vie – sont actuellement non productives. Puisez dans cet énorme potentiel pour faire avancer votre carrière, améliorer votre santé et votre bonheur ! »

Si profonde est notre névrose du temps que nous avons inventé une nouvelle sorte de thérapeutes pour nous aider à la surmonter. Faites entrer les gourous de la gestion du temps ! Quelques-uns de leurs conseils, offerts à profusion dans d'innombrables livres et séminaires, sont cohérents. Beaucoup recommandent de faire moins de choses afin de les faire mieux – un dogme fondamental de la philosophie de la lenteur. Mais la plupart évitent de s'attaquer à la cause profonde de notre malaise : l'obsession de gagner du temps. Bien au contraire, ils l'encouragent. En 2000 est paru un ouvrage de David Cottrell et Mark Layton intitulé *175 Façons d'en faire plus en moins de temps*. Écrit dans une prose essoufflée et à l'emporte-pièce, l'ouvrage est un manuel de maximisation de l'efficacité, pour aller plus vite. Le conseil n° 141 énonce simplement : « Faites tout plus vite ! »

Dans cette brève formule, les auteurs résument clairement ce qui ne va pas dans le monde moderne. Réfléchissez-y une minute : faites tout plus vite. Y a-t-il réellement un sens à lire Proust en accéléré, à faire l'amour en moitié moins de temps ou à cuire chaque repas au micro-ondes ? Certainement pas, mais le simple fait que l'on puisse écrire des choses comme « Faites tout plus vite ! » souligne à quel point nous avons dérapé et combien il est urgent de repenser notre mode de vie dans sa globalité.

Il n'est pas trop tard pour repartir du bon pied. Même à l'ère des histoires-minute pour aller dormir, il existe une alternative au « toujours plus vite ». Et, bien que cela sonne comme un paradoxe, le mouvement pour la lenteur se développe à toute allure.

Chapitre 2
Vive la lenteur !

Pour vous soulager rapidement du stress, essayez la lenteur.

Lily Tomlin, actrice américaine

La ville de Wagrain, petite station de vacances nichée dans les Alpes autrichiennes, respire la tranquillité. Les gens y viennent pour échapper à la frénésie de Salzbourg ou de Vienne. En été, on va randonner dans les bois ou pique-niquer devant un torrent de montagne. L'hiver venu, on part skier dans la forêt ou dévaler les pentes raides et poudreuses. Quelle que soit la saison, chacun se remplit les poumons de cet air alpin qui vous garantit une bonne nuit de sommeil de retour au chalet.

Une fois par an, cependant, la petite ville fait plus que de se contenter de vivre au ralenti. Elle devient la plate-forme de lancement de la philosophie de la lenteur. Chaque mois d'octobre, Wagrain accueille en effet la conférence annuelle de la Société pour la décélération du temps.

Basée dans la ville autrichienne de Klagenfurt et se flattant d'un effectif en expansion dans toute l'Europe centrale, cette société est une locomotive du mouvement Slow. Ses membres (plus de mille personnes) sont des fantassins d'une guerre déclarée au culte du « toujours plus vite ». Dans la vie quotidienne, cela consiste à ralentir le rythme lorsqu'il nous paraît juste de le faire. Pour un médecin, cela peut vouloir dire passer plus de temps avec ses patients. Pour un consultant, de choisir, par exemple, de ne pas répondre aux appels durant le week-end. Un designer prendra son vélo et non sa voiture pour se rendre à ses rendez-vous. Ces partisans de la lenteur utilisent le terme allemand *eigenzeit* pour exprimer leur credo. *Eigen* signifiant « propre » et *zeit* « temps ». En d'autres termes, chaque être vivant, événement, processus ou objet génère son temps propre, son rythme particulier, son *tempo giusto* (c'est-à-dire sa « juste mesure »).

Tout en publiant dans la presse des papiers sérieux sur la relation des hommes au temps, la société provoque le débat par quelques coups de publicité au deuxième degré. Elle a ainsi contacté il y a peu le Comité international olympique pour récompenser les athlètes ayant effectué les temps les plus longs ; ses membres patrouillent dans les centres-villes déguisés en hommes-sandwiches, avec pour slogan « Dépêchez-vous, s'il vous plaît ! ».

« Appartenir à un mouvement en faveur de la lenteur ne signifie pas que nous allons toujours lentement – nous prenons l'avion, nous aussi ! – ni que nous devons sans cesse philosopher très sérieusement ni que nous cherchons à gâcher le plaisir des autres, précise Michaela Schmoczer, la très efficace secrétaire de l'association. C'est très bien, le sérieux, mais il ne faut pas perdre le sens de l'humour. »

Avec cet état d'esprit, nos adeptes de la lenteur organisent régulièrement des « pièges à vitesse » en pleine ville. À l'aide d'un chronomètre, ils mesurent les temps de piétons se rendant à leur travail. Les gens pris à moins de trente-sept secondes sur cinquante mètres sont invités à se ranger et à expliquer les raisons de leur hâte. Leur gage consiste à refaire les cinquante mètres tout en faisant avancer sur le trottoir une marionnette de tortue, complexe à manipuler. « Nous remportons toujours un franc succès, rapporte Jurgen Adam, instituteur et organisateur d'un de ces pièges à vitesse à Ulm, en Allemagne. La plupart des gens n'ont pas songé un instant aux raisons de leur hâte. Mais, une fois que nous abordons avec eux le sujet de la vitesse et du temps, ils y prennent un grand intérêt. L'idée de ralentir les séduit. Certains reviennent même nous voir dans la journée pour refaire un "tour" de tortue. Ils trouvent l'expérience si apaisante. »

Lors de la conférence annuelle de la société, soixante-dix membres venus d'Allemagne, d'Autriche et de Suisse se sont retrouvés à Wagrain pour passer trois jours à refaire le monde autour d'un verre de vin et de *Wiener Schnitzel* (escalopes panées). La tenue n'a pas d'importance, tout comme l'emploi du temps. Un slogan affiché dans la principale salle de réunion vous met à l'aise : « On commence quand c'est le bon moment. » Traduction : beaucoup d'ateliers commencent en retard. Suite à une erreur d'impression, un module d'une demi-heure manque au programme du samedi. Lorsque j'en fais la remarque à un délégué, il a l'air perplexe, puis il hausse les épaules et me sourit : « Oh ben, ça va, ça vient. »

Ne vous méprenez pas : nos décélérateurs ne sont pas de vieux transfuges de l'ère hippie. Bien au contraire. Ils appartiennent au genre d'individus que vous retrouvez partout dans le monde, dans des associations de défense du citoyen – avocats, consultants, docteurs, architectes, professeurs. Il n'empêche que leur conférence tourne occasionnellement à la farce hilarante. Lors d'un atelier se tenant dans le hall d'un hôtel, deux étudiants en philosophie aux cheveux longs mènent une discussion sur l'art de ne *rien* faire. Une douzaine de membres commencent la réunion, quelque dix minutes après le début officiel de la séance. Ils s'assoient sans parler, en remuant régulièrement sur leurs inconfortables chaises pliantes. Seul le vrombissement lointain d'un aspirateur répercuté dans l'escalier vient troubler le silence.

Ailleurs dans l'hôtel, cependant, d'autres explorent des voies plus pragmatiques. Un entrepreneur, Bernard Wallmann, homme corpulent entre deux âges, propose un atelier présentant son projet d'hôtel de la Lenteur, une première mondiale. « Beaucoup de séjours touristiques sont si stressants de nos jours, explique-t-il avec son regard de chien battu. Cela commence par une journée d'avion ou de voiture, puis on se précipite pour voir le maximum de sites possible. On consulte ses courriels dans un café Internet, on regarde CNN ou MTV dans sa chambre d'hôtel, on se sert de son mobile pour prendre des nouvelles des amis ou des collègues de travail... Et, pour finir, on rentre encore plus fatigué qu'on est parti. » Retiré au fin fond d'un parc national autrichien, cet hôtel de trois cents chambres sera bien différent. Les hôtes arriveront au village voisin en train à vapeur, puis se rendront à l'hôtel à pied ou en calèche. Toute technologie fauteuse de trouble sera bannie du périmètre : télévisions, téléphones et ordinateurs portables, Palm Pilots, voitures. À la place, les pensionnaires pourront goûter à des plaisirs simples, à l'écart de la vitesse : jardinage, randonnée, lecture, yoga et soins du spa. Des conférenciers invités viendront parler du temps, de la vitesse et de la lenteur. Tandis que Wallmann développe sa vision, quelques-uns des participants le critiquent. Le projet est trop gros, trop élitiste, trop commercial, déplorent-ils. Mais l'entrepreneur, qui porte des chaussures noires bien cirées d'homme d'affaires, ne s'en laisse pas compter. « Il existe une forte demande de lenteur dans le monde d'aujourd'hui, me dira-t-il plus tard, entre deux bouchées de strudel aux pommes. Je crois qu'il est temps de créer un lieu où les gens puissent réellement décélérer dans tous les sens du terme. »

Sortir de cette culture de la vitesse relève un peu du saut vers l'inconnu – et il est toujours plus facile de sauter lorsque vous savez que les autres le font avec vous. Erwin Heller, avocat en droit immobilier à Munich, me révèle que sa rencontre avec d'autres membres de la société l'a aidé à « plonger ». « Je ressentais que cette accélération constante tout autour de moi était néfaste, mais quand vous êtes seul, vous vous demandez toujours si vous avez tort, si tous les autres ont raison, confie-t-il. Le fait de savoir que de nombreuses personnes pensaient la même chose et agissaient même pour que ça change m'a convaincu de ralentir le rythme. »

Les membres de la société ne sont pas isolés. Partout dans le monde, des gens se réunissent dans des groupes de défense de la lenteur. Plus de sept cents Japonais appartiennent désormais au

Sloth Club, qui prône un mode de vie plus calme et moins agressif pour l'environnement. Ce groupe a ouvert un café à Tokyo proposant de la nourriture bio, des concerts à la bougie et où sont vendus des t-shirts portant le slogan « Vive la lenteur ! ». Les tables sont à dessein plus espacées les unes des autres qu'à l'ordinaire pour encourager les gens à se détendre et à prendre leur temps. Cette mouvance a contribué en partie à mettre la paresse à la mode au Japon. Les publicitaires nippons mettent le mot anglais *slow* à toutes les sauces – qu'il s'agisse de vendre des cigarettes, des séjours de vacances ou des appartements. Cette admiration pour le mode de vie détendu de l'Europe méditerranéenne est tellement répandue qu'un commentateur y a vu une « latinisation » des mœurs japonaises.

En 2001, l'un des fondateurs du Sloth Club, l'anthropologiste et militant écologiste Keibo Oiwa, a publié une enquête sur les différentes campagnes dans le monde en faveur de la lenteur. Son livre *Vive la lenteur !* en est à sa vingtième édition. Lorsque je le rencontre à son bureau de l'université Meiji Gakuin, en dehors de Tokyo, il rentre juste d'un atelier de trois jours consacré à la lenteur, dans la préfecture de Hyogo, qui a affiché complet. « Au Japon, les gens sont de plus en plus nombreux, en particulier les jeunes, à comprendre qu'il n'y a pas de mal à prendre son temps, dit-il. Pour nous, cela représente une transformation radicale des attitudes. »

De l'autre côté du Pacifique, depuis son siège de San Francisco, la Fondation du temps maintenant participe elle aussi de ce raz-de-marée. Ses membres nous avertissent que nous sommes tellement occupés à soutenir le rythme du quotidien que notre regard ne s'élève que rarement au-delà de la prochaine échéance, des chiffres du prochain trimestre. « Notre civilisation s'enferme elle-même dans la spirale pathologique d'une capacité d'attention limitée », affirment-ils. Afin de nous ralentir, de nous ouvrir les yeux sur le long terme et de nous proposer des perspectives, la fondation met au point d'énormes horloges au fonctionnement compliqué qui ne sonnent qu'une fois par an et mesurent le temps à l'échelle de dix millénaires. La première d'entre elles, une magnifique bête de bronze et d'acier, est déjà visible au Science Museum de Londres. Une deuxième horloge, bien plus grande, sera taillée dans une falaise calcaire, près du Parc national de Great Basin, dans l'est du Nevada.

Beaucoup des sympathisants de cette association travaillent dans le domaine des nouvelles technologies. Danny Hillis, qui a contribué à la construction de superordinateurs, est à la tête du mouvement. On compte au nombre des donateurs institutionnels des géants du high-tech tels que PeopleSoft, Autodesk et Sun Microsystems. Pourquoi les tenants de l'industrie la plus rapide au monde soutiennent-ils une organisation qui promeut la lenteur ? Parce qu'ils ont réalisé, eux aussi, que le culte de la vitesse était devenu incontrôlable.

Les mouvements actuels en faveur de la lenteur appartiennent à une tradition de résistance remontant bien avant l'ère industrielle. Dès l'Antiquité, nos ancêtres s'en prenaient déjà à la tyrannie de la ponctualité. En 200 av. J.-C., le dramaturge romain Plaute écrivait cette lamentation :

Les dieux maudissent l'homme qui trouva le premier
Comment distinguer les heures – et ils maudissent de même
Celui qui installa ici un cadran solaire,
Pour découper et tailler mes jours
En misérables petits morceaux !

[...] Je ne puis [pas même m'asseoir pour manger]
Sans que le soleil m'y autorise.
La ville est si pleine de ces maudits cadrans...

À mesure que se répandaient en Europe les horloges à mécanisme, les contre-feux ne tardaient jamais à s'allumer. En 1304, Daffyd ap Gwvilyn, barde gallois, fulminait déjà : « Maudite soit l'horloge à face noire sur le bord de la rive qui m'a réveillé !

Puissent sa tête, sa langue, sa paire de cordes et ses roues tomber en poussière; de même que ses poids et boules empotées, ses orifices, son marteau et ses canards cancanant comme pour anticiper la journée et son cortège de travaux sans répit. »

Tandis que la ponctualité envahissait peu à peu jusqu'au moindre recoin de la vie, les satiristes tournaient en dérision la dévotion européenne pour les cadrans. Dans *Le Voyage de Gulliver* de Jonathan Swift (1726), le héros consulte si souvent sa montre que les Lilliputiens pensent qu'elle est son dieu.

Au fur et à mesure que s'étendait l'industrialisation, montait le rejet violent d'une dévotion aux diktats du cadran comme au culte de la vitesse. Beaucoup dénoncèrent alors l'imposition d'un temps universel comme une entreprise d'esclavage. En 1884, l'éditeur et essayiste américain Charles Dudley Warner aborda publiquement le malaise populaire, faisant ainsi écho à Plaute : « La mise en coupe réglée du temps en mesures rigides est une invasion de la liberté individuelle étouffant l'expression des tempéraments et des sentiments différents. » D'autres se plaignaient que les machines rendaient la vie trop rapide, trop trépidante et moins humaine. En Europe, l'émergence du romantisme dans les domaines de l'art, de la littérature et de la musique à partir de 1770 témoignait notamment d'une réaction à cette culture moderne de l'activité débridée à travers l'évocation d'une ère idyllique perdue.

Tout au long de la révolution industrielle, les gens ont cherché les moyens de contrecarrer, de restreindre ou de fuir le rythme toujours plus rapide du quotidien. En 1776, les relieurs de Paris firent grève pour limiter leur journée de travail à quatorze heures. Plus tard, dans les nouvelles usines, les syndicats firent campagne pour plus de temps libre. Leur revendication type était « huit heures pour travailler, huit heures pour dormir, et huit heures pour faire ce que nous voulons ». Quant aux syndicalistes radicaux, ils n'hésitaient pas à briser les horloges suspendues à l'entrée des usines, dans un geste soulignant le lien entre temps et pouvoir.

Aux États-Unis, à la même époque, un groupe d'intellectuels connus sous le nom de « transcendantalistes » prônait la douce simplicité d'une vie au cœur de la nature. L'un d'entre eux, Henry David Thoreau, se retira en 1845 dans une cabane réduite à une seule pièce, non loin de Walden Pond, près de Boston, d'où il dénonçait la vie moderne comme un engrenage d'« activités infinies... rien que le travail, le travail et encore le travail ».

En 1870, le mouvement britannique Arts and Crafts se détourna de la production de masse en faveur d'un artisanat lent et méticuleux, fruit de la main de l'homme. Un peu partout dans le monde industriel, des citadins atteints de lassitude trouvaient leur réconfort dans le culte de l'idylle rurale. Richard Jeffries établit sa carrière d'écrivain en peignant une Angleterre verte et champêtre dans ses romans et Mémoires, tandis que des artistes romantiques comme Caspar David Friedrich en Allemagne, Jean-François Millet en France et John Constable en Grande-Bretagne truffaient leurs toiles de scènes rustiques. Ce désir urbain de se reposer un petit peu afin de « recharger les batteries en Arcadie » contribua à l'émergence de l'engouement pour le tourisme moderne. Dès 1845, les touristes furent plus nombreux que les moutons du district des Lacs, en Angleterre.

À la fin du XIXe siècle, médecins et psychiatres commencèrent à attirer l'attention sur les effets délétères de la vitesse. George Beard s'y engagea le premier en 1881, avec la publication d'*American Nervousness* (*La Nervosité américaine*), attribuant à cette norme naissante de la vitesse toutes sortes de maux, de la névralgie aux caries en passant par l'alopécie. Beard affirmait notamment que l'obsession moderne de la ponctualité, où chaque seconde compte, persuadait tout le monde qu'« un retard de quelques minutes pouvait détruire les espoirs d'une vie entière ».

Trois ans plus tard, sir James Crichton-Browne imputait au tempo effréné de la vie moderne une montée en flèche de la mortalité en Angleterre par déficience rénale, malaise cardiaque ou cancer. En 1901, John Girdner fit appel à un néologisme, « la new-yorkite », pour décrire une pathologie dont les symptômes étaient, entre autres, la nervosité, des mouvements rapides et un comportement impulsif. Un an plus tard, le Français Gabriel Hanoteaux anticipa l'écologie moderne en signalant que la poursuite imprudente de la vitesse ne faisait que hâter l'amenuisement des réserves mondiales de charbon : « Nous sommes en train de brûler notre propre route afin d'arriver plus rapidement au but. »

Certaines des peurs formulées dans les premières critiques de la vitesse étaient à l'évidence absurdes. Des médecins proclamèrent que les passagers des trains à vapeur seraient écrasés par la pression ou que la seule vue d'une locomotive à pleine vitesse pouvait rendre aveugle. Lorsque la bicyclette commença à se populariser, dans les années 1890, certains redoutèrent qu'un trajet rapide en plein vent n'entraîne une défiguration permanente, ou « faciès de cycliste ». Les tenants de la morale soutinrent que le vélo allait corrompre les jeunes en leur permettant de se rendre à des rendez-vous romantiques loin des regards indiscrets de leurs chaperons. Quelque risibles que puissent nous paraître ces craintes aujourd'hui, il était néanmoins clair, à la fin du XIXe siècle, que la vitesse avait causé son lot de victimes. Des milliers d'individus mouraient chaque année dans des accidents causés par ces nouveaux agents de la rapidité – bicyclettes, automobiles, bus, trains, trams ou bateaux à vapeur.

Tandis que le rythme de vie s'accélérait, beaucoup s'élevaient contre les effets déshumanisants de la vitesse. L'écrivain français Octave Mirbeau observait ainsi en 1908 : « La vie de partout se précipite, se bouscule, animée d'un mouvement fou, d'un mouvement de charge de cavalerie, et disparaît cinématographiquement, comme les arbres, les haies, les murs, les silhouettes qui bordent la route. Tout, autour de lui et en lui, saute, danse, galope, est en mouvement, en mouvement inverse de son propre mouvement. Sensation douloureuse, parfois, mais forte, fantastique et grisante. » Au cours du XXe siècle, la résistance au culte de la vitesse gagna de l'ampleur et commença à fusionner avec des courants sociaux plus larges. Le tremblement de terre de la contre-culture des années 1960 incita des millions de gens à ralentir le rythme et à vivre plus simplement. Une philosophie similaire donna naissance au mouvement de la « simplicité volontaire ». À la fin des années 1980, l'Institut de recherche des tendances de New York identifia un phénomène connu sous le nom de « rétrogradage », qui se traduisait par l'abandon d'un style de vie effréné, sous pression et impliquant un haut niveau de salaire, pour un mode d'existence plus détendu et moins préoccupé de consommation. Contrairement aux « ralentis » de la période hippie, les « ralentis » d'aujourd'hui le sont moins pour des raisons politiques ou environnementales que par désir de vivre une vie plus épanouissante. Ils sont prêts à rétrocéder une part de leur pouvoir d'achat contre du temps et du calme. Le cabinet d'études marketing Datamonitor, basé à Londres, anticipe un accroissement de cette tendance en Europe, qui passerait de 12 millions en 2002 à 16 millions d'adeptes en 2007.

De nos jours, pour échapper à la vitesse, beaucoup de gens cherchent refuge dans le havre sécurisant de la spiritualité. À l'heure où les principales églises chrétiennes voient leurs paroisses décliner, leurs rivales évangéliques prospèrent. Le bouddhisme est en plein développement dans le monde occidental, et les librairies, les forums d'échanges et les centres de soins dédiés aux doctrines éclectiques et métaphysiques d'obédience New Age se multiplient. Dans son essence même, la spiritualité ignore la hâte. Quoi que l'on fasse, on ne peut accélérer un éveil spirituel. Chaque religion enseigne la nécessité de ralentir le rythme pour se connecter avec soi-même et avec les autres comme avec une force supérieure. Dans la Bible, le Psaume 46 proclame ainsi : « Reste tranquille et sache que Je suis Dieu. »

Au début du XXe siècle, les dignitaires religieux chrétiens et juifs donnèrent un poids moral à la promotion d'une semaine de travail plus courte, arguant du fait que les ouvriers avaient besoin de plus de temps libre pour nourrir leur âme. Aujourd'hui, partout dans le monde, un même rejet de la vitesse émane des chaires religieuses. Une simple recherche sur Google témoigne du nombre de sermons s'insurgeant contre le démon de la vitesse. En février 2002, à la première église unitarienne de New York, le révérend Gary James fit un éloquent plaidoyer en faveur de cette philosophie de la lenteur. Dans un sermon intitulé « Arrêtons de courir ! », il déclarait que la vie « nécessite des moments d'efforts intenses où l'on accélère le rythme, [...] mais aussi des pauses, de temps à autre – un moment de repos sacré fait pour observer où nous allons, à quelle vitesse nous souhaitons y parvenir et, plus important, pourquoi. La lenteur peut aussi mener au bonheur ». Lorsque Thich Nhat Hanh, un maître bouddhiste bien connu, s'est rendu à Denver en 2002, plus de 5 000 personnes s'étaient déplacées pour l'écouter. Il leur a conseillé de ralentir le rythme, « afin de prendre le temps de vivre plus en profondeur ». Les gourous New Age prêchent un message similaire.

Cela signifie-t-il pour autant que nous devions adopter une voie spirituelle ou New Age pour suivre ce type d'injonction ? Dans notre monde cynique et laïc, cette question n'est pas sans fondement. Nous sommes nombreux (et je ne fais pas exception) à nous méfier de tout mouvement promettant l'atteinte d'un nirvana spirituel. La religion n'a jamais beaucoup compté dans ma vie, et bien des pratiques New Age ne sont pour moi que charabia. Je veux pouvoir mettre la pédale douce sans être obligé de chercher Dieu au quotidien ou d'adopter cristaux et astrologie. En fin de compte, le succès de cette philosophie dépendra de son habileté à réconcilier des gens comme moi avec ceux qui teintent de spiritualité leur reconversion à la lenteur.

Il dépendra aussi de l'impact économique du renoncement à la vitesse : quelle quantité de notre richesse, si tel est le cas, devrons-nous lui sacrifier, individuellement et collectivement ? sommes-nous capables, voire prêts à en payer le prix ? et dans quelle mesure cette décélération est-elle un luxe de nantis ? Telles sont les questions cruciales auxquelles devront répondre les philosophes de la lenteur.

S'ils souhaitent faire avancer un tant soit peu les choses, les adversaires de la vitesse doivent déraciner des préjugés profondément ancrés à l'encontre de l'idée même de lenteur. Dans bien des milieux, *lent* reste un mot honni. Il suffit d'en lire la définition dans l'*Oxford English Dictionary*: « Qui ne comprend pas tout de suite, monotone, inintéressant, ayant des difficultés d'apprentissage, ennuyeux, mou, léthargique. » Pas le genre de matériau à promouvoir dans son CV ! Dans notre culture dopée à la surenchère du « toujours plus vite », une « turbo-existence » reste l'ultime trophée à exhiber. Si quelqu'un se lamente – « Oh, je suis tellement occupé(e), complètement vanné(e), c'est la vraie panique, je n'ai plus le temps de rien » –, cela sous-entend la plupart du temps : « Regardez-moi, je suis quelqu'un d'extrêmement important, intéressant et énergique. » Bien que les hommes semblent affectionner la vitesse plus que les femmes, les deux sexes sacrifient à l'art de mettre en avant sa célérité. C'est avec un mélange de pitié et de fierté que les citoyens de New York s'étonnent du rythme de vie plus lent régnant partout ailleurs aux États-Unis. « C'est comme s'ils étaient tout le temps en vacances, observe, dégoûtée, une habitante de Manhattan », ajoutant : « S'ils tentaient de vivre comme ça à New York, ils seraient cuits. »

Il est possible que le plus grand défi lancé aux partisans de la lenteur soit de rectifier notre relation névrotique au temps lui-même, de nous apprendre, avec les mots de Golda Meir, qui dirigea autrefois Israël, comment « gouverner le temps et non être gouverné par lui ». Cela est peut-être déjà en train de se produire, en sourdine. Conservateur attaché à la mesure du temps au musée de la Science de Londres, David Rooney supervise une splendide collection de cinq cents appareils de mesure du temps, allant d'antiques cadrans solaires et autres sabliers aux montres modernes à quartz et aux horloges atomiques. Chose peu surprenante, cet homme à lunettes de vingt-huit ans entretient avec le temps une relation claustrophobe. Il porte au poignet une montre radio-contrôlée d'une précision terrifiante. Une antenne dissimulée dans le bracelet reçoit quotidiennement une mise à jour depuis Francfort. Si la montre manque un signal, le nombre 1 apparaît dans le coin inférieur gauche du cadran. Si elle rate le signal du jour suivant, c'est un 2 qui apparaît, et ainsi de suite. Toute cette implacable précision a pour effet de rendre notre conservateur particulièrement anxieux.

« J'ai un réel sentiment de perte si je rate mon signal, me dit-il tandis que nous parcourons l'exposition consacrée à la mesure du temps, en élevant la voix afin de couvrir un tic-tac continuel. Lorsque le compteur affiche un 2, je m'angoisse. Une fois, il est même monté à 3, et j'ai dû laisser ma montre dans un tiroir à la maison. Je suis stressé à l'idée d'avoir perdu une milliseconde. »

Rooney sait bien qu'il ne s'agit pas d'un comportement sain, mais il ne perd pas espoir pour les autres. Le mouvement historique ayant consisté à produire des appareils de mesure du temps toujours plus performants a fini par trouver ses limites avec la montre radiocontrôlée, qui n'a pas réussi sa percée en tant que produit de consommation. Les gens privilégieront toujours le style par rapport à la précision en portant une Swatch ou une Rolex. Rooney y voit la traduction d'un changement subtil dans notre rapport au temps.

« Au cours de la révolution industrielle, lorsque le travail a commencé à régenter la vie, nous avons perdu le contrôle de notre usage du temps, dit-il. Ce que nous voyons apparaître aujourd'hui peut être l'amorce d'une réaction contre ce phénomène. Les gens semblent avoir atteint un seuil où ils ne veulent plus que leur temps soit découpé en tranches de plus en plus fines, avec de plus en plus de précision. Ils ne veulent pas être obsédés par le temps ni devenir esclaves de leur montre. Ce refus peut également contenir une revendication sociale du type « Les patrons décident de mon temps, donc je vais décider du mien ».

Quelques mois après notre rencontre, Rooney a décidé de contrecarrer sa propre obsession du temps. Au lieu de s'inquiéter de la perte de millisecondes, il porte à présent une montre mécanique des années 1960, qui affiche en général cinq minutes de retard. « Voilà ma réaction à l'excès de précision », me dit-il. Le conservateur a délibérément choisi une montre à remontoir pour symboliser sa reprise en main du temps. « Si vous ne la remontez pas tous les jours, elle s'arrête ; c'est donc vous qui contrôlez les choses, ajoute-t-il. J'ai désormais le sentiment que le temps travaille pour moi, et non plus l'inverse. Je ressens moins de pression et je prends plus mon temps. »

Certains vont même plus loin. Lors d'un récent voyage en Allemagne, mon interprète s'enthousiasmait des bénéfices de ne plus porter de montre du tout. Il demeurait scrupuleusement ponctuel grâce à l'horloge de son téléphone mobile, mais son ancienne obsession pour les minutes et les secondes s'évanouissait peu à peu. « Le fait de ne plus porter de montre au poignet me donne vraiment une relation au temps plus apaisée, confiait-il. Il m'est plus facile de ralentir le rythme, parce que le temps n'est plus constamment dans ma ligne de mire, m'intimant l'obligation de ne pas ralentir, de ne pas le gaspiller, de me dépêcher. »

Le temps constitue certainement un sujet brûlant de nos jours. Quel usage devrions-nous en faire ? Comment développer une relation moins névrotique avec lui ? L'économiste américain Jeremy Rifkin estime qu'il pourrait s'agir de la question cruciale du XXIe siècle. Ainsi écrivait-il en 1987 dans son livre *Time Wars* (*Les Guerres du temps*) : « Une bataille se prépare au sujet d'une politique du temps. [...] Ses conclusions pourraient déterminer le cours futur des gouvernances mondiales au siècle prochain. »

Elles ne manqueront pas non plus de déterminer l'avenir d'une philosophie de la lenteur.

CHAPITRE 3
LE TEMPS CONTRE LE GOÛT

Nous sommes ce que nous mangeons.
Ludwig Feuerbach, philosophe allemand du XIXe siècle

Vous est-il arrivé de voir *Les Jetsons* à la télévision – ce dessin animé américain des années 1960 racontant la vie d'une famille dans un lointain futur high-tech ? Nombre d'enfants ont pu s'y figurer sans trop d'erreurs ce à quoi pourrait ressembler leur vie au XXIe siècle. Les Jetsons formaient une famille traditionnelle de quatre personnes, vivant dans un monde d'ultravitesse, où tout était à la fois superadapté et complètement synthétique. Les vaisseaux spatiaux y sillonnaient le ciel, des couples partaient en vacances sur Vénus, et les robots s'acquittaient en un clin d'œil de leurs corvées domestiques. En matière de cuisine, les Jetsons battaient McDonald's à plate couture. Répondant à un simple bouton, leur distributeur de repas domestiques pouvait recracher à la demande plats de lasagnes synthétiques, poulets rôtis et autres *brownies* chimiques au chocolat – que toute la famille absorbait à la paille. Il leur arrivait même de se contenter de pilules pour le dîner.

Bien qu'ayant grandi dans une maison où l'on faisait la cuisine, je me souviens avoir été séduit par l'idée d'une pilule-repas « tout en un ». Je m'imaginais l'avalant et repartant aussitôt jouer dehors avec mes copains. Bien évidemment, cette idée de nourriture instantanée n'avait pas été inventée par les Jetsons, mais elle était bel et bien le fantasme inévitable d'une culture obsédée par l'accélération des tâches. En 1958, quatre ans avant la réalisation du premier épisode des *Jetsons*, le magazine *Cosmopolitan* prédisait sans la moindre once de nostalgie que chacun de nos repas serait un jour préparé au four à micro-ondes, qui avait fait son apparition sur le marché au début des années 1950. Pour nous rappeler le temps où l'on cuisinait encore, nous vaporiserions dans la cuisine des arômes artificiels – par exemple, celui du pain frais, des saucisses sur le gril ou de l'ail grillé. En définitive, il semblerait que la prophétie de *Cosmo* se soit réalisée à moitié : de nos jours, nous sommes trop pressés pour nous embarrasser d'odeurs artificielles. La nourriture, comme le reste, a été prise en otage par la précipitation. Et même si la pilule-repas appartient encore au registre de la science-fiction, nous avons tous déjà emprunté à l'univers culinaire des Jetsons.

C'est au moment de la révolution industrielle que nous avons commencé à accélérer le temps du repas. Au XIXe siècle, bien longtemps avant que n'apparaissent les fast-foods automobiles, un observateur de l'époque résumait ainsi l'art de la table à l'américaine : « engloutir, déglutir et courir ». Ainsi Margaret Visser indique-t-elle, dans *The Rituals of Dinner* (*Les Rituels du dîner*), que les sociétés en voie d'industrialisation en vinrent à priser la vitesse comme un « signe de contrôle et d'efficacité » dans les dîners officiels. À la fin des années 1920, Emily Post, en qualité de doyenne de l'Étiquette américaine, décrétait qu'un dîner ne devait pas durer plus de deux heures et demie, du premier tintement de sonnette au départ du dernier convive. Aujourd'hui, la plupart des repas excèdent à peine la durée d'un plein d'essence. Au lieu de nous asseoir en famille ou avec des amis, nous prenons souvent nos repas en solo, sans nous poser, ou en faisant tout autre chose – travailler, conduire, lire le journal ou surfer sur le Net. Près de la moitié des Britanniques prennent désormais leur repas du soir devant la télévision, et une famille anglaise type passe plus de temps en voiture qu'autour d'une table. Lorsqu'ils vont déjeuner en famille, les Anglais ont coutume de se rendre au fast-food du coin, où les repas durent en moyenne onze minutes. Margaret Visser estime qu'un repas en commun prend trop de temps dans un monde moderne : « Si on le compare avec la satisfaction immédiate de consommer un bol de soupe prêt en cinq minutes au micro-ondes, un repas pris en commun avec des amis peut se muer en situation formelle, implacablement structurée et dévoreuse de temps, alors que soutenir son propre rythme effréné en toute liberté paraît bien préférable. »

L'accélération de la production fait écho à cette accélération du temps des repas. Fertilisants chimiques, pesticides, nourrissage intensif, adjuvants antibiotiques, hormones de croissance, élevage rigoureux, modifications génétiques – toutes les ruses scientifiques disponibles ont été mises à contribution en vue de réduire les coûts, stimuler le rendement et renouveler plus vite le bétail et les cultures. Il y a deux siècles, il fallait cinq ans pour qu'un cochon atteigne le poids de 58 kilos ; aujourd'hui, il fait son quintal en six mois et il est massacré avant même d'avoir perdu ses dents de lait. Le saumon d'Amérique du Nord est génétiquement modifié pour grossir quatre à six fois plus vite que la moyenne. Le petit exploitant est remplacé par la ferme industrielle qui débite à grande vitesse une nourriture peu onéreuse, abondante et standardisée.

Lorsque nos ancêtres ont gagné les villes et perdu contact avec la terre, ils sont tombés amoureux de la vitesse... et du fast-food. Donc d'une nourriture toujours plus traitée, toujours plus *pratique*. Dans les années 1950, les restaurants ont fait la part belle à la soupe en boîte. Chez Tad's 30 Varieties of Meals, une chaîne américaine, les clients réchauffaient leurs plats surgelés dans un four à micro-ondes de table. À peu près à la même époque, les grosses chaînes de restauration rapide ont commencé à appliquer l'impitoyable logique productiviste de masse qui allait conduire au hamburger à prix minimum (moins d'un euro actuel).

La vie ne cessant de s'accélérer, les gens se sont empressés de reproduire à la maison cette logique du fast-food. En 1954, *Swanson* présentait au public le premier plateau-télé – un menu « tout en un » hautement élaboré comprenant dinde garnie de pain de maïs en sauce, patates douces et petits pois au beurre.

S'ensuivit un déluge de protestations haineuses de maris furieux que leurs femmes dédaignent la cuisine à l'ancienne – mais le culte de la praticité emportait tout sur son passage. Cinq ans plus tard, un autre classique du genre, la nouille instantanée, fit ses débuts au Japon. On commença à vendre partout des produits alimentaires moins pour leur goût ou leurs qualités nutritionnelles que pour leur rapidité de préparation. Témoin le fameux Uncle Ben's, qui a séduit bien des femmes débordées en vantant son « riz long grain, prêt en cinq minutes » !

Une fois que les fours à micro-ondes eurent colonisé les cuisines des années 1970, les temps de cuisson se mesurèrent en secondes. Subitement, le plateau-télé qui cuisait en trente-cinq minutes dans un four normal fut relégué à l'ère du cadran solaire. Le marché du gâteau « prêt à cuire » s'effondra comme un soufflé raté, parce qu'il n'y avait plus assez de gens pour accepter de sacrifier aux trente minutes de préparation. Aujourd'hui, le menu anglais le plus simple – des œufs brouillés à la purée de pommes de terre – se vend en formule instantanée. Les supermarchés proposent pratiquement tous les plats imaginables en versions toutes prêtes – currys, hamburgers, viandes rôties, sushis, salades, ragoûts, plats en sauce, soupes... Et, pour ne pas être abandonné par ses consommateurs impatients, Uncle Ben's a même lancé un riz en conditionnement pour micro-ondes, prêt en deux minutes.

Il va sans dire que le rapport à la nourriture n'est pas le même partout. Ce sont les Américains qui lui consacrent le moins de temps – environ une heure par jour – et sont les plus nombreux à consommer de la nourriture industrielle et de dîner seuls. Les Britanniques et les Canadiens ne font guère mieux. En Europe du Sud, où la bonne chère est encore une tradition culturelle, les gens n'ont pas moins l'habitude, en semaine, de prendre des repas rapides à l'anglo-saxonne. À Paris, qui se pique d'être la capitale mondiale du bien-manger, des cafés spécialisés dans la restauration rapide volent la vedette aux tranquilles bistros d'antan. Ainsi à l'hôtel Montalembert, situé sur la rive gauche, le chef propose même un menu « trois en un » servi sur un plateau venu en droite ligne de la restauration aérienne.

Il y a de cela presque deux cents ans, le légendaire gastronome français Anthelme Brillat-Savarin remarquait que « la destinée des nations dépend de la façon dont elles se nourrissent ». Cette mise en garde est aujourd'hui plus juste que jamais. Dans la précipitation, nous nous sustentons mal et en subissons les conséquences. Les taux d'obésité montent en flèche, en partie parce que nous nous jetons sur la nourriture industrielle saturée de sucres et de graisses. Nous connaissons tous le résultat d'une récolte trop précoce des produits mis à mûrir dans des cargos et expédiés dans des conteneurs réfrigérés à travers la planète : des avocats durs comme la pierre et pourris du jour au lendemain, des tomates au goût farineux. En visant l'économie et des rendements toujours plus élevés, l'agriculture industrielle nuit gravement aux ressources vivantes, à l'environnement et même aux consommateurs. L'agriculture intensive est désormais une cause majeure de la pollution des eaux dans la plupart des pays occidentaux. Dans son très populaire essai *Les Empereurs du fast-food*, Éric Schlosser a révélé que le steak haché américain produit en masse était souvent infecté de matières fécales et autres germes pathogènes. Des milliers d'Américains sont intoxiqués chaque année par *Escherichia coli* en consommant des hamburgers. Grattez un peu, et la nourriture bon marché que nous prodigue l'industrie alimentaire se transforme vite en fausse économie. En 2003, des chercheurs de l'université de l'Essex ont calculé que les contribuables anglais dépensaient jusqu'à 2,3 milliards de livres par an pour réparer les dégâts causés par l'agriculture industrielle sur l'environnement et la santé publique.

Beaucoup d'entre nous ont gobé sans sourciller l'idée qu'un repas ne doit pas durer longtemps. Nous sommes toujours pressés, et l'intendance doit suivre. Mais nombreux sont ceux qui commencent à remettre en question la fameuses trilogie du « dévorer-avaler-cavaler ». Que ce soit dans les exploitations, à la cuisine, à table, ils prennent leur temps. Leur tête de pont est un mouvement international dont le nom dit déjà tout : Slow Food.

Rome est la capitale d'une nation amoureuse de la nourriture. Sur les terrasses ombragées dominant les collines de Toscane plantées de vignoble, le déjeuner empiète largement sur l'après-midi. Du nord au sud de l'Italie, quand sonne minuit dans les *osterie* (petits restaurants traditionnels), les couples se font toujours la cour au-dessus d'une assiette de jambon de Parme et de raviolis frais – même si, de nos jours, les Italiens adoptent souvent une approche du repas plus expéditive. Les jeunes Romains sont plus enclins à se sustenter d'un Big Mac sur le pouce qu'à passer l'après-midi à confectionner des pâtes fraîches. La restauration rapide a essaimé à peu près dans tout le pays, mais tout n'est pas perdu. La culture du bien-manger structure toujours la psyché italienne, et c'est pourquoi ce pays est à la proue d'un mouvement qui cherche à promouvoir la cuisine « qui prend son temps ».

Tout a commencé en 1986, lorsque McDonald's ouvrit à Rome une succursale à deux pas de la place d'Espagne. Pour de nombreux Romains, c'en était trop : les barbares étaient dans la place et il fallait agir. Pour contrer cette déferlante du fast-food qui gagnait la planète, Carlo Petrini, critique gastronomique charismatique, lança le mouvement Slow Food ; comme le suggère son nom, celui-ci allait promouvoir tout ce qui est introuvable chez McDonald's : des produits frais, locaux et de saison ; des recettes transmises de génération en génération ; une forme d'agriculture viable ; une production artisanale et les dîners tranquilles entre amis ou en famille. Slow Food prône également l'éco-gastronomie – notion selon laquelle manger bien peut et doit aller de pair avec la protection de l'environnement. Cependant, la motivation profonde de ce courant reste le plaisir, excellent point de départ selon Petrini pour contrer notre obsession de gagner du temps dans chaque activité de la vie. Comme le clame son manifeste, « une défense sans faille des plaisirs terrestres est la seule façon de s'opposer à la folie universelle de la vitesse à tout prix... Notre action devrait commencer à table, en redonnant du temps au goût ».

Avec ce message très moderne – bien manger *et* sauver la planète –, ce mouvement a attiré plus de 78 000 membres dans plus de cinquante pays. En 2001, le *New York Times Magazine* a élevé cette initiative au rang des quatre-vingts idées qui ont ébranlé le monde (ou l'ont au moins bousculé un petit peu). Très judicieusement, le mouvement a pris l'escargot pour symbole – ce qui ne veut pas dire que ses membres sont amorphes ou paresseux. Même au creux de la lourde chaleur de juillet, le quartier général de Bra, petite ville située au sud de Turin, bourdonne d'activité : les jeunes gens du staff s'affairent à l'envoi de courriels, à l'édition de communiqués de presse, tout en mettant la dernière main à la lettre d'information qui sera envoyée à chaque adhérent de par le monde. L'association publie également un magazine trimestriel en cinq langues et quantité de guides sur les vins et les nourritures nobles. Un projet de catalogue en ligne présentant tous les produits gastronomiques artisanaux de la planète est également en préparation.

Un peu partout dans le monde, les activistes de Slow Food organisent dîners, ateliers et visites scolaires afin de promouvoir tous les bienfaits de leur philosophie. L'éducation est un pilier du dispositif. En 2004, ils ont ouvert leur propre université des sciences gastronomiques à Pollenzo, près de Bra, où les étudiants peuvent étudier la science du goût, que ce soit dans une perspective historique ou dans sa dimension sensuelle... et ils ont quasiment convaincu l'administration italienne d'introduire les « sciences gastronomiques » à l'école. En 2003, Petrini en personne a aidé le gouvernement allemand à établir les bases d'un programme national d'« éducation au goût ».

Sur le plan économique, Slow Food recherche les produits artisanaux en voie de disparition et s'emploie à les rendre accessibles sur le marché mondial. L'association met les petits producteurs en contact les uns avec les autres, leur montre comment éviter la paperasserie et les aide à promouvoir leurs marchandises auprès des grands chefs, des magasins et des gourmets du monde entier. En Italie, plus de cent trente produits rares ont ainsi été sauvés, dont la lentille des Abruzzes, la pomme de terre de Ligurie, le céleri noir de Trévi, l'abricot du Vésuve ou l'asperge violette d'Albenga. Tout récemment, Slow Food a sauvé une race de sangliers de la région de Sienne, prisée par la cour de Toscane au Moyen Âge. Des élevages mis en place dans une ferme prospère de la région produisent d'excellents saucisses, jambons et salamis. D'autres opérations de ce genre sont en cours dans différents pays. En Grèce, l'association participe au sauvetage de la pomme Firiki et du ladotiri, un fromage traditionnel mariné dans l'huile d'olive ; en France, elle travaille à réhabiliter la prune de Pardigone ainsi qu'un fromage de chèvre très fin dénommé « brousse du Ruve ».

Comme on pouvait le supposer, les antennes Slow Food sont plus présentes en Europe, continent fort d'une riche tradition culinaire de terroir et moins perméable à la culture du fast-food. Mais l'association s'aventure désormais au-delà de l'Atlantique. Elle compte déjà 8 000 membres aux États-Unis, et ce n'est qu'un début : Slow Food a convaincu le magazine *Time* de faire un sujet sur la *sun crest*, une exquise pêche de Californie du Nord qui a le malheur de mal voyager. Après la parution de l'article, le producteur a été inondé de demandes d'acheteurs désireux de goûter cette variété. Une campagne est actuellement menée en faveur d'une renaissance d'anciennes espèces de dindes très goûteuses – la Naragansett, la Jersey Buff, la Standard Bronze ou encore la Bourbon Red –, qui faisaient le régal des familles américaines pour la fête de Thanksgiving... jusqu'à ce qu'on les remplace par des volailles industrielles insipides.

Slow Food a également su affronter les autorités : par exemple, en rassemblant en 1999 plus d'un demi-million de signatures en faveur d'une campagne de persuasion du gouvernement italien visant à faire modifier une loi qui aurait forcé les plus petits fabricants à se conformer aux standards d'hygiène rigides en usage chez les géants de l'alimentaire, tel Kraft Foods. Cette initiative a pu éviter à des milliers de petits producteurs un surcroît inutile de paperasserie réglementaire. En 2003, toujours avec le soutien de Slow Food, des producteurs de fromage artisanal ont constitué une alliance à l'échelle européenne pour défendre leur droit à travailler le lait cru. Cette campagne contre la pasteurisation systématique est en passe de gagner l'Amérique du Nord.

Le credo écologique de l'association la porte nécessairement à s'opposer aux modifications transgéniques de produits agroalimentaires et à défendre agriculture et produits biologiques. Si personne n'a encore fourni de preuve irréfutable des meilleures qualités nutritionnelles et gustatives de la nourriture bio, il est clair cependant que les méthodes en usage aujourd'hui dans les fermes industrielles nuisent à l'environnement, polluent l'eau potable, contribuent à l'extinction d'autres variétés et épuisent les sols. D'après l'observatoire de migrations aviaires du Smithsonian Institute de Washington, les pesticides tuent chaque année en Amérique, de façon directe ou indirecte, au moins soixante-sept millions d'oiseaux. En revanche, une exploitation biologique bien rodée peut, grâce à la rotation des cultures, enrichir les sols et maîtriser les nuisibles tout en restant très productive.

Slow Food défend également la biodiversité. Dans l'industrie alimentaire, l'exigence de rendement mène à l'homogénéisation : les usines pourront traiter plus rapidement un produit – qu'il s'agisse d'une dinde, de tomates ou de navets – s'il se présente sous une forme homogène. Ainsi les producteurs se sentent-ils obligés de se concentrer sur l'exploitation d'une seule variété ou espèce. Au cours du siècle dernier, par exemple, le nombre de variétés d'artichauts cultivées en Italie a chuté de deux cents à une douzaine. Outre la diminution de l'éventail des saveurs, cette restriction de la faune bouleverse des écosystèmes fragiles. À mettre ainsi nos œufs dans si peu de paniers, nous courons au désastre. Quand vous n'avez plus qu'une seule race de volailles, un unique virus peut frapper toute l'espèce.

Avec cet amour de la petite échelle, de la lenteur et du local, Slow Food fait figure d'ennemi naturel du capitalisme mondial. Or rien ne pourrait être si loin de la vérité. Les tenants de ce mouvement ne sont pas contre la globalisation en soi. De nombreux produits artisanaux, du parmesan à la sauce de soja traditionnelle, voyagent bien et ont besoin de marchés étrangers pour prospérer. Lorsque Carlo Petrini parle de « globalisation vertueuse », il pense par exemple à des accords commerciaux autorisant des chefs européens à importer du quinoa produit par des fermiers indépendants au Chili ou à la technologie d'information permettant à un spécialiste du saumon fumé des Scottish Highlands de trouver des consommateurs au Japon.

Les vertus de la globalisation s'étalent au grand jour au Salon du goût, le grand raout biennal des Slow Food. En 2002, il s'est tenu dans une ancienne usine Fiat de Turin et fut particulièrement somptueux, attirant cinq cents producteurs artisanaux venus de trente pays. Pendant un peu plus de cinq jours, 138 000 visiteurs ont arpenté les travées baignées de merveilleux arômes, goûtant à loisir quantité de fromages exquis, de jambons, de fruits, de charcuteries, de vins, pâtes et pains, moutardes, conserves et chocolats. Les collations créent les échanges : on a vu un producteur de saké japonais discuter vente par Internet avec un éleveur de lamas bolivien ; et des boulangers français et italiens échanger leurs avis sur les farines broyées à la meule de pierre.

Où que l'on posât les yeux, on voyait quelqu'un mettre à profit les principes du Slow Food. Ainsi Susana Martinez avait-elle fait le voyage depuis le Jujuy – une province rude et reculée du nord de l'Argentine – pour promouvoir le yacon, une antique racine andine qui était en train de sombrer dans l'oubli. À la fois sucré et croquant, comme le jicama ou la châtaigne d'eau, le yacon est bon pour la ligne car ses sucres passent dans le corps sans être métabolisés. Avec l'aide de Slow Food, Susana Martinez et quarante autres familles d'exploitants en cultivent à présent de petites parcelles biologiques pour l'exportation. « Quand vous faites un tour du Salon et des différents producteurs, vous comprenez qu'il n'est pas besoin d'être gros et très productif pour survivre. Vous pouvez être un petit exploitant qui produit à son rythme et réussir quand même. Les gens sont de plus en plus nombreux à vouloir consommer des aliments naturels, en dehors des circuits industriels », déclarait-elle, optimiste.

Devant cet intérêt pour la bonne chère, on pourrait s'attendre à ne croiser que des visiteurs de la stature de Pavarotti. Loin s'en faut. On croise plus de rondeurs suspectes aux abords d'un fast-food ordinaire. Mais les plaisirs sensuels de la table importent définitivement plus à ces mêmes visiteurs que la perspective de s'habiller dans la même taille que Calista Flockhart, actrice vedette de la série *Ally McBeal*... d'où la présence à ce Salon 2002 d'Elena Miro, créatrice de mode italienne spécialisée dans les vêtements pour femmes rondes. Un jeune mannequin tout en courbes, du nom de Viviane Zunino, proposait des catalogues lorsque je m'y arrêtai. Elle se moquait de ces reines de défilés nourries à la salade verte et à l'eau minérale : « Les régimes rendent les gens malheureux. L'une des plus belles choses de la vie est de s'asseoir à table avec des amis ou en famille pour profiter d'un très bon repas et de bons vins. » Un homme d'âge mûr extrêmement bedonnant passa devant nous en se dandinant. Respirant bruyamment et s'essuyant le front avec un mouchoir de soie, il fondit en piqué sur les gâteaux fourrés à la gelée de jalapeño proposés par un exposant américain. La jeune femme sourit : « Il y a quand même des limites... »

Slow Food profite d'un retour de bâton à bien plus large échelle contre une culture de la vitesse et du rendement propre à l'industrialisation mondiale de la chaîne alimentaire. Au terme d'un demi-siècle de croissance ininterrompue, McDonald's a enregistré ses premières pertes en 2002 et a immédiatement commencé à fermer des succursales à l'étranger. Partout dans le monde, les consommateurs s'éloignent de ces arches dorées parce qu'ils y trouvent la nourriture malsaine et peu attractive. Pour beaucoup d'entre eux, dire non au Big Mac est une manière de s'opposer à la standardisation mondiale du goût. Comme le souligne le commentateur anglais Philip Hensher, les gens sont finalement en train de s'éveiller au fait que « leur culture personnelle ne passe plus et ne passera plus par un hamburger trop cuit entre deux tranches de pain aromatisé au peroxyde de calcium ». Aux États-Unis, McDonald's fait face à une avalanche de procès intentés par des consommateurs pour lesquels ses produits seraient responsables de leur état d'obésité.

Un peu partout dans le monde, des producteurs de tout genre sont là pour nous prouver qu'exploiter à petite échelle et sans précipitation n'est pas seulement bon, mais également rentable. Il y a quinze ans par exemple, les deux grandes sociétés Miller et Busch dominaient le marché américain de la bière. Aujourd'hui, quinze cents brasseries artisanales suivent les principes du Slow Food. Les artisans boulangers font aussi leur retour et démontrent que le temps participe de façon essentielle à la qualité du pain. La plupart utilisent de la farine moulue à la pierre plutôt que son équivalent industriel, moins cher, qui passe à travers des rouleaux à grande vitesse détruisant beaucoup de ses nutriments naturels. Les vrais boulangers ménagent également un temps de fermentation plus long pouvant aller de seize heures à trois jours, pour permettre à la pâte de développer tous ses arômes. Résultat : un meilleur goût et une meilleure qualité nutritive. Une boulangerie peut aussi contribuer à animer la vie de quartier en facilitant les contacts. Au coin de ma rue, à Londres, deux anciens éditeurs ont ouvert en 2001 la Boulangerie du phare. Outre l'objectif de fabriquer un excellent pain, l'un de leurs desseins était de créer du lien social. La file d'attente le samedi matin est désormais l'endroit rêvé pour tomber sur ses voisins et faire un brin de causette.

Les poulets bénéficient à leur tour des attraits de la lenteur : une viande industrielle, qui ne vit guère plus de quatre semaines dans une coopérative exiguë, présente à peu près les mêmes saveur et texture que le tofu. Les producteurs de volailles sont néanmoins de plus en plus nombreux à pratiquer l'élevage extensif à l'ancienne. Au domaine de Leckford, dans le Hampshire anglais, les volailles peuvent ainsi s'ébattre librement, parfois jusqu'à trois mois, dans la basse-cour – et la nuit elles ont de la place pour dormir. Leur viande est à la fois juteuse, savoureuse et ferme. Pour séduire à nouveau les consommateurs dégoûtés des volailles industrielles, des fermiers japonais reviennent eux aussi à l'élevage à l'ancienne et ressuscitent des races de volailles plus goûteuses, comme l'Akita hinaidori ou la Nagoya cochin.

Rien cependant n'illustre mieux la popularité du discours Slow Food que la renaissance des marchés fermiers traditionnels. En ville et dans les grandes agglomérations du monde industriel, les exploitants reviennent désormais faire commerce de leurs fruits, légumes, viandes et fromages, directement auprès des consommateurs – et souvent à deux pas d'un hypermarché. Non seulement leurs clients apprécient de « mettre un visage » derrière les produits, mais ils constatent aussi qu'ils ont généralement bien meilleur goût. Fruits et légumes sont toujours de saison, mûrissent à leur rythme, et ne voyagent que sur de courtes distances. Et il ne s'agit pas de la marotte d'une minorité de gourmets aisés : les prix pratiqués peuvent y être plus bas qu'en grandes surfaces, qui dépensent une fortune en transport, publicité, personnel et stockage. Le revenu annuel des 3 000 marchés américains s'élève aujourd'hui à plus d'un milliard de dollars – ce qui a permis à presque 20 000 exploitants agricoles de sortir du circuit industriel classique.

Beaucoup de gens ont même décidé d'aller plus loin en cultivant leurs propres produits. Partout en Angleterre, on ne compte plus les jeunes urbains attendant le feu vert de l'administration locale pour louer leur parcelle cultivable. Dans mon voisinage, on peut ainsi voir de jeunes cadres aisés sortir de leur roadster BMW pour surveiller la pousse des roquettes, carottes, pommes de terre nouvelles et autres piments rouges.

Les nouvelles exigences des consommateurs obligent naturellement chacun à relever le niveau. Les restaurants chic se font un point d'honneur de cuisiner avec des produits en provenance directe de fermes locales. Les industriels de l'alimentaire, quant à eux, font un effort sur les produits tout prêts ou à emporter, et les rayons des supermarchés font place aux fromages, salaisons et autres produits artisanaux.

Le dénominateur commun de toutes ces tendances est la saveur. Les procédés industriels neutralisent une grande partie des goûts naturels de notre alimentation. Prenons le cas du cheddar. La version industrielle de ce fromage vendue en supermarché est un produit standardisé sans grande saveur, alors qu'un cheddar artisanal, fabriqué à la main à partir d'ingrédients naturels, offre un kaléidoscope de saveurs subtiles qui varieront d'un arrivage à l'autre.

À Londres, la crémerie Neal's Yard, dans le quartier de Covent Garden, a en réserve environ quatre-vingts variétés de fromages en provenance de petits producteurs britanniques et irlandais. La boutique est un véritable festival des sens. Derrière le comptoir, sur des rayonnages en bois, de grumeleux Wensleydales voisinent avec des Stiltons crémeux, délivrant un arôme délicieux. Nous sommes au royaume des saveurs. Ici on trouve toute une gamme de cheddars artisanaux, chacun ayant son caractère propre. Celui de chez Keen est doux, un peu cireux avec des notes franches et herbeuses. Le Montgomery est plus sec, plus ferme, avec un savoureux goût de noisette. La Boule du Lincolnshire est onctueuse et moelleuse, avec une note de flore alpestre. Un cheddar écossais de l'île de Mull, où l'herbe rare oblige les vaches à se nourrir principalement de restes de houblon en provenance de la brasserie locale, est bien plus pâle que les autres et développe un arôme brut, presque corrompu.

Les plaisirs de la table ne font pas bon ménage avec les fromages industriels. La plupart ne laissent aux papilles qu'un pâle souvenir. Les arômes d'un fromage artisanal, en revanche, se développent lentement en bouche, puis persistent, chatouillant le palais comme un bon vin. « Il arrive souvent qu'un client goûte un fromage sans être plus impressionné que ça et tourne les talons pour gagner la sortie, rapporte Randolph Hodgson, fondateur et directeur du Neal's Yard Dairy. Après quelques secondes, cependant, le goût lui saute aux papilles. Il tourne brusquement la tête et nous complimente : "Wouahou, c'est vraiment bon !" »

Produire une nourriture de qualité n'est qu'un aspect du phénomène. Même en ces temps excessifs du « prêt-à-consommer », beaucoup d'entre nous réservent un peu plus de temps à la cuisine et aux repas. Pour les vacances, les gens affluent dans des séjours culinaires en Thaïlande, en Toscane et autres destinations exotiques. De jeunes Italiens prennent des cours pour apprendre les secrets de cuisine que leur *mamma* a oublié de leur transmettre. Des entreprises américaines impliquent leur personnel dans la confection de somptueux repas, en guise de management d'équipe. Des chefs célèbres tels Nigella Lawson, Jamie Oliver ou Emeril Lagasse sont sur tous les écrans et vendent leurs livres de recettes par millions. À dire vrai, beaucoup de leurs fans sont des voyeurs qui mâchent leur repas tout prêt ou leur pizza industrielle tout en regardant les stars accomplir leurs tours de magie en cuisine. Mais le message « Prenez donc le temps de faire la cuisine et d'apprécier ce que vous mangez » fait son chemin, même dans les environnements les plus agités.

Au Japon, où cette situation est endémique, le mouvement Slow Food commence à faire des adeptes. Faire la cuisine devient une activité à la mode chez les jeunes. Après des années de nourriture avalée devant la télévision, des Japonais redécouvrent les joies du dîner en commun. À tel point que les ventes de *chabudai* – petites tables rondes et portatives autour desquelles les convives s'agenouillent pour manger – sont en hausse.

L'évangile du Slow Food commence même à séduire le New-Yorkais pressé. Lorsque j'y séjourne, la ville reste bouillonnante d'activité. Les gens sillonnent les rues avec énergie et détermination, malgré la chaleur étouffante. Vers midi, chacun semble attraper un *bagel* garni ou une salade au passage. Et le premier article que je trouve en ouvrant un magazine proclame que la durée moyenne d'un déjeuner de travail s'est réduite à trente-six minutes. Et pourtant certains New-Yorkais consacrent plus de temps à leurs repas. Prenez Matthew Kovacevich et Catherine Creighton, un couple de trentenaires qui travaillent tous deux dans une société de marketing à Manhattan. Comme bien des habitants de la « Grosse Pomme », ils n'entretenaient qu'une lointaine relation avec leur cuisine et se bornaient à réchauffer de la soupe toute préparée ou à verser de la sauce en boîte sur des pâtes. Leur dîner se résumait souvent à un plat acheté chez le traiteur et consommé devant la télé, jusqu'à ce qu'un voyage dans le sud de l'Europe vienne bouleverser tout cela.

Lorsque je visite leur appartement de Brooklyn, nous nous asseyons à table autour d'un verre de chardonnay californien, en dégustant du fromage de chèvre bio accompagné d'une gelée de poivre rose maison. Matthew, solide gaillard de trente et un ans, explique sa conversion à cette nouvelle philosophie du goût avec l'enthousiasme du prosélyte : « Aux États-Unis, nous croyons faire bien les choses sous prétexte que nous les faisons plus vite. Et il est très facile de se retrouver happé par ce mode de vie. Mais lorsque vous voyez comment les Français ou les Italiens se nourrissent, le temps et le respect qu'ils savent accorder à la nourriture, vous mesurez à quel point le fonctionnement américain est erroné. »

À peine débarqués de l'avion qui les ramenait d'Europe, Matthew et Catherine ont entrepris d'appliquer les principes du Slow Food. Au lieu de grignoter dans leur cuisine où d'avaler un repas tout prêt seuls devant la télé, ils essaient désormais, dès que possible, de dîner assis et ensemble d'un plat maison. Même quand leur journée de travail frise les douze heures, le couple s'efforce d'y ménager une plage gustative. C'est-à-dire de combiner par exemple un poulet rôti tout prêt avec une salade faite à la maison. Ou simplement mettre la table pour déguster une pizza achetée en chemin ou livrée à domicile.

Désormais, tout ce qu'ils mangent a meilleur goût, et ils consacrent à la cuisine la majeure partie de leurs week-ends. Ils passent leurs samedis matin à écumer les marchés en plein air de Grand Army Plaza. Catherine confectionne des tartes aux fruits de saison (fraises et rhubarbe, myrtilles, pêche, pomme...) et Matthew fait son propre *pesto*. La fabrication de sa délicieuse sauce barbecue occupe tout le dimanche matin et s'avère une longue et lente succession de tâches – couper en morceaux, griller, remuer, cuire à feu doux, goûter, assaisonner et tout simplement... attendre. « Le plaisir essentiel qu'on en retire est de ne pas se presser », confie-t-il.

Car cuisiner peut être bien autre chose qu'une corvée ! C'est une activité qui nous relie à ce que nous mangeons, à sa provenance, à la révélation de ses goûts, à ses bienfaits potentiels pour notre santé. Confectionner un plat qui fasse plaisir aux autres peut être une réelle source de joie. Lorsqu'on a le temps pour cela et que la recette n'est pas synonyme de précipitation, cuisiner est aussi un merveilleux moyen de se détendre. Il peut même s'agir d'une activité méditative : cette détente par la cuisine semble tempérer le rythme frénétique du quotidien de Matthew. « Dans une ville comme New York, il est facile de monter à une telle allure que l'on finit par tout accélérer sans réfléchir, dit-il. Cuisiner permet d'installer une petite oasis de calme. Cela vous ancre dans la réalité et vous aide à endiguer la superficialité de la vie urbaine. »

Matthew et Catherine ont l'impression que cette philosophie du goût a également renforcé leur relation – ce qui n'est guère étonnant. Il y a quelque chose dans le fait de cuisiner et de manger ensemble qui crée un lien entre les gens. Ce n'est pas un hasard si la racine latine du mot *compagnon* signifie « qui partage le pain ». Un repas détendu et convivial a un effet apaisant, voire civilisant, et tend à fait disparaître l'avide obsession de consommation du monde moderne. Les Kwakiutl de Colombie britannique nous avertissent que manger vite peut « causer la destruction du monde plus rapidement, en y développant l'agressivité ». Oscar Wilde n'a pas exprimé un autre sentiment dans ce piquant aphorisme : « On peut pardonner à n'importe qui après un bon dîner, même à ses propres parents. »

Partager un repas peut même faire plus que nous aider à mieux nous entendre. Des études menées dans de nombreux pays laissent penser que les enfants issus de familles prenant régulièrement leurs repas ensemble ont plus de chances de réussir leur scolarité et moins de risques de souffrir du stress ou de fumer et de boire jeunes. Au travail, prendre le temps d'absorber un repas digne de ce nom peut même se révéler payant quand règne la règle de l'en-cas vite pris au bureau. Jessie Yoffe, qui travaille dans un cabinet d'audit à Washington, avait l'habitude de déjeuner devant son ordinateur. Elle avait compris que son patron, un drogué de travail, verrait d'un mauvais œil qu'elle prenne le temps de déjeuner dehors, même les jours calmes. Or, un après-midi, tandis qu'elle mâchonnait sa salade tout en vérifiant un contrat, elle réalisa qu'elle venait de lire six fois de suite le même paragraphe sans en saisir une ligne. À l'instant même, elle décida qu'elle quitterait le bureau pour aller déjeuner, quoi qu'en dise son patron. Désormais, elle prend une demi-heure pour déjeuner dehors presque tous les jours dans un parc ou un café, souvent accompagnée d'un ou d'une amie. Elle a perdu trois kilos et se découvre des réserves d'énergie insoupçonnées. « C'est drôle, parce qu'on s'imagine que, si on passe moins de temps au bureau, on travaillera moins. Or, ce n'est pas cela qui se passe. Je constate que prendre le temps de manger me relaxe et que je travaille bien plus efficacement l'après-midi qu'auparavant », affirme-t-elle. Sans faire allusion à l'instauration de ce nouveau régime, dans les deux sens du terme, son patron l'a récemment félicitée pour ses performances professionnelles.

Prendre ses repas dans un endroit calme est également bon pour la ligne, car l'estomac a le temps d'envoyer des signaux de satiété au cerveau. Le docteur Patrick Serog, nutritionniste à l'hôpital Bichat à Paris, précise : « Le cerveau met quinze minutes à enregistrer un signal de satiété ; si l'on mange trop vite, ce signal arrive trop tard. On peut facilement absorber plus que nécessaire sans même le savoir, c'est pourquoi il vaut mieux manger lentement. »

Comme vous le confirmera tout diététicien avisé, changer notre alimentation et notre manière de la consommer n'est pas chose facile. Mais il est possible de sevrer les gens de cette fâcheuse habitude de manger trop vite, en particulier lorsqu'ils sont jeunes. En Angleterre, certaines écoles emmènent désormais leurs élèves à la ferme pour leur apprendre d'où vient leur nourriture ; d'autres les encouragent à cuisiner et à composer les menus de la cantine. Quand on leur en donne le choix, beaucoup d'enfants préfèrent les aliments à préparer aux plats tout prêts.

Au Canada, Jeff Crump consacre beaucoup de son temps à la rééducation des jeunes palais. Bien qu'ayant grandi dans une famille où la cuisine se limitait aux hot dogs, Crump est aujourd'hui la toque attitrée d'un restaurant installé sur un marché fermier, non loin de Toronto. Âgé de trente et un ans, il dirige également le Slow Food de l'Ontario. « Je suis la preuve vivante qu'avec un peu de curiosité n'importe qui peut apprendre à apprécier la bonne chère », dit-il. Par un chaud soir de septembre, je rejoins Crump sur le parcours de sa campagne culinaire. Dans une école de cuisine au cœur de Toronto, quinze enfants âgés de neuf à seize ans sont assis sur des tabourets autour d'une grande table en bois dans la salle principale de l'établissement. La plupart sont issus de familles de la classe moyenne, où les parents qui travaillent servent des repas tout prêts sur fond de culpabilité. Les enfants sont invités à comparer un produit industriel avec sa version Slow Food.

Dans sa tenue de chef d'un blanc immaculé, Jeff Crump commence par rassembler les ingrédients requis pour la recette des macaronis au fromage : lait, beurre, œufs, fromage, pâtes, sel et poivre. Parallèlement, il vide sur la table une boîte de Kraft Dinner, la version industrielle de ce même plat : des macaronis secs accompagnés d'un sachet de sauce en poudre orange vif. Tandis qu'il aborde la question des composants chimiques des plats tout prêts, son assistant entreprend de battre au fouet le contenu de la sauce Kraft, fait bouillir les pâtes et mélange du lait et du beurre à la poudre. Lorsque c'est prêt, Crump retire du four ses macaronis maison, préparés à l'avance. Le test comparatif commence. Le silence se fait tandis que les enfants goûtent aux deux plats rivaux, bientôt suivi d'un brouhaha de leurs impressions critiques. Sur les quinze, douze d'entre eux préfèrent la version maison. Sarah, treize ans, constate : « Quand on consomme un dîner Kraft, on ne se pose pas la question du goût que ça a. On le mange et c'est tout. Mais quand on le goûte à côté de vrais macaronis au fromage, on réalise à quel point la saveur est chimique. C'est dégueulasse. Le plat de Jeff est mille fois meilleur. On sent le vrai goût du fromage. » Après quoi, Crump distribue des copies de sa recette. Les enfants sont nombreux à souhaiter la voir remplacer leur dîner Kraft à la maison. Sarah a même envie de la confectionner elle-même. « C'est sûr que je vais la refaire... », dit-elle en rangeant la recette dans son sac à dos.

Inévitablement, certains critiques ne se privent pas de comparer Slow Food à un club d'épicuriens aisés – et quand on observe ses membres dépenser des centaines d'euros en copeaux de truffes au Salon du goût, on comprend bien pourquoi. Mais cette accusation d'élitisme est en réalité vide de sens. Les repas fins ne représentent qu'un aspect de ce mouvement, qui a également beaucoup à offrir aux petits budgets.

Après tout, *manger en prenant son temps* n'est pas toujours synonyme de *dépense*. Avec la hausse de la demande et une meilleure distribution, le coût des produits bio est en baisse. En Grande-Bretagne, les coopératives se multiplient dans des régions qui en étaient jusqu'alors démunies, proposant les produits d'exploitants locaux – sans oublier conseils et recettes appropriés – à des prix abordables. Cuisiner chez soi constitue également le meilleur moyen de faire des économies. Un repas improvisé est souvent moins cher – et a meilleur goût – que son équivalent de grande surface.

Les œufs brouillés industriels coûtent vingt fois plus cher qu'une boîte d'œufs frais.

D'un autre côté, de nombreux plats maison sont par nature plus coûteux que leurs rivaux de supermarché. Un hamburger de bœuf bio nourri dans un pré ne sera jamais aussi bon marché qu'un *whopper*, et un poulet fermier sera toujours plus cher qu'une volaille industrielle. C'est le prix à payer pour manger mieux. Le problème est que le monde entier s'est habitué à la nourriture bon marché. Il y a un demi-siècle, une famille européenne moyenne consacrait jusqu'à la moitié de son revenu à la nourriture. Aujourd'hui, la proportion est tombée à 15 %, voire plus bas en Angleterre et aux États-Unis. Les Italiens investissent 10 % de leurs ressources dans le téléphone portable, contre 12 % en nourriture. Cependant, les choses changent : dans une ère succédant à la maladie de la vache folle, les sondages révèlent une forte volonté de consacrer plus de temps et d'argent à la nourriture.

Inspiré par cet appétit croissant pour la « décélération culinaire », mais pressé de mettre à l'épreuve les principes de Petrini, je me suis mis en quête du parfait menu Slow Food. Ma recherche m'a alors mené à Borgio-Varezzi, petite station balnéaire animée située sur la côte de Gênes. Nous sommes en plein été, et les rues menant à la plage sont envahies de vacanciers italiens en tongs, qui entrent et sortent des bars et glaciers. Je me décide à fendre la foule pour me diriger en haut de la colline et gagner les petites rues pavées du vieux centre. Je me rends chez Da Casetta, restaurant familial tout spécialement recommandé par le guide du Slow Food.

J'arrive à l'ouverture, vers 20 heures, pour confirmer une réservation plus tard dans la soirée. Déjà, les premiers clients, un jeune couple, sont à la porte. Cinzia Morelli, qui fait partie de la famille, les éconduit gentiment. « Je suis désolée, mais nous n'en sommes qu'à la préparation des *antipasti*, dit-elle. Vous pouvez prendre un verre ou aller faire un tour jusqu'à ce que nous soyons prêts. » Le couple repart arpenter les rues de la vieille ville, un indulgent sourire aux lèvres signifiant qu'ils savent que cela en vaut la peine.

Une heure et demie plus tard, je me représente pour dîner, plein d'attentes à combler et avec un appétit plus grand encore. Les *antipasti* sont prêts désormais, ornant la desserte du restaurant telle une flottille de bateaux à la parade. Cinzia me place à l'extérieur, sur la terrasse en bois, où les tables dominent un paysage italien de carte postale. *Da Casetta* est niché au fond d'une placette en pente bordée d'arbres. D'un côté de la place, une église du XVIIIe siècle se dresse au-dessus des toits de tuiles rouges, ses cloches égrenant paresseusement les demi-heures. Sur le parvis, de petits groupes de nonnes en coiffe blanche chuchotent comme des écolières ; des couples se font des mamours dans la pénombre ; des rires d'enfants s'échappent des balcons au-dessus de nos têtes.

Mon compagnon de table rejoint *Da Casetta* avec vingt-cinq minutes de retard. Vittorio Magnoni est un négociant en textiles de vingt-sept ans, adepte du Slow Food. Il est presque 10 heures du soir, et il n'est pas pressé de commander.

Il s'installe en face de moi, allume une cigarette et se lance dans le récit de ses récentes vacances en Sicile, me racontant comment les pêcheurs attrapent les thons en tendant un simple filet entre les bateaux. Il me décrit ensuite les différentes façons de servir le poisson – émincé en carpaccio, grillé au citron ou débité en morceaux dans une soupe copieuse.

Ces descriptions nous mettent tellement l'eau à la bouche que nous sommes soulagés de voir arriver le serveur. Son nom est Pierpaolo Morelli, et il ressemble à John McEnroe, la calvitie en moins. Pierpaolo nous explique comment *Da Casetta* donne corps à cette éthique du retour au goût. Les fleurs, légumes et fruits au menu proviennent en grande partie du jardin familial. Il s'agit d'une cuisine traditionnelle de Ligurie, confectionnée à l'ancienne, lentement et avec passion. Ici, pas question de faire un saut pour manger sur le pouce. « Nous sommes à l'opposé du fast-food », déclare Pierpaolo. Et tandis qu'il parle, je remarque ce couple arrivé trop tôt pour les hors-d'œuvre, assis quelques tables plus loin. L'homme semble glisser une crevette dans la bouche de sa compagne, qui la mange sans hâte, d'un air taquin, avant de poser ses mains sur son visage à lui.

Après avoir commandé, nous méditons de concert sur la carte des vins. Pierpaolo revient nous aider. Tout en marmonnant pour lui-même les noms de nos plats, il se caresse le menton et cherche son inspiration en levant la tête vers le ciel nocturne. Au bout de ce qui nous paraît une éternité, il délivre enfin son verdict : « J'ai le vin qu'il vous faut – un vin de la région, un blanc de Ligurie. C'est un cépage pigato avec un peu de vermentino. Je connais le viticulteur. »

Servi sans attendre, le vin est exquis, frais et léger, et bientôt suivi d'un plat de hors-d'œuvre assortis composant un délicieux mélange : une petite pizza, une part de tarte aux asperges, des courgettes farcies à l'œuf, de la mortadelle, du parmesan, des pommes de terre et du persil. Et au centre de l'assiette, en petite pile, les joyaux de la couronne : de jeunes oignons rouges, ou *cipolline*, confits dans du vinaigre ; fermes et fondants, sucrés et acidulés à la fois, c'est une vraie ambroisie. « Mon père les a cueillis ce matin », précise Pierpaolo, en se dirigeant vers une autre table.

En dépit de notre appétit, nous dégustons tranquillement, en savourant chaque bouchée. Tout autour de nous, le vin coule à flots, les arômes montent, les rires fusent dans la fraîcheur du soir. Une douzaine de conversations se fondent en un long bourdonnement doux et symphonique.

Vittorio partage cette passion italienne pour la nourriture et aime cuisiner. Les *papardelle* aux crevettes sont sa spécialité. Tandis que nous mangeons, il m'en énumère chaque étape de préparation, point par point. Tout est dans le détail. « Il faut prendre de petites tomates de Sicile, que l'on coupe en deux, pas plus. » Il cuisine aussi les spaghettis aux clams. « Il faut absolument toujours filtrer le jus de cuisson des clams, pour se débarrasser de tous les petits débris », ajoute-t-il en brandissant un chinois imaginaire. Tandis que nous sauçons nos assiettes avec un morceau du pain croustillant fait maison, nous comparons des recettes de risotto.

Mais il est temps de passer au *primo piatto* (l'entrée, ou « premier plat »). J'ai choisi des *testaroli* aux cèpes. Il s'agit d'un genre de pâtes plates cuites une première fois, mises à refroidir, découpées en lanières puis cuites de nouveau, le but étant d'obtenir une texture à la fois moelleuse et *al dente*. Les champignons, de provenance locale, sont nourrissants mais légers, et la combinaison est sublime. Vittorio a choisi une autre spécialité de Ligurie : des *lumache alla verezzina* (escargots dans une sauce aux noix). Également un triomphe.

Notre conversation s'éloigne des nourritures terrestres. Vittorio m'explique que les Italiens du Nord ont une tournure d'esprit plus moderne que leurs cousins du Sud. « Lorsque je vais à Naples, ils devinent d'un seul coup d'œil que je suis du Nord. » Nous évoquons cette autre grande passion italienne qu'est le *calcio* – le football –, et Vittorio souligne que son équipe favorite, la Juventus, est toujours sur le chemin d'une gloire européenne, malgré le départ de Zinedine Zidane, maestro du milieu de terrain que beaucoup s'accordent à considérer comme le meilleur joueur du monde. Puis nous en venons à une conversation plus personnelle. Vittorio me révèle que, à l'instar de bien des Italiens, il vit encore chez sa *mamma.* « La vie est très confortable dans une famille italienne – on y est nourri et blanchi, constate-t-il en souriant. Mais j'ai une fiancée et je vais bien finir par m'installer avec elle. »

Enchanté de ses escargots, il se lance alors dans un plaidoyer du mouvement Slow Food. Il apprécie particulièrement de se retrouver avec d'autres adhérents pour des repas qui durent des heures et résume ainsi l'impact de ce mouvement dans le monde moderne : « On ne se nourrit pas au McDonald's. Cela vous remplit l'estomac sans vous nourrir. Je crois que les gens n'en peuvent plus de consommer ces aliments qui n'ont aucun goût, aucune histoire, aucun lien avec la terre. Ils veulent quelque chose de mieux. »

Faisant son entrée à point nommé, Pierpaolo réapparaît à côté de moi avec le plat principal : un *cappon magro*, une merveille on ne peut plus Slow Food, s'il en fut jamais. Le plat se compose de différentes couches de fruits de mer, accompagnées de *salsa verde* (« sauce verte »), pommes de terre et thon fumé. Entre le décorticage, le nettoyage et la découpe, la préparation d'une douzaine de parts de l'authentique *cappon magro* requiert quatre personnes pendant trois heures. Mais chaque minute de labeur en vaut la chandelle : ce plat est une véritable œuvre d'art, le parfait mariage des produits de la mer et de la terre.

Nous sommes au beau milieu de la dégustation quand Vittorio lâche une bombe. « Il faut que je vous dise quelque chose, souffle-t-il avec un air penaud. Je mange parfois chez McDonald's. » Un silence médusé s'abat sur nous. Un homme à la table voisine, jusqu'alors fasciné par son lapin rôti, regarde Vittorio comme s'il avait laissé échapper un pet.

« Quoi ? dis-je. Mais n'est-ce pas une hérésie ? Un peu comme si un rabbin mangeait un sandwich au jambon ? »

Échauffé par le vin et enhardi par sa propre candeur, Vittorio tente d'expliquer son apostasie. « En Italie, il n'y a pas beaucoup de choix quand on veut déjeuner rapidement : soit on s'assoit au restaurant devant un menu, soit on mange une part de pizza ou un sandwich dans un bar douteux, dit-il. On peut dire ce que l'on veut de McDonald's, mais au moins c'est propre. »

Il prend le temps d'une gorgée de vin. Le client au lapin rôti écoute ostensiblement à présent, les sourcils froncés comme ceux d'un personnage de bande dessinée.

« Je me sens toujours un peu coupable après avoir mangé dans un endroit comme McDo. Mais je pense que d'autres adhérents du Slow Food le font aussi, simplement ils ne le disent pas. »

Ce vilain petit secret planant au-dessus de nos têtes, nous entreprenons de finir le *cappon magro* sans en laisser une miette. Il est maintenant l'heure du dessert. Pierpaolo ? Pierpaolo ? Ah, le voici qui ramasse un verre cassé sous une table voisine. Il glisse vers nous pour nous parler tranquillement des *dolci* (« desserts »). Quelques minutes plus tard arrivent une tarte au chocolat surmontée de mascarpone et nappée d'un sabayon, un sorbet à la pomme et une bavaroise à la fraise. Tous sont exquis, en particulier accompagnés d'un malvoisie local, doux et moelleux dans sa robe de sirop d'érable. « Délicieux », ronronne Vittorio.

Oscar Wilde avait raison quant au pouvoir d'un bon dîner sur notre faculté de pardon. Tandis que nous dérivons peu à peu dans un nirvana postprandial, cet état glorieux dans lequel notre appétit est calmé et tout tourne rond sur cette Terre, la confession de Vittorio sur ses visites au McDonald's nous semble déjà un vieux souvenir. Nous buvons nos expressos bien tassés dans un silence complice. Pierpaolo apporte une bouteille de grappa et deux petits verres. Quelques gorgées et réflexions plus tard, nous sommes les derniers clients du restaurant. Le reste du clan Morelli sort de la cuisine pour prendre l'air frais sur la terrasse. L'atmosphère est paisible, généreuse.

Je consulte ma montre : 1 h 25 du matin ! Je viens de passer quatre heures à table sans jamais ressentir ni ennui ni fatigue. Le temps s'est écoulé imperceptiblement, comme l'eau d'un canal vénitien. Et, pour cette raison peut-être, ce dîner est devenu l'un des plus mémorables de ma vie. Alors que j'écris ces mots, une année plus tard, j'ai encore en mémoire l'odeur aigre-douce des *cipolline*, les délicats arômes de fruits de mer du *cappon magro* et le bruissement des feuilles dans la pénombre de la place.

Dans les dernières lueurs de ce dîner chez *Da Casetta*, il est facile d'imaginer que le futur appartient à Slow Food. Et pourtant le mouvement doit affronter de sérieux obstacles. Pour commencer, l'industrie mondiale de l'agroalimentaire est structurée de manière à favoriser une production à faibles coûts et à rotation rapide – et les industriels comme les compagnies de transport au long cours, les géants du fast-food, les agences de publicité, les supermarchés et les exploitations industrielles ont tous intérêt à conserver le système en l'état. Dans la plupart des pays, le réseau des subventions, des réglementations et de la distribution fait réellement barrage au producteur artisanal.

L'argument des fans du statu quo est que l'industrialisation de l'agriculture est le seul moyen de nourrir la population mondiale, qu'on évalue à dix milliards d'individus à l'horizon 2050. Cela semble logique : nous devons accélérer la production pour que personne ne souffre de la faim. Malheureusement, il est clair que nos méthodes agricoles ne sont pas viables à long terme. L'agro-industrie ravage l'environnement. Les experts pensent à présent que la meilleure manière de nourrir la planète est de revenir à des exploitations de moindre échelle, qui maintiennent un équilibre plus écologique entre culture et bétail. D'ores et déjà, un courant similaire est en train de faire souche au niveau de l'Union européenne. En 2003, l'Union a finalement trouvé un accord de réforme de sa politique agricole commune, qui récompense les agriculteurs plus pour la qualité que pour la quantité de leur production et pour leurs efforts de sauvegarde de l'environnement.

Quant à la modification de nos propres comportements alimentaires, les attentes de Slow Food restent raisonnables. Ses adhérents reconnaissent que chaque repas ne peut se transformer en banquet de quatre heures où sont servis des mets exquis faits maison. Le monde moderne ne le permet tout simplement pas. Nous vivons à l'ère de la vitesse, et cette approche contamine souvent notre rapport à la nourriture. Nous n'avons souvent besoin que d'un sandwich sur le pouce, mais il reste possible d'appliquer quelques-uns des principes Slow Food qui composent le menu de Da Casetta. La qualité des matières premières détermine tout : un produit local, de saison, de la viande, des fromages et du pain en provenance d'artisans respectueux de leurs produits, éventuellement quelques herbes – de la menthe, du persil ou du thym cueillis sur le balcon ou dans votre jardin.

Ensuite, il faut apprendre à cuisiner plus souvent. Après une longue et épuisante journée de travail, notre premier réflexe est de balancer un plat tout prêt dans le micro-ondes ou de commander quelque chose chez un traiteur thaï. Il ne s'agit que de cela – d'un réflexe, que nous pouvons surmonter. Nous pouvons trouver le temps et l'énergie de découper, de faire frire ou bouillir nos aliments. D'après mon expérience, le fait d'inspirer profondément en se dirigeant simplement vers la cuisine peut suffire à vous faire dépasser le cap du « je-n'ai-absolument-pas-envie-de-cuisiner ». Et une fois arrivé à ce point, la rétribution n'est plus seulement gastronomique : au moment où l'ail écrasé glisse dans l'huile bouillante de la poêle et commence à grésiller, je peux sentir se dissiper toutes les contrariétés de la journée.

La préparation d'un repas ne doit pas devenir une affaire longue et laborieuse. Tout le monde est capable de préparer en vitesse un dîner maison, en moins de temps qu'il n'en faut pour se faire livrer une pizza. Il n'est pas question ici de *cappon magro*, un plat goûteux peut être rapide et simple à exécuter. L'espace librairie du Salon du goût gardait en stock un magazine contenant des recettes – depuis les pâtes à la tomate jusqu'à la soupe de champignons, n'excédant pas quinze minutes de préparation. Un autre moyen de gagner du temps est d'augmenter les quantités du plat préparé et de congeler le surplus. Ainsi, au lieu de réchauffer un plat tout prêt ou de commander des sushis, il suffit de décongeler une portion de votre plat maison. Nous appelons beaucoup moins le traiteur – et par là même économisons des fortunes – depuis que notre congélateur regorge de *chili con carne* et autres *dahls* de lentilles.

Il va sans dire que nous pouvons tous tirer profit d'une telle approche dans nos choix alimentaires. Il est plus difficile d'apprécier la nourriture lorsqu'elle est engloutie dans la précipitation devant la télévision ou l'ordinateur. Elle est alors un simple carburant. On peut commencer à savourer ce qu'on mange en ralentissant son rythme et en y prêtant attention. Je profite beaucoup mieux de mon dîner à table que lorsqu'il est posé en équilibre sur mes genoux, devant le journal de 20 heures ou un épisode de *Friends.*

Peu d'entre nous disposent à la fois du temps, de l'argent, de l'énergie et de la discipline requis pour être un adhérent modèle du Slow Food. Ainsi va la vie dans ce XXIe siècle échevelé. Nous sommes néanmoins de plus en plus nombreux à apprendre à ralentir le rythme. Les idées de Slow Food ont conquis un public et se répandent partout sur la planète parce qu'elles s'appuient sur une aspiration humaine : nous aimons tous bien manger et nous sommes plus heureux et en meilleure santé quand nous y parvenons. C'est Anthelme Brillat-Savarin qui l'a le mieux formulé dans son chef-d'œuvre de 1825, *La Physiologie du goût* : « Le plaisir de la table est de tous les âges, de toutes les conditions, de tous les pays et de tous les jours ; il peut s'associer à tous les autres plaisirs, et reste le dernier pour nous consoler de leur perte. »

Chapitre 4
La ville entre tradition et modernité

Le flot de la vie, toujours prompt dans sa course, Peut bien couler en ville à un rythme plus vif, Il ne suivra jamais un cours si serein Ni même à moitié si limpide que dans un paysage champêtre.

William Cowper (1782)

Après ma rencontre avec Carlo Petrini, je partis faire un tour dans Bra. Même en pleine semaine, le quartier général de Slow Food reste le parfait endroit pour une escapade. Les citadins s'attardent autour d'un café sur les trottoirs, conversant entre amis en observant le cours du monde. Dans les squares ombragés entourés d'arbres où l'air sent la lavande et le lilas, les hommes âgés sont assis comme des statues sur les bancs de pierre. Chacun prend le temps d'un chaleureux « *Buon giorno* ».

Et ce n'est pas un hasard. Par décret local, la *dolce vita* est désormais la règle ici. Sous l'impulsion de Slow Food, la ville de Bra et trois autres cités italiennes se sont officiellement engagées, en 1999, à devenir des havres contre la frénésie du monde moderne. Chaque aspect de la vie urbaine y est désormais reformulé en accord avec les principes de Petrini – le plaisir avant le profit, les êtres humains avant les sièges sociaux, la lenteur avant la vitesse. Ce mouvement, baptisé Citta Slow, ou « Villes de la lenteur », compte à présent plus de trente villes membres en Italie et au-delà.

Chez un Londonien pur jus habitué à une vie urbaine chaotique et échevelée, la juxtaposition des mots *ville* et *lenteur* éveille immédiatement l'intérêt. Afin de vérifier si ce mouvement est plus qu'une chimère ou qu'une astuce promotionnelle, je fais en sorte d'obtenir un entretien avec Bruna Sibille, députée-maire de Bra et véritable force motrice du mouvement Citta Slow. Je la retrouve dans une salle de conférences au premier étage de l'hôtel de ville, un beau palais du XIVe siècle. Elle se tient à la fenêtre, d'où elle admire la vue – une mer de toits couleur terre de Sienne, ponctuée de clochers d'églises, s'étale loin devant nous. Elle esquisse un sourire de satisfaction à la vue d'un jeune homme à bicyclette traversant la place avec langueur.

« La philosophie de la lenteur a d'abord été considérée comme l'émanation d'un petit groupe de gens aimant bien boire et bien manger, mais elle est devenue aujourd'hui un espace de débat culturel sur le bénéfice de faire les choses d'une manière moins frénétique et plus humaine, me dit-elle. Il n'est pas facile de nager à contre-courant, mais nous pensons que la meilleure manière d'administrer une ville est de le faire en suivant cette philosophie. »

Le manifeste de Citta Slow comporte cinquante-cinq engagements, comme la réduction du bruit et de la circulation en ville, l'augmentation des espaces verts et des zones piétonnes, le soutien aux exploitants agricoles, mais aussi aux magasins et aux restaurants qui vendent leurs propres produits, la promotion d'une technologie respectueuse de l'environnement, la préservation de traditions esthétiques et culinaires locales ou encore l'adoption d'un esprit d'hospitalité et de bon voisinage. L'effet espéré est que ces réformes représenteront plus que la somme de leurs parties et qu'elles révolutionneront les conceptions des gens sur la vie urbaine. Bruna Sibille parle avec ferveur de « susciter un nouveau climat, une façon entièrement nouvelle de voir la vie ».

En d'autres termes, une ville de la lenteur est un peu plus qu'une ville active au ralenti. Le but du mouvement est de créer un environnement où les gens peuvent résister à la pression des horaires et à l'injonction de faire tout plus vite. Sergio Contegiacomo, jeune consultant financier de Bra, trouve des accents lyriques pour évoquer la vie urbaine en mode Slow : « Le point crucial est que vous ne vivez plus dans l'obsession du temps. Au lieu de cela, vous appréciez chaque moment comme il vient. Dans une ville de la lenteur, vous êtes libre de vous détendre, de penser, de réfléchir aux grandes questions existentielles. Plutôt que de rester piégé dans le tourbillon et l'agitation du monde moderne où l'existence se résume à monter dans sa voiture, aller travailler puis se hâter de rentrer chez soi, vous prenez le temps de marcher et de croiser les gens dans la rue. C'est un peu comme vivre dans un conte de fées. »

Malgré leur nostalgie d'une existence plus douce et plus riante, les adeptes de Citta Slow ne sont pas pour autant réfractaires au progrès. Leur attitude ne s'apparente pas à une torpeur réactionnaire et technophobe. Oui, le mouvement a pour but de préserver l'architecture, l'artisanat et la cuisine traditionnels. Mais il célèbre aussi le meilleur du monde contemporain. Confrontée au choix de telle ou telle option, une ville de la lenteur se posera systématiquement la question de l'amélioration concrète de la vie quotidienne. Si la réponse est oui, alors les citoyens l'adoptent. Y compris s'il s'agit des plus récentes technologies – à Orvieto, des bus électriques glissent silencieusement dans les rues médiévales de cette cité perchée sur une colline d'Ombrie. Citta Slow se sert d'un site Internet un peu tape-à-l'œil pour promouvoir sa philosophie du bien-vivre. « Mettons les choses au clair : être une ville de la lenteur ne signifie pas "refuser tout et arrêter le temps", m'explique Bruna Sibille. Nous ne voulons pas vivre dans des musées ni diaboliser tous les fast-foods ; nous voulons trouver un équilibre entre modernité et tradition qui défende une qualité de vie. »

Lentement mais sûrement, Bra se fraie un chemin à travers les cinquante-cinq engagements. Dans le centre historique, la ville a interdit la circulation dans certaines rues, banni les chaînes de supermarchés et les néons criards. Les petits commerces familiaux – notamment des boutiques vendant des tissus faits main et des spécialités de viandes – y bénéficient des meilleurs emplacements commerciaux. La mairie subventionne les réhabilitations à base de stuc couleur miel et de tuiles rouges typiques de la région. Les cantines scolaires et hospitalières servent désormais des plats traditionnels à base de fruits et légumes bio produits localement au lieu des repas préparés industriellement par des fournisseurs éloignés. Enfin, pour prévenir le surmenage et rester fidèles aux traditions italiennes, tous les petits commerces de Bra ferment le jeudi et le dimanche.

Les gens du pays semblent ravis de ces changements ; ils apprécient les nouveaux arbres et bancs, les quartiers piétonniers et les marchés florissants. Même les jeunes sont séduits. Le centre commercial de Bra a renoncé à la musique pop par respect pour l'éthique de la lenteur. Fabrizio Benolli, l'aimable propriétaire, m'a ainsi raconté que certains de ses jeunes consommateurs commencent à voir au-delà du style de vie saturé et uniformisé prôné par MTV. « Ils commencent à comprendre que l'on peut aussi s'amuser d'une manière plus calme, à la manière lente. Au lieu d'avaler un Coca dans un bar bruyant, ils découvrent le plaisir d'un verre de vin régional dégusté dans un endroit où la musique est diffusée en sourdine. »

L'adhésion à Citta Slow aide les cités membres à réduire le chômage et à redonner vie à une économie déclinante. À Bra, de nouvelles échoppes vendant des charcuteries ou des chocolats faits maison, mais aussi des festivals gastronomiques présentant des délices locales, comme la truffe blanche et le vin rouge dolcetto, attirent des milliers de touristes. Chaque année en septembre, la ville est littéralement envahie de stands tenus par des fromageries artisanales venues de toute l'Europe. Pour répondre à une demande de produits de haute qualité émanant tant de l'étranger que de la région, Bruno Boggetti, cinquante-huit ans, a étendu la palette de son épicerie fine et élargi la gamme des produits locaux – poivrons grillés, truffes, pâtes fraîches, huile d'olive pimentée. En 2001, il a transformé son sous-sol en une cave à vins régionaux. « La philosophie de la lenteur m'a aidé à faire évoluer mon entreprise, me confie-t-il. Au lieu de se jeter systématiquement sur le produit le moins cher et le plus facile – ce qu'encourage la globalisation –, les gens se décident de plus en plus à ralentir, à réfléchir et à apprécier les produits passés par la main de l'homme plutôt que par la machine. »

Citta Slow laisse même présager un renversement démographique. En Italie comme ailleurs, les jeunes ont fui depuis longtemps les zones rurales et les petites agglomérations pour les lumières de la grande ville. À présent que les charmes d'une vie urbaine stressante et trépidante s'amenuisent, beaucoup retournent chez eux en quête d'une vie plus calme ; ils sont même rejoints par quelques spécimens purement urbains. Au comptoir de la *gelateria* de Bra, je tombe sur Paolo Gusardi, un jeune consultant en informatique de Turin, ville industrielle bouillonnante située à une cinquantaine de kilomètres au nord. Il cherche un appartement dans le centre historique. « À Turin, c'est sans cesse la course, la course, la course, et j'en ai assez, me dit-il en dégustant sa glace chocolat-menthe. La vision que défend le mouvement en faveur de la lenteur me paraît proposer une vraie solution de remplacement. » Il projette ainsi de travailler la majeure partie de la semaine sur place à la conception de sites Internet et de logiciels et de ne se rendre à Turin que pour les rendez-vous indispensables. Ses principaux clients lui ont déjà donné le feu vert.

Néanmoins, Citta Slow n'en est qu'à ses débuts, et la décélération reste encore expérimentale dans bien des villes signataires. Certains des obstacles auxquels le mouvement devra faire face sont déjà patents. À Bra, même si la vie se fait plus douce, de nombreux citadins trouvent encore le travail trop intense. Luciana Alessandria possède une maroquinerie dans le centre historique. Elle se sent aussi surchargée qu'avant l'adhésion de la ville à Citta Slow. « C'est facile pour les politiques de parler de ralentir ceci ou cela, mais dans la vraie vie, cela n'est pas si simple, se moque-t-elle. Si je veux atteindre un niveau de vie décent, je dois travailler dur, très dur. » D'une certaine manière, Citta Slow est victime de son propre succès : la promesse d'une vie plus calme attire des touristes et des étrangers – ce qui est facteur d'animation, de bruit et d'effervescence.

Les militants de Citta Slow ont également découvert que certaines réformes sont plus faciles à vendre que d'autres. L'effort pour réduire les nuisances sonores se voit contrecarré par la tendance des Italiens à parler fort dans leur portable. À Bra, le recrutement de nouveaux agents de la circulation n'a pas réussi à contenir cette autre passion nationale : la conduite rapide. Comme dans d'autres villes adhérentes, voitures et Vespa continuent de rouler à toute allure dans les rues qui leur sont encore autorisées. « J'ai bien peur que les gens ne s'obstinent à conduire mal, ici comme partout ailleurs en Italie, soupire Bruna Sibille. La conduite rapide est un aspect de leur quotidien auquel les Italiens auront du mal à renoncer. »

On peut néanmoins considérer que Citta Slow a ouvert une brèche dans la bataille mondiale actuellement livrée contre la culture de la vitesse. En 2003, vingt-huit villes italiennes ont été officiellement admises au titre de cités Slow et trente-six autres sont en passe de l'être. Des évaluations sont en cours dans le reste de l'Europe, mais également en Australie et au Japon. Deux villes norvégiennes (Sokndal et Levanger) et une ville anglaise (Ludlow) ont déjà rejoint le mouvement ; deux autres villes allemandes (Hersbruck et Gemeinde Schwarzenbruck) suivent le même chemin. À la fin de notre entretien, mon interlocutrice est très optimiste : « Il s'agit d'un processus à long terme, mais petit à petit nous faisons de Bra un lieu plus agréable à vivre. Lorsque nous aurons terminé, tout le monde voudra vivre dans une ville comme la nôtre. »

L'affirmation est pourtant à nuancer. Après tout, Citta Slow ne s'adresse pas à tout le monde. Un souci particulier apporté à la préservation de la cuisine locale sera toujours plus pertinent à Bra qu'à Basingstoke ou à Buffalo. Qui plus est, le mouvement se limite à des agglomérations de moins de 50 000 habitants. Pour beaucoup de cités membres, l'idéal urbain se résume à la cité médiévale tardive et à son dédale de ruelles pavées où l'on se retrouve pour faire des courses, discuter et déjeuner sur de charmantes placettes – autrement dit, au genre d'endroit que la plupart d'entre nous ne fréquentent qu'en vacances. Néanmoins, l'idée fondatrice du mouvement – débarrasser la vie urbaine d'une partie de l'agitation et du stress qui l'accablent – s'inscrit dans une tendance mondiale.

Dans le premier chapitre, je comparais la ville à un accélérateur géant de particules. Cette métaphore n'a jamais été plus adéquate qu'aujourd'hui. Tout dans notre vie urbaine – la cacophonie, la voiture, la foule, la consommation sans frein – nous invite à nous précipiter plutôt qu'à nous détendre, prendre du recul ou établir des contacts avec autrui. La ville nous tient en mouvement et en éveil, constamment en quête du prochain stimulus. Et, même si nous en retirons une certaine satisfaction, nous la ressentons comme aliénante. Assez récemment, un sondage a montré que 25 % des Britanniques ne connaissent même pas le nom de leurs voisins. La désillusion attachée à la vie urbaine ne date pas d'aujourd'hui. En 1819, Percy Bysshe Shelley observait que « l'enfer doit ressembler à la ville de Londres ». Quelques décennies plus tard, Charles Dickens écrivait la chronique des bas-fonds misérables des cités anglaises de la révolution industrielle, au développement et au tempo accélérés. En 1915, Booth Tarkington, romancier américain ayant obtenu le prix Pulitzer, blâmait l'urbanisation qui avait transformé sa ville natale d'Indianapolis en un enfer d'impatience : « Il y a moins d'une génération, vous n'auriez pas trouvé là de géant essoufflé, de ville crasseuse pliant sous l'effort... On avait le temps de vivre, alors. »

Tout au long du XIXe siècle, les gens ont cherché les moyens d'échapper à la tyrannie de la ville. Certains, comme les transcendantalistes américains, gagnèrent de lointaines retraites à la campagne. D'autres effectuèrent d'occasionnels retours à la nature, mais en touristes. Or les villes étaient là pour de bon, et ces militants s'efforcèrent de les rendre plus vivables en engageant des réformes qui font encore écho aujourd'hui. L'une d'elles consistait à importer en ville le calme apaisant de la nature en aménageant des jardins publics. Le jardin de Central Park, créé à New York en 1858 par Frederick Law Olmsted, devint un modèle pour les villes d'Amérique du Nord. Dès le début du XXe siècle, les urbanistes firent en sorte de construire des ensembles en équilibrant le rural et l'urbain. En Grande-Bretagne, Ebenezer Howard lança le mouvement des cités-jardins, appelant à l'édification de petites villes autosuffisantes dotées d'un parc central et d'une ceinture verte de terres arables et de forêts. Deux de ces villes furent construites en Angleterre – Letchworth en 1903 et Welwyn en 1919 – avant que l'idée ne traverse l'Atlantique. Aux États-Unis, où l'automobile dominait déjà la jungle urbaine, des architectes conçurent Radburn, dans le New Jersey : une ville dont les résidants n'avaient jamais à conduire.

Tandis que le XXe siècle passait avec fracas, les urbanistes tentaient de nombreuses expériences, notamment en banlieue, afin de combiner la vie urbaine et l'atmosphère plus calme de la campagne. Mais leurs propositions ont en grande partie échoué, et la vie urbaine paraît toujours plus frénétique et fatigante. Le désir d'y échapper prend chaque jour de l'ampleur ; c'est pourquoi le livre de Peter Mayle *Une année en Provence*, qui raconte son installation en famille dans un village idyllique de France, s'est vendu à des millions d'exemplaires à travers le monde depuis sa publication en 1991, engendrant des légions d'imitations : aujourd'hui, nous sommes assaillis de récits et de documentaires sur des citadins partis élever des poulets en Andalousie, faire de la céramique en Sardaigne ou ouvrir un hôtel au fin fond de l'Écosse. Les maisons de campagne perdues dans l'étendue sauvage et éloignées des villes sont actuellement très recherchées en Amérique du Nord. Même les Japonais, qui ont longtemps ironisé sur la campagne, la présentant comme l'antithèse de la modernité, découvrent à présent le charme des randonnées en montagne et des balades à vélo au bord des rizières. Autrefois méprisée pour son rythme de vie tranquille, la région rurale d'Okinawa attire désormais les citadins branchés désireux de prendre les routes de traverse. Le culte de la tranquillité rurale est probablement plus prononcé en Angleterre, où l'urbanisation a commencé tôt ; ainsi la différence entre ceux qui choisissent de s'installer en ville et ceux qui, au contraire, la quittent pour la campagne représente quinze cents personnes chaque semaine. Les agents immobiliers anglais cherchent à rendre la ville plus attractive en promettant une atmosphère de village – un code synonyme de petits commerces, d'espaces verts et de rues praticables à pied. À Londres, les banlieues conçues sur le principe des cités-jardins atteignent des prix très élevés. Les journaux anglais regorgent de récits de citadins déçus qui ont décidé de s'établir dans leur petit morceau d'Arcadie. Certains de mes amis trentenaires ont fait le grand saut, troquant la métropole contre une paire de bottes boueuses. Alors que la plupart d'entre nous persistent à se rendre en ville chaque matin, eux passent le reste de leur temps à vivre – ou à tenter de vivre – comme les personnages d'un roman de H. E. Bates.

Il est entendu que nous ne pouvons pas tous quitter Londres, Tokyo ou Toronto. Et, en allant au fond des choses, la majorité d'entre nous n'en ont pas réellement envie. Nous aimons l'agitation de la grande ville et considérons la retraite à la campagne comme un projet pour nos vieux jours. Dans une certaine mesure, nous approuvons cette observation de Samuel Johnson, qui disait en 1777 : « Lorsqu'un homme est fatigué de Londres, il est fatigué de la vie ; car on trouve à Londres tout ce que la vie a à offrir. » Et pourtant nous sommes nombreux à souhaiter que la vie en ville soit un petit peu moins frénétique. Ce qui explique pourquoi Citta Slow stimule l'imagination et pourquoi les idées de ce mouvement essaiment un peu partout dans le monde.

Tokyo est le royaume de l'agitation, une jungle bourdonnante de gratte-ciel de béton, d'enseignes de néon et de fast-foods. À l'heure du déjeuner, les employés prennent leur repas dans des bars où ils engloutissent debout de grands bols de soupe. Les Japonais ont même une expression triviale qui résume leur admiration pour la vitesse : « L'art de manger et de déféquer vite ». Ils sont néanmoins nombreux, désormais, à accepter l'idée d'une suprématie de la lenteur en matière de design urbain. Les grands architectes construisent à présent des bâtiments explicitement conçus pour aider les gens à ralentir. Le quartier de Shiodome, actuellement en cours de réalisation au cœur de Tokyo et qui sera entièrement achevé en 2006, a été imaginé comme une oasis urbaine en mode Slow. Un centre de loisirs – théâtre, musée et restaurants – sera intégré au beau milieu d'un rutilant ensemble de bureaux. Afin d'encourager les visiteurs à y flâner, la galerie marchande de Shiodome ouvrira sur de grands couloirs blancs bordés de sièges dont le design sera un véritable appel à la pause.

Le principe même de la lenteur gagne également du terrain sur le marché immobilier. La plupart des promoteurs japonais ont coutume de produire en série des logements sans originalité et de qualité médiocre. Construire un immeuble à mettre rapidement sur le marché reste la première des priorités. Récemment, les acheteurs ont pourtant commencé à se rebeller contre une approche aussi rapide que standardisée. Beaucoup montent à présent des coopératives leur laissant tout le contrôle sur la conception et la construction. Et bien que cette approche pragmatique allonge de six mois le délai de livraison moyen, de plus en plus de Japonais acceptent de payer le prix de la patience pour un logement décent. Les demandes de participation à ces nouvelles coopératives immobilières – baptisées par certains de « logements à long terme » – se sont multipliées, et les promoteurs traditionnels commencent eux aussi à proposer un choix plus étendu à leurs clients.

Tetsuro et Yuko Saito représentent un couple emblématique de cette tendance. Au printemps 2002, ces deux jeunes éditeurs ont inauguré un charmant appartement situé dans un immeuble de quatre étages, construit par leur coopérative à Bunkyo, un quartier aisé du centre de Tokyo. L'immeuble, qui a vue sur un temple shinto, a nécessité seize mois de construction au lieu des douze habituels. Chaque appartement dispose d'un agencement et d'un style personnalisés, du japonais traditionnel au style le plus futuriste. Les Saito ont opté pour un espace ouvert d'esprit minimaliste – tout de murs blancs, rampes et spots d'acier. En matière d'agencement, ils ont largement eu le temps de tout prévoir en détail, jusqu'à l'emplacement des placards, de l'escalier et de la cuisine, et ont pu faire poser un élégant revêtement de sol en bois dur ainsi qu'un jardin miniature sur le balcon. Le résultat final éclipse en qualité la plupart des logements japonais.

« Cela valait vraiment la peine d'attendre, sourit Tetsuro, une tasse de thé vert fumante à la main. Lorsque le bâtiment était encore en construction, certains des résidants ont commencé à s'impatienter, débats et discussions semblaient se prolonger et ils voulaient accélérer le processus. Mais à la fin, tout le monde a compris l'avantage d'opérer plus lentement. »

Dans une ville où beaucoup auraient du mal à reconnaître leurs voisins lors d'une séance d'identification, les Saito entretiennent des relations amicales avec les autres résidants. Et leurs finances en ont également profité : en se passant d'un promoteur, la coopérative a fait de très substantielles économies de construction. Le couple se désole seulement de devoir replonger tête la première dans le tourbillon quotidien de Tokyo dès qu'ils quittent leur appartement. « Si nous avons pris le temps de construire nos maisons, dit Yuko, la ville elle-même tourne toujours au même rythme, et il est difficile d'imaginer que cela change. »

C'est là une plainte familière : les grandes villes carburent à toute allure, il en ira toujours ainsi, et bien entendu il est inutile de tenter d'imposer un autre rythme... Faux. Dans les grandes villes, un peu partout dans le monde, des gens appliquent avec succès à l'échelle urbaine les principes d'une philosophie de la lenteur.

Nous en avons un exemple avec les « politiques du temps urbain » inaugurées en Italie dans les années 1980 et qui ont essaimé en Allemagne, en France, aux Pays-Bas et en Finlande. De telles mesures visent à rendre le quotidien moins mouvementé en harmonisant les horaires ouvrables dans tous les domaines de la vie collective : des écoles et clubs de jeunesse aux bibliothèques, centres médicaux, commerces et bureaux. La mairie de Bra ouvre désormais les samedis matin pour permettre aux gens d'accomplir plus calmement leurs démarches administratives. Une autre ville d'Italie, Bolzano, a décalé les heures d'ouverture des écoles pour endiguer la ruée matinale des familles. Toujours pour alléger la pression des horaires sur les mères actives, des médecins de Hambourg reçoivent désormais après 19 heures et le samedi matin. La lutte contre le bruit nous offre un autre exemple de cette croisade contre la vitesse en ville. Pour promouvoir la paix et la tranquillité, une nouvelle directive de l'Union européenne contraint toutes les grandes villes à réduire les nuisances sonores après 19 heures. Même les Madrilènes ont lancé une campagne visant à convaincre les citadins notoirement bruyants de mettre une sourdine.

Cependant, en matière de décélération urbaine, les militants considèrent toujours la toute-puissante automobile comme l'ennemi numéro un. Plus que toute autre invention contemporaine, la voiture exprime et alimente notre passion de la vitesse. Il y a un siècle, nous frémissions aux records de vitesse battus par la Jamais Contente et ses rivales. Aujourd'hui, les publicités télévisées nous montrent les dernières berlines, Jeep et autres monospaces fonçant à toute vitesse dans des paysages de rêve, soulevant nuages de poussière ou trombes d'eau sur leur passage. Dans la vie de tous les jours, la vitesse constitue la forme la plus commune de délinquance civile. Des détecteurs de radars se vendent par millions pour échapper à la réglementation, et des sites Internet donnent des tuyaux pour échapper à la détection civile. Au Royaume-Uni, des « activistes de l'automobile » vandalisent les caméras de surveillance routière. Des gens qui, la plupart du temps, ne songeraient pas à enfreindre la loi font quotidiennement une exception dès qu'il s'agit de vitesse. Je le sais, puisque je le fais moi-même...

La vitesse fait de nous tous des hypocrites. Nous savons que les accidents de la circulation tuent 3 000 personnes par jour à travers le monde et coûtent des milliards de dollars ; nous savons que la vitesse en est souvent l'une des causes. Et pourtant nous continuons à conduire trop vite. Même au Salon du goût 2002, la plus grande célébration gastronomique mondiale de la philosophie de la lenteur, la vitesse était au menu : l'un des mécènes du festival, le constructeur automobile Lancia, y a présenté une berline turbo pouvant passer de 0 à 100 km/h en 8 secondes et 9 dixièmes ! À peine sortis de roucoulades extasiées sur la qualité des parmesans vieillis en abri de montagne ou de champignons cueillis à la main dans les sous-bois, les délégués de Slow Food, en majorité des hommes, attendaient leur tour pour s'asseoir au volant de la voiture, enivrés à la perspective de jouer les Schumacher sur l'autoroute. Je souris d'un air narquois en pensant à la scène jusqu'à ce que je me souvienne que je devrais balayer devant ma porte : peu de temps auparavant, j'avais été pris pour excès de vitesse sur une autoroute italienne. Destination ce jour-là : mon dîner Slow Food au Da Casetta, qui devait durer quatre heures...

Il existe bien des raisons – et des excuses – à la vitesse. Dans un monde pressé où chaque seconde compte, nous conduisons vite pour rester en tête ou simplement pour suivre le flot. Beaucoup de voitures actuelles sont conçues pour la vitesse, avec un levier plus souple dans les passages supérieurs et laborieux dès qu'il s'agit de rétrograder. Et puis il y a l'excuse que l'on ne donne jamais à l'agent de la circulation qui nous verbalise : l'accélération, les dépassements sont en réalité plutôt amusants et stimulent notre adrénaline. « La vérité, c'est que nous sommes tous des Italiens au volant, observe Steven Stradling, professeur en psychologie des transports à l'université Napier d'Édimbourg. Nous conduisons autant avec notre cœur qu'avec notre tête. »

Même lorsque le trafic descend à une vitesse raisonnable, voire à l'arrêt complet, les voitures continuent de dominer le paysage urbain. Devant ma maison, à Londres, les deux côtés de la rue sont remplis en permanence de véhicules garés. Ils forment un Mur de Berlin qui sépare les gens les uns des autres – par exemple, les enfants en bas âge sont invisibles de l'autre côté de la rue. Entre les 4x4 et les monospaces surgissant brusquement dans les deux sens, les piétons se sentent dépossédés de leur environnement et tout est fait pour nous signifier que les voitures viennent en premier et les piétons en second. Une fois, en raison d'un repavage, la rue avait été vidée de ses voitures. L'atmosphère s'était transformée : les gens flânaient sur les trottoirs, adressaient la parole à des inconnus. Pour la première fois cette semaine-là, je faisais la connaissance de deux de mes voisins. Et mon expérience n'est pas isolée. Des études menées dans le monde entier mettent en évidence une relation entre la voiture et le voisinage : moins il y a de circulation dans un quartier, plus elle se fait lente, plus le lien social est fort entre les résidants.

Mon intention n'est pas de diaboliser la voiture. J'en conduis une moi-même. Le problème est que la conduite a pris trop d'ascendant sur la marche. Pendant des décennies, la vie urbaine a été hantée par les mots du président français Georges Pompidou : « Nous devons adapter la ville à la voiture et non l'inverse. » Pourtant au bout du compte, les rapports s'inversent.

En s'attaquant de front à la culture de la vitesse et en reconfigurant le paysage urbain afin de réduire au minimum l'usage de l'automobile, des villes de toute taille s'adaptent à l'idée de mettre le piéton en premier.

Commençons avec cette guerre à la vitesse.

La conduite imprudente est presque aussi ancienne que l'automobile elle-même. En 1896, Bridget Driscoll, une femme au foyer de Croydon, fut le premier piéton au monde à être renversé et tué par un véhicule à moteur. Elle était descendue d'un trottoir londonien pile dans la trajectoire d'une automobile roulant à 7 km/h. Très vite, le nombre de victimes ne cessa de s'accroître partout sur les routes. En 1904, quatre ans avant que la Ford T mette le véhicule à moteur à la portée du plus grand nombre, le Parlement britannique imposa une limite de vitesse à 30 km/h. La guerre contre la vitesse avait commencé.

Aujourd'hui, la pression à la baisse est plus intense que jamais. Partout, les gouvernements mettent en place des ralentisseurs, restreignent les voies, installent des radars sur les routes, synchronisent les feux, réduisent les limites de vitesse et lancent des campagnes de communication contre la vitesse au volant. Comme c'est le cas sur d'autres fronts de la bataille pour la lenteur, les réactions violentes font rage sur le terrain. Dans la campagne anglaise, les voitures dévalent de petites routes et foncent à travers de jolis hameaux, mettant en danger la vie de cyclistes, de randonneurs ou de cavaliers. Lassés au plus haut point de ce démon de la vitesse, de nombreux villages érigent désormais leurs propres panneaux de limitation à 30 km/h, jusqu'à ce que les autorités administratives les valident officiellement.

En zone urbaine, les riverains s'attaquent à cette culture de la vitesse par le biais de campagnes d'obéissance civique. En 2002, une courageuse grand-mère américaine du nom de Sherry Williams a affiché un panneau dans son jardin de Charlotte, en Caroline du Nord. Elle y enjoignait les conducteurs à signer un engagement de « respecter les limites de vitesse dans chaque rue du quartier comme s'il était le leur et comme si les gens qu'ils aimaient le plus au monde – leurs enfants, leur épouse, leurs voisins – vivaient ici ». Bien vite, des centaines des gens signèrent l'engagement, et la police locale mit tout son poids dans l'opération. En quelques mois, Car Smart, une concession automobile par Internet, décida de soutenir cette cause, offrant à Mme Williams un écho national. Partout aux États-Unis, des milliers de gens ont à présent pris cet « engagement de ralentir ».

Toujours aux États-Unis, une autre campagne populaire contre la vitesse s'est développée : le programme « basse vitesse », qui avait débuté en Australie. Ses membres s'engagent à respecter la limitation de vitesse et à se comporter ainsi comme des ralentisseurs mobiles pour ceux qui roulent derrière eux. Des campagnes similaires ont mobilisé des adhérents dans toute l'Europe.

Cette croisade contre la vitesse a même fait irruption dans les programmes de forte audience télévisuelle. Dans une émission anglaise récente, des automobilistes surpris à rouler trop vite dans un périmètre scolaire se sont vus forcer de choisir entre payer l'amende et être mis en face des enfants fréquentant le quartier. Ceux qui avaient choisi la seconde option se sont retrouvés rouges de honte devant une classe entière, mis en demeure de répondre à des questions poignantes posées par des enfants de l'âge de six ans : « Qu'auriez-vous ressenti si vous m'aviez renversé(e) ? – Qu'auriez-vous dit à mes parents si vous m'aviez tué(e) ? » Les conducteurs étaient visiblement secoués. Une femme s'est mise à pleurer. Tous sont sortis de l'expérience en faisant le vœu de ne plus jamais enfreindre la limitation de vitesse.

Avant d'aller plus loin, toutefois, je vous propose de renverser, une bonne fois pour toutes, l'un des plus grands mythes de la conduite : aller vite serait un moyen sûr de gagner du temps. Vrai : en cas de trajet long effectué sur une autoroute fluide, vous arriverez plus tôt à destination. Mais les bénéfices sur une plus courte distance sont négligeables. Par exemple, vous mettrez deux minutes et demie pour parcourir trois kilomètres à 80 km/h. Grimpez à 130 et vous arriverez cinquante-cinq secondes plus tôt – à peine le temps de consulter votre messagerie.

Sur bien des trajets, la vitesse ne vous fera pas gagner la moindre seconde. La synchronisation des feux a pour effet d'opposer toujours plus de feux rouges aux conducteurs qui se moquent des limitations de vitesse. Se faufiler entre les queues de véhicules en cas d'embouteillage est souvent contre-productif, en partie parce que les vitesses des voies évoluent sans arrêt. Mais il est peu probable que le fait de savoir que la vitesse est une fausse économie suffise à faire ralentir les gens. Le problème de la majorité de ces mesures contre la vitesse, des flashs radars aux routes restreintes, est qu'elles reposent sur la coercition. Autrement dit, les gens ne ralentissent que parce qu'ils y sont obligés – pour éviter d'abîmer leur véhicule, d'être flashés par une caméra de prévention routière ou d'emboutir l'arrière du véhicule qui les précède. Dès que la contrainte disparaît, ils se remettent à rouler vite, parfois même plus vite qu'avant. La seule façon de gagner cette guerre consiste à approfondir la question et à reformuler toute notre relation à la vitesse elle-même. Il nous faut en réalité *vouloir* conduire plus lentement.

Cela nous ramène à l'une des questions clés auxquelles doit faire face la philosophie de la lenteur : comment refréner l'instinct de la vitesse ? Au volant comme dans la vie, l'une des solutions consiste à en faire moins, parce qu'un emploi du temps chargé est la cause majeure de précipitation. Une autre option est d'apprendre à se sentir à l'aise avec la lenteur.

Pour aider les gens à « décrocher » de la vitesse, le comté britannique du Lancashire a mis en place un programme apparenté à celui des Alcooliques anonymes. En 2001, la police locale a commencé à proposer le choix suivant à toute personne surprise à plus de 8 km/h au-dessus de la limite autorisée : assister à des sessions pédagogiques d'une journée ou payer l'amende et perdre des points de permis. Près de mille personnes ont déjà choisi d'assister chaque mois aux sessions du « Programme de sensibilisation à la vitesse ».

Par un lundi matin gris, je rejoins les dix-huit nouvelles recrues dans un bâtiment industriel morose de la banlieue de Preston. La vitesse est clairement un délit atypique. L'éventail du groupe va de la mère au foyer à la professionnelle accomplie, de l'ouvrier à l'homme d'affaires tiré à quatre épingles.

Une fois installés avec leur tasse de thé ou de café, les participants commencent à comparer leurs expériences. Dans leurs récits, le défi se nuance de honte. « Je n'allais pas *si vite que ça*, grimace une jeune maman. Je veux dire : ce n'est pas comme si je représentais un danger public. » Un couple de participants acquiesce avec sympathie. « Je ne devrais même pas être là, ronchonne un homme à ma gauche. J'ai été pris tard dans la nuit, alors qu'il n'y avait personne sur la route. »

Le silence retombe à l'instant où l'animateur du cours, Len Grimshaw, un homme du Nord à l'air bourru, fait son entrée. Il attaque en nous demandant de faire la liste des motifs les plus communs invoqués pour aller vite. Nous aboutissons aux fauteurs de troubles attendus : les échéances à respecter, le retard, une distraction sur la route, le flux de circulation, les véhicules lents. « La seule chose que personne ne fait jamais ici, c'est de s'en prendre à soi-même – c'est toujours quelqu'un ou quelque chose d'autre qui nous pousse à conduire trop vite, lance Grimshaw. Eh bien, tout cela est faux. *Nous* sommes responsables de notre vitesse sur la route. Nous pouvons choisir d'aller vite ou non. »

Puis viennent les horribles statistiques. Un véhicule allant à 55 km/h s'arrêtera 6,5 mètres plus loin qu'en roulant à 50 km/h.

Le taux de mortalité d'un piéton renversé à 30 km/h est de 5 %. La probabilité s'élève à 45 % pour 50 km/h et à 85 % au-delà de 65 km/h. Grimshaw s'attarde sur l'obsession moderne de gagner du temps : « Aujourd'hui, nous sommes tous tellement pressés que nous sommes prêts à accélérer pour gagner une minute et demie. Cela vaut-il vraiment le coup de ruiner votre vie et celle de quelqu'un d'autre, uniquement pour arriver quatre-vingt-dix secondes plus tôt ? »

Nous passons une grande partie de la matinée à analyser des photographies de situations classiques rencontrées sur la route, en faisant ressortir les indices visuels susceptibles de nous faire ralentir. Des ballons accrochés à l'entrée d'un jardin ? Un enfant peut surgir dans la rue en sortant d'un goûter d'anniversaire. Des traces boueuses sur la route ? Un engin de chantier peut reculer à l'aveugle dans notre direction. Un café en bord de route ? Le conducteur du véhicule qui nous précède peut tourner brusquement pour aller déjeuner. Rien de tout cela n'est sorcier, remarque Grimshaw, mais plus vite nous roulons, moins nous sommes en mesure de prendre ces détails en compte.

Après le déjeuner, tout le monde sort pour une séance de conduite accompagnée. Mon instructeur est Joseph Comerford, un homme mince et barbu, la quarantaine, plutôt sérieux. Nous montons dans sa petite Toyota Yaris. Il commence par faire le tour des banlieues avoisinantes, toujours en deçà de la limitation de vitesse. En grand drogué de la vitesse, j'ai le sentiment que nous nous traînons complètement. Lorsque nous arrivons à un embranchement d'autoroute, mon pied droit me démange d'appuyer à fond sur l'accélérateur. Comerford accélère doucement jusqu'à la limite autorisée et n'en bouge plus. Tandis qu'il roule tranquillement son chemin, il me passe en revue tout ce que doit savoir remarquer un conducteur averti : terrains de sport, arrêts de bus, passages piétons, changements de couleur au sol, inclinaison d'un virage, terrains de jeux, devantures de magasins. Il en épluche la liste comme un commissaire-priseur. J'en ai la tête qui tourne : tant de choses à retenir !

Puis c'est mon tour. J'ai prévu de respecter les limitations de vitesse, mais je m'étonne de voir à quel point il m'est facile et naturel de n'en rien faire. À chaque fois que le compteur dépasse la limite, Comerford me passe un savon. Il se fait particulièrement dur lorsque je traverse un périmètre scolaire à 12 km/h au-dessus de la limite autorisée. Je proteste que l'autoroute est dégagée et que ce sont les vacances, de toute façon. Mais mes excuses sonnent dans le vide. Je sais qu'il a raison. Au fil de l'après-midi, je commence peu à peu à m'adapter. Je reste à l'affût des indices que nous avons appris pendant le cours, en en faisant moi-même le commentaire, tout en conduisant. Au bout du compte, ma vitesse commence à baisser sans même que j'en prenne conscience. Ce que j'observe, en revanche, c'est la diminution de mon impatience habituelle au volant.

À la fin de notre session, je vais à Canossa. D'autres participants semblent tout aussi assagis. « On ne me prendra plus à aller vite, après ça, dit une jeune femme. – Bien raison... », marmonne un autre. Mais pour combien de temps ? Comme des repris de justice rendus à la liberté, nous devrons affronter de nouveau les mêmes vieilles tentations et pressions. Allons-nous demeurer sur le chemin de la réforme ? Ou finirons-nous par retomber dans la vitesse ?

À en croire Peter Holland, journaliste à la BBC d'une quarantaine d'années, ce « Programme de sensibilisation à la vitesse » a de beaux jours devant lui. Au bon vieux temps (si l'on peut dire), enfreindre la limitation de vitesse était quasiment pour lui une question d'honneur : « J'étais toujours le premier sur les lieux, roulant à toute allure, se souvient-il. J'avais le sentiment qu'il me fallait aller vite pour tenir les délais, mais il y avait aussi une sorte de réflexe machiste à me retrouver là avant tout le monde. » Même l'accumulation d'amendes élevées ne parvenait pas à lui faire lever le pied.

C'est alors que la BBC lui a demandé de faire une enquête sur ce fameux programme. Holland arriva au cours avec l'intention de rigoler un bon coup. Mais au fur et à mesure de la journée, le message commença à faire son chemin. Pour la première fois de sa vie, il se mit à questionner son pilote de course intérieur. Le déclic se produisit au cours de la séance de conduite accompagnée, lorsqu'il se vit foncer à travers une zone résidentielle sans remarquer un panneau de signalisation scolaire. « J'ai brusquement compris de quoi il s'agissait parce que j'ai moi-même deux enfants, reconnaît-il. Dès mon trajet aux bureaux de la BBC, je savais que ma conduite ne serait plus jamais la même. »

Holland réalisa un reportage élogieux et commença à mettre en pratique ce qu'il avait appris. À présent, lorsqu'il prend le volant, la sécurité passe avant tout. Il inspecte la route avec les yeux avides d'un instructeur de sensibilisation à la vitesse et n'a plus fait d'excès depuis sa participation au programme... pas plus qu'il n'a manqué une seule interview ni un seul scoop. Mieux encore, le fait de ralentir sa conduite l'a aidé à repenser son rythme de vie tout entier. « Une fois que vous commencez à vous poser des questions sur la vitesse au volant, vous vous posez les mêmes à propos de la vie en général : "Pourquoi suis-je si pressé ? Quel intérêt ai-je à me dépêcher pour gagner une minute ou deux ?" Lorsque vous devenez plus calme au volant, vous l'êtes aussi en famille, au travail, en tout. Je suis devenu quelqu'un de beaucoup plus calme en général. »

Bien que tout le monde ne considère pas le programme de sensibilisation comme la « révélation ultime », il induit très clairement des changements. Des études à long terme montrent que la plupart des élèves continuent à conduire prudemment. Un peu partout en Angleterre, des municipalités projettent de reproduire ce schéma. Ma propre expérience est également encourageante. Huit mois après avoir suivi le cours, je reste moins impatient au volant. Je suis plus observateur et je me sens davantage maître de mon véhicule. Même dans Londres et aux alentours, où la règle de survie automobile reste la vitesse, la conduite n'est plus cette course éprouvante dont j'avais l'habitude. Ma consommation d'essence a baissé, elle aussi. D'accord, je ne suis pas Peter Holland : il m'arrive parfois de conduire trop vite. Mais comme beaucoup d'anciens élèves du programme, j'ai commencé à modifier mon comportement.

Néanmoins, lorsqu'il s'agit de rendre la ville plus agréable à vivre, apprendre à respecter les limitations de vitesse n'est qu'un début. Comme l'a prouvé le mouvement Citta Slow, il faut également restreindre le champ imparti à la voiture. C'est pourquoi les villes créent partout des zones piétonnes et des voies cyclables, réduisent les aires de parking, imposent des péages et bannissent même parfois carrément toute circulation. Chaque année, de nombreuses villes européennes proposent une journée sans voitures – certaines l'ont même instaurée une fois par semaine. Le vendredi soir, le trafic de certaines artères du centre de Paris est dérouté pour faire place à une armée d'adeptes du roller. Pendant tout le mois de décembre 2002, Rome a banni la voiture d'un quartier commerçant à la mode, le Trident. En 2003, Londres a instauré un droit d'entrée automobile de 5 livres par jour en semaine. Le trafic global y est à présent cinq fois moins important, transformant la capitale britannique en un lieu bien plus accueillant pour les vélos et les piétons. D'autres grandes métropoles s'intéressent actuellement à ce principe de péage.

Parallèlement, les urbanistes reconstruisent les quartiers résidentiels en fonction de leurs habitants et non plus des voitures. Dans les années 1970, les Hollandais ont inventé la *woonerf*, ou « rue vivante » – des zones résidentielles avec une limitation de vitesse plus basse, des aires de parking réduites, des bancs et terrains de jeux, mais aussi plus d'arbres, de massifs et de fleurs, et des trottoirs au même niveau que la rue. Le résultat ? Un environnement favorable aux piétons, encourageant une conduite plus lente, voire l'absence pure et simple de véhicules. Le schéma est si séduisant que d'autres villes de par le monde tentent de le reproduire.

Face aux nuisances automobiles, les Anglais ont résolu de s'unir pour transformer plus de quatre-vingts quartiers en zones protégées dans l'esprit de la *woonerf*. L'un de ces projets pilotes est une enclave de cinq rues à Ealing, un quartier de l'ouest de

Londres. Une partie du projet municipal local consistait à installer des ralentisseurs et à surélever légèrement les entrées dans le périmètre, tout en les pavant de briques rouges. Dans la plupart des rues, les trottoirs ont été mis au niveau de la chaussée. Les autos se garent désormais en alignement décalé de l'un ou l'autre côté de la rue, de manière que les véhicules se retrouvent rarement sur un trajet une ligne droite appelant l'accélération. Les trottoirs sont rarement séparés par deux rangées de voitures. Beaucoup d'entre elles sont garées en angle par rapport au trottoir – ce qui réduit l'espace carrossable. Au final, il émane de ce quartier une atmosphère plus calme et accueillante que du mien, même si les maisons victoriennes sont quasiment identiques. Les enfants jouent au skateboard et au football dans la rue. Les voitures qui traversent le secteur vont plus doucement. Là aussi, cette lutte contre la circulation a rapproché les gens. Au lieu de s'ignorer poliment les uns les autres, comme le font en général les Londoniens, les habitants de ce coin d'Ealing organisent des fêtes de quartier, des tournois de base-ball et de softball dans le parc voisin, et s'invitent à dîner. Charmion Boyd, une mère de trois enfants, espère le déclin de cette culture de la voiture. « Les gens ont pris conscience de l'impact de la circulation sur le mode de vie d'un quartier, dit-elle. Beaucoup d'entre nous y réfléchissent à deux fois avant de sauter dans leur voiture. »

La transformation de toute la ville de Londres en zone piétonne privilégiée n'est toutefois pas au programme – du moins, pas à court terme. Il y a tout simplement trop de voitures. Le flot qui circulait auparavant à proximité de chez Charmion Boyd n'a pas disparu pour autant, il s'est juste répandu dans les rues alentour. Qui plus est, dans des villes comme Londres, le réflexe de sauter dans sa voiture persistera tant que les transports publics seront aussi peu développés.

Quant aux Américains, la partie est loin d'être gagnée en matière de sevrage automobile. Les cités du Nouveau Monde sont construites *pour* la voiture. Des millions de Nord-Américains vivent dans des banlieues où se rendre au travail, à l'école ou faire les courses nécessitent de longs trajets. Et même quand les distances sont courtes, la voiture demeure le choix par défaut. Dans mon bon vieux quartier d'Edmonton, en Alberta (Canada), les gens ne voient rien de mal dans le fait de conduire trois cents mètres pour aller à l'épicerie. Le design urbain ordinaire de ces banlieues reflète et renforce cette mentalité privilégiant la voiture. Certaines rues n'ont même pas de trottoirs, et la plupart sont jalonnées de voies d'accès et de garages pour une ou deux voitures.

La banlieue est souvent un endroit isolé, un lieu de passage où les gens connaissent mieux la voiture de leur voisin qu'ils ne le connaissent lui-même. La vie y est souvent moins saine : les trajets en voiture prenant beaucoup de temps, cela pousse les gens à faire tout le reste plus vite et ne favorise guère l'exercice physique. Une étude publiée dans l'*American Journal of Public Health* (*Journal américain de santé publique*) en 2003 a montré que les personnes vivant dans les banlieues les plus tentaculaires pèsent en moyenne trois kilos de plus que celles résidant dans des agglomérations plus concentrées.

Plus la demande pour un cadre de vie plus calme et sans voitures grandit, plus l'appétit pour les banlieues traditionnelles décline. Aux États-Unis, un recensement récent a révélé que l'afflux de population dans ces banlieues a commencé à ralentir dans les années 1990. Les Américains sont las de ces trajets longs et stressants, et beaucoup d'entre eux choisissent de vivre dans des centres-villes rénovés, où ils peuvent circuler à pied et à vélo. La ville de Portland, dans l'Oregon, nous en donne un parfait exemple. Légalement empêchés de se développer vers l'extérieur dans les années 1970, les élus locaux commencèrent à rénover le cœur de la ville par le biais de quartiers piétonniers reliés les uns aux autres par des lignes de tramway. Cela en fait probablement la ville la plus agréable à vivre du pays. Au lieu de s'embarquer en 4X4 pour gagner les centres commerciaux éloignés du centre, les gens se baladent à pied, se rencontrent au milieu de rues pleines de vie que ne renieraient certes pas les adhérents de Citta Slow. Accueillant un flot continu de transfuges de Los Angeles sous l'œil intéressé des urbanistes de tout le pays, Portland a été qualifiée à juste titre de « Mecque urbaine » par le *Wall Street Journal*.

Portland ville est une préfiguration des comportements à venir. À travers toute l'Amérique du Nord, les urbanistes conçoivent centres-villes et quartiers résidentiels pour mettre les résidants à l'abri de la voiture, sans sacrifier pour autant le confort matériel du monde moderne. Beaucoup le font sous la bannière du New Urbanism (« Nouvel Urbanisme »), un mouvement né à la fin des années 1980 dont la philosophie d'aménagement s'inspire des banlieues du début du XXe siècle, desservies par le tramway – pour beaucoup le *nec plus ultra* de l'urbanisme américain. Celui-ci se dote de quartiers praticables à pied, d'une généreuse distribution d'espaces publics (squares, parcs, kiosques à musique) et d'un mélange de logements à mixité sociale, d'écoles, d'équipements de loisirs et d'activités professionnelles. Les bâtiments y sont construits à proximité les uns des autres et près de la rue afin d'entretenir un sentiment d'intimité et de communauté. Pour ralentir la circulation et encourager la marche à pied, les rues sont étroites et flanquées de larges allées bordées d'arbres. Les accès aux garages sont situés dans des venelles à l'arrière des maisons. Mais, à l'instar de Citta Slow, ce nouvel urbanisme ne consiste pas à se réfugier dans une vision du monde couleur sépia. Il s'agit plutôt de s'appuyer sur les meilleures technologies et le design le plus beau, qu'ils soient nouveaux ou anciens, pour rendre la vie en ville et en banlieue plus calme et conviviale – en un mot, plus humaine.

Cet urbanisme commence à prendre une certaine ampleur : la conférence annuelle du mouvement attire à présent deux mille délégués en Amérique du Nord et au-delà. Au dernier recensement, plus de quatre cents projets étaient en cours au Canada et aux États-Unis, de la construction de tout nouveaux quartiers à la restauration de centres-villes anciens. Partout dans le pays, le Département américain du logement et du développement urbain applique désormais les principes du New Urbanism – même les promoteurs traditionnels y puisent certaines idées, comme celle de dissimuler les garages à l'arrière des maisons. Markham, une ville prospère au nord de Toronto, construit chaque nouveau quartier sur la base de ces principes.

Mais le mouvement a aussi ses détracteurs. Peut-être parce que le New Urbanism se réfère aux années précédant la toute-puissance automobile, ses concepteurs tendent à favoriser une architecture traditionnelle, ce qui signifie souvent un mélange de faux styles victorien, georgien et colonial, avec profusion de porches, palissades et pignons. Certains méprisent le nouvel urbanisme, voyant en lui une fuite en dehors de la vraie vie, dans un décor imaginaire et mièvre – une accusation qui ne sonne pas toujours faux. Seaside, véritable ville témoin de ce mouvement, située sur le golfe de Floride, a servi de décor pour le film *Truman Show* – difficile de trouver plus irréel.

Mais la dimension esthétique n'est pas seule visée. Beaucoup de ces projets ont bataillé pour attirer suffisamment de commerces et créer des centres commerciaux prospères, contraignant les résidants à travailler et à faire leurs courses ailleurs. Les réseaux de transports publics étant souvent inégalement répartis, les trajets vers le monde extérieur sont souvent effectués en voiture, via le genre d'artères à grande vitesse et à haut niveau de stress honnies par les partisans de la lenteur. Un autre problème est que de nombreux promoteurs produisent des versions édulcorées du nouvel urbanisme – ils en empruntent quelques touches « cosmétiques » en ignorant les principes essentiels en termes de circulation et de voisinage – et, par là même, dénaturent le label. Tom Low, architecte et urbaniste à Huntersville, en Caroline du Nord, pense qu'il est temps de réaffirmer les principes de ce courant et même de les enrichir avec certaines idées inspirées des mouvances Slow Food et Citta Slow. Il en propose une nouvelle version améliorée, baptisée Slow Urbanism.

Les défenseurs du nouvel urbanisme ont encore du pain sur la planche. Nombre de projets en cours tâtonnent en la matière, mais pour quiconque souhaite mixer les notions de lenteur et de ville dans un même concept, le mouvement est clairement prometteur. C'est précisément dans ce contexte que j'ai atterri à Kentlands, l'un des joyaux de la couronne néo-urbaniste.

Édifiée dans les années 1990 à Gaithersburg dans le Maryland, Kentlands est un îlot de calme dans un océan de banlieue tentaculaire. Chaque détail de ce site de 176 hectares est calculé pour ralentir le rythme des riverains, les encourager à marcher, à se rencontrer et à humer les roses. On y compte trois lacs, de nombreux arbres, des parcs, des terrains de jeux et des groupes de pavillons avec jardins. Dans ce mélange de styles colonial, fédéral et georgien, beaucoup des quelque 2 000 foyers installés profitent de vérandas meublées de chaises confortables et décorées de jolies fleurs en pot. Les automobilistes s'y déplacent avec précaution, s'excusant presque de passer dans les rues étroites, avant de disparaître dans leurs garages – toujours aménagés à l'arrière des maisons. La chose la plus rapide que vous soyez susceptible de rencontrer ici, c'est un maniaque local de la forme, filant à rollers dans les allées tranquilles comme une chauve-souris échappée de l'enfer.

Cela ne signifie pas que Kentlands soit pour autant un quartier-dortoir sans vie, bien au contraire. À la différence d'une banlieue traditionnelle, on y trouve une rue principale comptant une soixantaine de commerces et d'entreprises prêts à répondre à tous les besoins : un tailleur, une épicerie, un dentiste, un cabinet d'avocats, un opticien, un centre de médecine douce, deux salons de beauté, une galerie d'art, un bureau de poste, une animalerie, un pressing, des agents immobiliers, un magasin de poteries et un expert-comptable. La place du marché abrite deux bâtiments de bureaux, un bar à vins, un café, plus de vingt restaurants, un supermarché bio, un club de remise en forme pour enfants et un cinéma.

Avec tant d'opportunités à leur porte, les gens de Kentlands sont tombés amoureux d'une activité particulièrement peu pratiquée par les Américains : la marche. On voit ainsi de jeunes mamans pousser leur landau pour aller prendre un café et faire quelques courses dans la rue principale. Les enfants vont à l'école à pied, puis à leur entraînement de football, de natation ou à leur cours de piano. Le soir venu, le quartier est en ébullition, plein de piétons qui discutent avec des amis vont dîner ou au cinéma ou simplement se baladent. On se croirait dans une scène de *Pleasantville.*

Mais qui sont les bienheureux habitants de Kentlands ? Des personnes de tous âges qui veulent se rapprocher d'un style de vie calme. Les plus aisés vivent dans des maisons, les plus modestes en appartements. Presque tous sont des transfuges de la banlieue traditionnelle. Ainsi la famille Callaghan, qui s'est établie à Kentlands pour fuir une banlieue étouffée par l'automobile, située à un peu plus d'un kilomètre. Aujourd'hui, Missy, Chad et leur ado Bryan vivent dans une maison que n'aurait pas reniée l'illustrateur Norman Rockwell : une grande véranda avec de confortables rocking-chairs, un drapeau américain accroché à côté de la porte d'entrée, une palissade blanche, un jardin foisonnant de bambous japonais, de houx et de lauriers. Autrefois, les Callaghan devaient parcourir près de 10 km pour se rendre au restaurant, au supermarché ou à la librairie la plus proche. À Kentlands, ils sont en ville en cinq minutes à pied. Comme tout le monde ici, Missy apprécie particulièrement ce rythme plus lent : « Dans une banlieue normale, tout se fait en voiture – ce qui signifie que vous êtes tout le temps en train de courir. Alors qu'ici nous circulons à pied partout – ce qui crée un climat beaucoup plus décontracté. Cela renforce aussi les liens de voisinage. Sans pour autant papillonner de l'un à l'autre, nous connaissons tout le monde à Kentlands, parce que nous nous rencontrons durant nos trajets dans le quartier. »

Et en effet, d'étroits liens de voisinage se sont tissés et fonctionnent un peu à l'ancienne : ainsi les parents surveillent les enfants des voisins dans la rue. La criminalité y est si basse – lorsque tout le monde connaît tout le monde, les intrus se désignent d'eux-mêmes – que certains habitants ne ferment pas leur porte à clé. Le bouche à oreille fonctionne aussi très bien. Reggi Norton, une acupunctrice du centre de médecine douce de la grand-rue, pense que Kentlands a généré un cercle vertueux : une vie plus calme est un facteur de communauté plus unie, qui à son tour encourage les gens à se détendre et à ralentir un peu plus le rythme. « Lorsqu'ils ont de bons rapports de voisinage, les gens développent un sentiment d'insertion, d'appartenance au groupe, dit-elle. Cela a une influence apaisante sur leur mode de vie. »

Jusqu'où peut aller cette influence ? La plupart des résidants de Kentlands doivent toujours se rendre en voiture à leur travail, dans le « vaste monde hostile », au-delà de leur quartier. Mais le fait de vivre chez eux à un rythme apaisant peut néanmoins désamorcer la frénésie des lieux de travail modernes. En tant que vice-président de la sécurité de la chaîne d'hôtels Marriott, Chad Callaghan travaille cinquante heures par semaine, avec de nombreux voyages professionnels. Il passe également quarante minutes par jour en voiture. Dans son ancienne banlieue, il passait la plupart de ses soirées à la maison, effondré devant la télévision. Aujourd'hui, il sort se promener avec Missy presque chaque soir, quand tous deux ne restent pas assis sous la véranda à lire et à papoter avec les passants. Kentlands, c'est la détente suprême après une dure journée au bureau.

« Lorsque je rentre à la maison, j'ai vraiment l'impression que mon stress s'envole, je sens que ma tension baisse, observe Chad. Et j'imagine que l'effet persiste en sens inverse : j'arrive au travail dans un état d'esprit plus détendu. Et si je me sens vraiment sous pression au boulot, je pense à Kentlands, et cela me fait du bien. »

Chad Callaghan trouve ses meilleures idées en arpentant le quartier : « Lorsque je me promène par ici, je me perds dans mes pensées. Si je dois résoudre un problème au travail, je trouve souvent la solution sans même me focaliser dessus. »

Kentlands n'est pas parfaite. L'exode quotidien des résidants prive les lieux d'animation dans la journée, bien qu'un nouvel espace de bureaux soit déjà planifié pour y remédier. De nombreux emplacements commerciaux restent inoccupés, et les puristes objectent que certaines rues pourraient être plus ouvertes aux piétons. Mais les défauts sont largement compensés par les avantages. À vrai dire, les gens d'ici vouent un culte à leur style de vie calme et détendu. Les biens immobiliers se font rares sur le marché et, lorsqu'il y en a, c'est un résidant qui met la main dessus. Même les couples divorcés tendent à rechercher des domiciles dans le même quartier. Kentlands est aussi très populaire chez les non-résidants ; le soir, beaucoup viennent des banlieues avoisinantes pour faire un tour dans la rue principale et sur la place du marché. Certains envoient des lettres pour supplier un habitant de vendre. Ainsi le prix des maisons a-t-il doublé ces dix dernières années. « Notre mode de vie ne convient peut-être pas à tout le monde, mais la demande de logements ne cesse d'augmenter, me dit Chad. Apparemment, beaucoup de gens veulent désormais trouver un lieu où vivre plus simplement et plus calmement. »

À la fin de mon séjour à Kentlands, quelque chose s'est produit qui m'a conforté dans l'idée que le nouvel urbanisme, du moins l'une de ses versions, est une bonne chose pour l'Amérique du Nord. Afin de me souvenir de ce à quoi pouvait ressembler une banlieue traditionnelle, je me suis décidé à aller explorer à pied l'autre partie de Gaithersburg. C'était une journée idéale pour la promenade. Les oiseaux jouaient à cache-cache dans un ciel d'automne sans nuages. Le quartier est coquet et aisé – et à peu près aussi vivant qu'une pierre tombale. Chaque maison dispose d'une entrée de garage frontale, avec pour beaucoup un ou deux véhicules garés dans l'allée. De temps en temps, quelqu'un émerge de la porte d'entrée, saute dans une voiture et quitte les lieux. Je me sens comme un intrus. Au bout d'une vingtaine de minutes, une voiture de police se range à côté de moi sur le trottoir. L'officier assis du côté passager se penche à la fenêtre et me lance :

« Bonjour, monsieur. Tout va bien ?

– Tout va très bien, répondis-je. Je fais juste un tour.

– Un quoi ?

– Un *tour*. Vous savez, une promenade. Je voulais me dégourdir un peu les jambes.

– Est-ce que vous habitez le quartier ?

– Non, j'habite ailleurs.

– Je m'en doutais, me dit-il en riant. Les gens du coin ne se promènent pas souvent à pied.

– Ben oui, tout le monde ici a l'air de conduire, dis-je. Peut-être devraient-ils marcher un peu plus ?

– Peut-être, oui. Tandis que le véhicule reprend sa route, le policier ajoute avec une légère ironie : Appréciez bien votre promenade maintenant. »

De l'autre côté de la rue, un réseau d'arrosage souterrain s'éveille, répandant ses nuages d'eau sur le terrain de base-ball local. Je reste planté tout seul sur le trottoir, amusé et scandalisé à la fois. Je viens d'être contrôlé par la police *juste parce que je me promène.*

Un peu plus tard le même jour, je retrouve le quartier de Kentlands tout aussi calme. Beaucoup de résidants sont partis travailler. Mais il y a des gens dans la rue, et ils marchent. Chacun se salue d'un bonjour amical. Je tombe sur Anjie Martinis, qui va faire des courses avec ses deux petits garçons. Elle et son mari sont sur le point de vendre leur logement pour emménager dans une maison plus grande, à quelques rues d'ici. Nous parlons des tourments inhérents au statut de parents et du fait que Kentlands soit un bon endroit pour élever ses enfants. « Vous adoreriez vivre ici », me dit-elle. Et vous savez quoi ? Je crois qu'elle est dans le vrai.

Chapitre 5
Corps et esprit : *MENS SANA IN CORPORE SANO*

L'art de reposer son esprit et de l'affranchir de tout souci ou préoccupation est probablement l'un des secrets d'énergie de nos grands hommes.

Capitaine J. A. Hadfield

Par un frais matin de printemps, au cœur des terres du Wiltshire, une marche en pleine nature semble la chose la plus évidente au monde. Les troupeaux broutent paisiblement dans les prés vallonnés. Des cavaliers vous croisent au petit trot. Les oiseaux volent bas au-dessus des bois touffus. Toute l'agitation de la ville semble retirée à des kilomètres. Tandis que je poursuis ma promenade sur un chemin de campagne, en faisant crisser le gravier sous mes pas, je peux me sentir rétrograder d'une vitesse ou deux, comme cela devrait toujours être le cas. Je suis là pour apprendre à apaiser mon esprit.

Dans cette guerre livrée au culte de la vitesse, la ligne de front se situe d'abord dans notre tête. Cette hâte compulsive restera ancrée dans notre fonctionnement jusqu'à ce que notre attitude change. Mais changer *ce que nous pensons* n'est que le début de la démarche. Si la philosophie de la lenteur est appelée à s'enraciner, nous devons aller plus en profondeur. C'est notre *façon de penser* qu'il faut changer.

Telle une abeille dans un parterre de fleurs, l'esprit humain butine naturellement d'une pensée à l'autre. Dans un monde professionnel où tout va très vite, où les informations pleuvent et les délais courent à toute allure, nous sommes tous mis en demeure de penser vite. Plus que la réflexion, c'est la réaction qui est à l'ordre du jour. Pour rentabiliser notre temps au maximum et éviter l'ennui, nous remplissons chaque moment disponible par de la stimulation mentale – à quand remonte la dernière fois où vous vous êtes assis(e) sur une chaise et avez fermé les yeux, juste pour vous détendre ?

Le fait de garder l'esprit occupé équivaut à un gaspillage de nos plus précieuses ressources. C'est vrai, notre cerveau peut faire des merveilles à grande vitesse. Mais il en accomplira tellement plus si on lui donne de temps à autre le loisir de se détendre. Apaiser radicalement notre esprit peut améliorer notre santé, notre calme intérieur, augmenter notre concentration et notre capacité à penser de façon plus créative. Cela peut nous apporter ce que Milan Kundera appelle une « sagesse de la lenteur ».

Les spécialistes estiment que le cerveau dispose de deux modes de fonctionnement. Dans son livre *Hare Brain, Tortoise Mind, Why Intelligence Increases When You Think Less* (*Intelligence du lièvre, Cerveau de tortue, pourquoi l'intelligence s'accroît quand on pense moins*), le psychologue anglais Guy Claxton les identifie comme la pensée rapide et la pensée lente. La première est rationnelle, analytique, linéaire et logique. Elle opère quand nous agissons sous pression, quand nous avons peu de temps. C'est sur ce mode que fonctionnent les ordinateurs et le monde professionnel contemporain. Elle fournit des solutions claires à des problèmes bien définis. La pensée lente est intuitive, primitive et créative. Elle entre en jeu quand toute pression a disparu et que nous avons le temps de laisser les idées en veilleuse émerger à leur rythme. Elle initie des prises de conscience riches et subtiles. Les scanners montrent que ces deux modes de pensée produisent différentes ondes cérébrales – ondes alpha et thêta plus lentes en mode de pensée lente, et ondes bêta plus rapides en phase de pensée rapide.

La relaxation est souvent un précurseur de la pensée lente. La recherche a prouvé que les gens pensent de façon plus créative lorsqu'ils sont calmes, tranquilles et délivrés du stress, alors que la pression du temps leur met des œillères. Dans une étude menée en 1952, on avait demandé à un groupe de transcrire une simple phrase en un code basique. Tantôt les chercheurs rendaient les textes sans commentaires, tantôt ils demandaient aux participants s'il leur était possible d'aller plus vite. Invariablement, ces derniers pataugeaient dès qu'on leur demandait de passer à la vitesse supérieure. Dans une étude séparée, des chercheurs canadiens ont mis en évidence que les patients hospitalisés en attente d'être opérés complétaient de façon moins créative des expressions telles que « aussi gros que » ou « aussi froid que ».

Ces découvertes recoupent ma propre expérience. Mes moments d'illumination se produisent rarement dans un bureau ou dans une réunion sous haute pression, mais plus souvent lorsque je suis détendu – plongé dans mon bain, en train de faire la cuisine ou de courir dans un parc. Les plus grands penseurs de l'histoire connaissaient certainement les bienfaits de ce changement de vitesse cérébrale. Charles Darwin se définissait lui-même comme un « penseur lent », tandis qu'Albert Einstein était connu pour passer des heures les yeux au plafond, dans son bureau de l'université de Princeton. Et dans les nouvelles d'Arthur Conan Doyle, Sherlock Holmes évalue les preuves d'un crime en entrant dans un état quasi méditatif, avec « une expression vide dans les yeux ».

Bien sûr, la pensée lente n'est en elle-même que plaisir et rêverie, sans la rigueur de la pensée rapide. Nous devons être capables d'analyser et d'évaluer les idées qui remontent de notre subconscient – et il nous faut souvent le faire vite. Einstein était conscient de la nécessité d'associer ces deux intelligences : « Les ordinateurs sont incroyablement rapides, précis et stupides. Les êtres humains sont incroyablement lents, imprécis et brillants. Ensemble, ils sont d'une puissance qui défie l'imagination. » C'est pourquoi les êtres les plus intelligents et les plus créatifs savent quand laisser leur esprit divaguer et quand se mettre sérieusement au travail. En d'autres termes, quand prendre leur temps et quand aller vite.

Mais alors, comment le reste du monde peut-il avoir accès à cette pensée tranquille, particulièrement dans un monde qui privilégie la vitesse et l'action ? La première étape est de se détendre – mettre de côté l'impatience, arrêter de se battre et apprendre à accepter l'incertitude et l'inaction. Attendre que les idées mûrissent dans l'obscurité plutôt que de chercher frénétiquement à les faire remonter à la surface. Laisser l'esprit calme et tranquille. Comme l'a résumé un maître zen : « Au lieu de dire : "Ne t'assieds pas là ; fais quelque chose" nous devrions dire le contraire : "Ne fais absolument rien ; assieds-toi là." »

La méditation est un moyen d'éduquer l'esprit à la tranquillité. Elle réduit la pression sanguine et génère plus d'ondes cérébrales lentes alpha et thêta. La recherche montre que les effets se prolongent bien après l'exercice de méditation en lui-même. Ainsi dans une étude réalisée en 2003, des scientifiques du Centre médical de l'université de San Francisco ont découvert que le mélange « bouddhique » de méditation et de concentration, en affectant l'amygdale – une région du cerveau appartenant au système limbique et reliée à la peur, à l'anxiété et à la surprise –, rendait ses adeptes plus sereins et moins enclins à perdre leur calme.

La méditation n'est pas une chose nouvelle. Des gens de toute confession y ont recours depuis des millénaires dans leur recherche d'harmonie intérieure et d'éveil spirituel – ce qui peut expliquer qu'elle conserve cette image un peu farfelue. Pour beaucoup, la méditation reste associée à des moines à la tête rasée psalmodiant des « Aum » dans leur temple, en haut d'une montagne, ou à une caricature New Age à l'air suffisant, assise dans la position du lotus.

Pourtant, avec la « démocratisation » de la méditation, ces préjugés commencent à dater un peu. Dix millions d'Américains la pratiquent désormais régulièrement, et des lieux de méditation fleurissent un peu partout dans le monde industriel, que ce soit dans les aéroports, les écoles, les prisons ou les hôpitaux. Des professionnels épuisés par le stress et ravagés par la vitesse (parmi eux des agnostiques radicaux ou des athées) s'inscrivent en masse à des retraites spirituelles mettant la méditation au menu. Quelques-unes des personnes les moins évaporées au monde, parmi lesquelles Bill Ford, président-directeur général de Ford Motors, en sont désormais de fervents pratiquants.

Pour comprendre comment marche la méditation et comment elle peut s'inscrire dans notre philosophie de la lenteur, je m'engage donc à suivre les trois premiers jours d'une retraite qui en dure dix, en plein Wiltshire rural. La session est assurée par le Centre international de méditation (IMC), un réseau bouddhiste international né en Birmanie en 1952. Son antenne britannique a démarré en 1979 et siège désormais dans une ferme en briques rouges désaffectée et dans ses dépendances. Non loin s'élève une pagode moderne, dans un jardin paysager, ses arabesques dorées brillant au soleil printanier.

J'arrive un vendredi après-midi, plein d'appréhension. Vais-je supporter de rester assis pendant des heures ? Serai-je la seule personne à ne pas porter de sarong ? Mes compagnons de retraite, quarante au total, viennent du monde entier – Angleterre, Allemagne, France, Australie, États-Unis. Sur les tables de la cafétéria, des bouteilles de sauce soja voisinent avec de grands pots de beurre de cacahuètes et de petits pots de Marmite (pâte à tartiner très salée). Beaucoup des participants sont des bouddhistes pratiquants, le crâne rasé et vêtus d'un sarong de couleur vive qui est la tenue traditionnelle birmane. Tout comme moi, ils sont simplement venus en quête d'un lieu paisible où apprendre l'art de la méditation.

Lors de la première séance de groupe, nous nous rassemblons dans une pièce longue et étroite, faiblement éclairée. Un portrait encadré du Sayagyi U Ba Kin, le fondateur du réseau IMC, est accroché au mur, en dessous d'une plaque déclarant en birman et en anglais : « La vérité doit triompher. » Enroulés dans des couvertures et alignés sur quatre rangs, les élèves sont assis ou agenouillés sur de petits tapis de sol rembourrés. Face à la classe, le maître Roger Bischoff, un Suisse aux manières douces accusant une forte ressemblance avec Bill Gates, est perché sur un tabouret, assis en tailleur.

Roger Bischoff nous explique que nous embarquons dans « l'Octuple Noble Voie », ainsi que l'a enseigné Bouddha. La première étape consiste à purifier nos actions en observant un code moral : ne pas tuer, ne pas voler, s'abstenir de relations sexuelles (durant le séjour), ne pas mentir, ne consommer ni drogues ni alcool. Le but est de développer notre concentration au cours des cinq premiers jours, puis de la mettre à profit au cours des cinq suivants, pour gagner en intuition et en sagesse. Dans l'idéal, les élèves parviennent à l'illumination – ou du moins sont en chemin vers elle.

Tout, au centre, est conçu pour apaiser et tranquilliser l'esprit. Beaucoup des stimuli qui nous encombrent l'esprit dans le monde moderne en sont bannis : on n'y trouve ni télévision, ni radio, ni livres, ni Internet, ni téléphones. Nous observons également le Noble Silence – en clair, pas de bavardage. La vie est ramenée à ses bases essentielles : manger, marcher, dormir, se laver et méditer.

Il existe bien des manières de méditer. La plupart impliquent de concentrer son esprit sur un point unique : un objet, par exemple une bougie ou une feuille de papier, un son ou un mantra ou même un concept – l'amour, l'amitié ou le fait de vieillir. La technique semble assez simple. Fermer les yeux, inspirer et expirer par le nez, fixer toute son attention sur un point situé juste au-dessus de la lèvre supérieure. D'une voix douce et mélodieuse, le maître nous enjoint de faire régner le calme, de relaxer et concentrer notre esprit sur le doux passage du souffle, juste en dessous des narines. Cela n'est pas aussi simple qu'il y paraît. Mon mental, lui, semble n'en faire qu'à sa tête. Après cinq ou six respirations, il jaillit comme une boule de flipper, en rebondissant bruyamment d'une pensée à une autre. À chaque fois que je fixe mon attention sur le souffle, un nouveau bataillon de pensées sans lien les unes avec les autres se déchaîne dans ma tête – travail, famille, résumés sportifs, bribes de chansons populaires... bref, tout et n'importe quoi. Je commence à me demander si quelque chose ne va pas chez moi. Tous les autres ont l'air calme et concentré. Tandis que nous restons assis en rangs silencieux, comme les galériens d'un navire fantôme, je sens un besoin pressant de rire bêtement ou de crier une bêtise du genre « Au feu ! ».

Fort heureusement, Roger Bischoff s'entretient avec chaque élève deux fois par jour, pour mesurer ses progrès. C'est le seul moment où nous avons le droit de parler, et comme cela se passe au vu de tout le groupe, une indiscrétion est facile. « J'ai l'impression que je ne peux pas me calmer, dit un jeune homme d'une voix désespérée. Je suis en manque d'activité. » Bischoff lui prodigue une salve de fermes encouragements. « Même Bouddha avait du mal à calmer son esprit, nous dit-il. L'essentiel est de ne pas forcer le mental. Si vous vous sentez tendu(e) ou agité(e), allez vous allonger, prendre quelque chose dans la cuisine ou faire un tour. » À l'extérieur, le parc évoque une maison de convalescence, avec ses pensionnaires se frayant chacun un chemin entre les arbres.

Il est clair pourtant que la méditation a un effet, même sur les esprits les plus agités et altérés par le stress. À la fin de ma première soirée, je me sens déjà merveilleusement détendu. Et au fur et à mesure du week-end, je commence à ralentir, sans même y penser. Le samedi soir, je remarque que je prends plus de temps pour manger et me brosser les dents. J'ai commencé à monter les escaliers en marchant, au lieu de les gravir quatre à quatre. Je suis plus conscient de tout – mon corps et ses mouvements, la nourriture que j'absorbe, l'odeur de l'herbe à l'extérieur, la couleur du ciel. Dimanche soir, la méditation elle-même ne me semble plus hors d'atteinte. Mon esprit apprend à s'apaiser et à conserver son calme plus longtemps. Je me sens moins impatient et pressé. En réalité, je suis si détendu que je n'ai plus envie de partir.

Sans que je m'en rende compte, mon esprit s'est également engagé dans un processus de pensée lente très fructueux. À la fin du week-end, des idées de travail jaillissent de mon subconscient tels des poissons à la surface d'un lac. Avant de rentrer à Londres, je m'assieds dans la voiture pour les griffonner en vitesse.

Est-il possible de faire passer ce calme méditatif d'une retraite à la vie de tous les jours ? La réponse est positive mais nuancée. À l'évidence, la tentation de céder à la vitesse est bien plus intense à Londres qu'au fin fond du Wiltshire, et très peu d'adeptes du programme IMC atteignent le parfait état de zen. Néanmoins, la méditation peut adoucir les rigueurs d'une vie urbaine frénétique.

Après cette expérience, je m'enquiers auprès de nombreuses personnes des bienfaits qu'ils retirent de la méditation. Parmi elles, Neil Pavitt est un rédacteur publicitaire âgé de quarante et un an et vivant à Maidenhead, aux abords de Londres. Il a commencé à participer à des retraites de l'IMC au début des années 1990 pour devenir peu à peu un bouddhiste pratiquant. Il consacre désormais une heure chaque soir à la méditation.

Cette parenthèse lui procure un calme fondamental qui l'aide à franchir les rapides tumultueux du monde publicitaire. « C'est comme un rocher, quelque chose sur quoi je peux toujours compter. Une base solide où prendre racine, un centre où je peux toujours retourner puiser ma force, dit-il. Si je suis vraiment débordé ou que le boulot me stresse trop, je prends juste cinq ou dix minutes pour faire quelques exercices respiratoires – ce qui ramène le calme dans mon esprit. » Il confirme également que la méditation déverrouille la pensée lente. « C'est bon pour l'aspect créatif du travail, ça clarifie et apaise l'esprit, ajoute-t-il. Je trouve souvent que la méditation aide à éclaircir un problème ou faire remonter les bonnes idées à la surface. »

D'autres voies méditatives procurent les mêmes résultats. Plus de cinq millions de gens sur cette planète pratiquent désormais la méditation transcendantale, une technique simple qui prend de quinze à vingt minutes, deux fois par jour. Bien qu'elle ait été inventée en 1957 par un yogi indien, cette pratique n'est ancrée dans aucune tradition religieuse – ce qui explique pourquoi elle attire des gens comme Mike Rodriguez, un consultant en management basé à Chicago. « J'ai été séduit par l'idée d'apaiser mon mental sans y attacher aucun bagage spirituel ou religieux », me dit-il. Avant de pratiquer cette méditation transcendantale, il se sentait submergé par le rythme et la pression du travail. Le voici à présent tel un imperturbable guerrier d'entreprise. « Tout peut tourner autour de moi à 200 km/h – les téléphones, les courriels, les requêtes de mes clients –, cela ne m'affecte plus du tout comme avant. Je me vois comme un îlot de calme dans un océan de folie. »

À l'instar de Neil Pavitt, Mike Rodriguez se trouve plus créatif : « Je sens que j'aboutis maintenant à des solutions plus originales pour mes clients. Lorsque vous laissez à votre mental une chance de calmer le jeu, cela peut donner de très bonnes choses. »

Il est tout aussi évident que la méditation peut rendre heureux. En 2003, à Madison, des scientifiques de l'université du Wisconsin ont effectué des scanners de cerveaux d'adeptes du bouddhisme de longue date. Ils ont découvert que leurs lobes préfrontaux gauches, une zone reliée à la sensation de bien-être, étaient inhabituellement actifs. En d'autres termes, ces sujets étaient physiologiquement plus heureux. On peut émettre l'hypothèse que la méditation régulière stimulerait continuellement le lobe préfrontal gauche.

Ces découvertes ne surprennent pas Robert Holford. Chaque année, ce psychanalyste de cinquante-six ans réserve dix jours de son emploi du temps surchargé pour participer au séminaire de l'IMC dans le Wiltshire. Entre-temps, il essaie de méditer quotidiennement. Cette démarche permet à son esprit de tenir les idées noires à l'écart. « Un esprit apaisé est un avant-goût de la sagesse, déclare-t-il. C'est comme d'être assis en même temps sur la rive et dans la rivière – vous êtes engagé dans la vie, mais vous en avez aussi une vision plus large. Ce qui vous rend plus léger et plus heureux. »

N'en déplaise à feu mon scepticisme, la méditation fait désormais partie de ma routine quotidienne. Je consacre de courtes pauses – à peu près dix minutes à chaque fois – à méditer au milieu de la journée, et cela change tout. Je me remets à mon bureau détendu et les idées claires. Bien que de telles choses soient difficiles à mesurer, je crois que la méditation me rend plus conscient, plus à même d'apprécier le moment – plus lent, tout simplement.

Elle a également des conséquences bénéfiques sur le plan physique. Même si, depuis René Descartes au XVIIe siècle, la tradition philosophique occidentale a établi une opposition entre le corps et l'esprit, tous deux sont clairement connectés. Des études cliniques laissent penser que la méditation peut aider à conserver le corps en bon état de marche. Les médecins la prescrivent de plus en plus à leurs patients pour faire face à différentes affections : migraines, problèmes cardiaques, tension artérielle, colites, insomnie, crampes d'estomac, syndrome prémenstruel, infertilité, mais aussi dans les cas de maladies comme le sida, le cancer ou la dépression. Une étude menée sur cinq ans aux États-Unis a démontré que les gens qui pratiquent la méditation transcendantale ont 56 % moins de risques d'être hospitalisés.

L'univers de la forme a également découvert ce lien entre le corps et l'esprit et le rôle que le calme peut jouer dans le maintien optimal de l'un et de l'autre. Il est évident que l'idée d'un sport « lent » va à l'encontre des conceptions modernes. La gymnastique du XXIe siècle est le temple du bruit et de la fureur. Poussés par les battements sourds d'une bande sonore, les gens soufflent et halètent sur leur programme cardio et leur cours d'aérobic. J'ai vu une fois un entraîneur de gym affublé d'un tee-shirt proclamant « Allez vite. Allez fort. Ou rentrez chez vous ». Autrement dit, la meilleure façon de se construire un corps en meilleure forme serait de faire grimper le rythme cardiaque tout en haut de votre zone optimale.

Mais est-ce bien le cas ? Beaucoup des types d'exercices ayant émergé il y a des siècles en Asie sont basés sur l'apaisement du corps et le calme de l'esprit – une combinaison susceptible d'apporter de plus grands bénéfices qu'une simple suée sur un StairMaster.

Prenez le yoga, un très ancien régime hindou d'exercices physiques, spirituels et mentaux visant à l'harmonie du corps, du mental et de l'esprit. Le mot *yoga* signifie « uni » en sanscrit. En Occident, cependant, nous avons tendance à nous focaliser sur l'aspect physique de cette discipline – le contrôle du souffle, les mouvements lents et fluides, les postures, ou *asanas.* Le yoga peut faire des merveilles sur le corps : raffermir et tonifier les muscles, fortifier le système immunitaire, stimuler la circulation sanguine et augmenter la souplesse.

Mais la récompense physique n'est qu'un début. Beaucoup d'exercices orientaux apprennent aux gens à prolonger l'instant en se laissant glisser dans un état de calme disponibilité. Même dans les arts martiaux tels que le karaté, le judo et le kendo, où coups de pied et de poing sont portés à la vitesse de l'éclair, les pratiquants apprennent à cultiver un calme intérieur. Si l'esprit travaille trop vite, s'ils se sentent anxieux ou pressés, ils sont vulnérables. Par le biais de sa propre tranquillité intérieure, le maître en art martial apprend à ralentir ses adversaires de manière à les contrer plus facilement. Il doit être lent à l'intérieur pour se montrer rapide à l'extérieur. Les athlètes occidentaux appellent cela « être dans la zone ». Même lorsqu'ils accomplissent une performance physique à grande vitesse, ils demeurent intérieurement paisibles et tranquilles. John Brodie, un ancien joueur de football américain, star de son équipe – les San Francisco 49e RS –, parle comme un maître zen lorsqu'il évoque cette sérénité au cœur de la bataille : « Le temps semble se dilater considérablement, d'une manière presque irréelle, comme si chacun se mettait à bouger au ralenti. J'ai l'impression d'avoir absolument tout mon temps pour observer les receveurs exécuter leurs figures de jeu, et pourtant je suis conscient que la ligne de défense fonce vers moi plus vite que jamais. »

Le yoga peut aider à atteindre cette tranquillité intérieure. Il tend à alimenter le *chi* (la « force de vie », ou « énergie »), qui peut être altéré par le stress, l'anxiété, la maladie ou le surmenage. Ceux-là mêmes qui ravalent l'idée de *chi* au rang d'ânerie mystique reconnaissent souvent que le yoga les aide à apaiser leur univers mental. À travers ses mouvements calmes, contrôlés, ils améliorent leur conscience d'eux-mêmes et développent leur concentration et leur patience.

Dans un monde en perpétuelle recherche de calme intérieur et de perfection physique, le yoga fait donc office de manne céleste. On le pratique désormais partout, des bureaux aux hôpitaux en passant par l'usine ou le local des pompiers. De récentes études semblent prouver que le nombre d'Américains adeptes du yoga a triplé pour atteindre le chiffre approximatif de quinze millions, parmi lesquels nombre d'athlètes professionnels. Tous les suppléments de presse consacrés au voyage proposent des séjours de yoga dans des lieux exotiques. Mon propre fils y est initié dans sa crèche londonienne. Dans beaucoup de salles de gym, le yoga a détrôné l'aérobic au palmarès des cours préférés. Jane Fonda elle-même, reine attitrée de la discipline, s'est reconvertie pour proposer des cassettes de yoga.

Mark Cohen attribue sa santé et son calme à la pratique du yoga. Âgé de trente-quatre ans, ce courtier de Wall Street vit à cent à l'heure. Son job consiste à prendre des décisions en une fraction de seconde, et à ses heures perdues il pratique deux des sports les plus rapides qui soient : le basket et le hockey. Comme beaucoup, il a d'abord considéré le yoga comme un passe-temps réservé à des poules mouillées incapables d'exercer un « vrai » sport. Néanmoins, lorsqu'une de ses amies l'a invité à son cours, il s'y est rendu – en se bouchant le nez. Le premier soir, il fut étonné de la difficulté qu'il rencontrait à plier son corps dans les *asanas* et à quel point, malgré tout, il s'était senti détendu après le cours. Et bien qu'il ait compris par la suite que cette femme n'était pas pour lui, il s'inscrivit à un cours de yoga non loin de chez lui. Après des mois d'apprentissage, il était devenu plus souple. Il se sentait plus vigoureux et sa posture s'était tellement améliorée qu'il se débarrassa de son vieux coussin lombaire fixé en permanence au dossier de son siège de bureau. Il constate aujourd'hui une amélioration de son équilibre et de sa vitesse au basket comme au hockey. Mais ce que Cohen préfère dans le yoga, c'est la qualité de détente et de méditation qu'il procure. « Lorsque j'accomplis mes postures, tout s'apaise à l'intérieur de moi, me dit-il. Après le cours, je me sens détendu, mais j'ai également les idées claires. » Cette sensation influence également les autres aspects de sa vie. « Vous devriez me voir au travail, à présent. Quand cela devient vraiment la folie, je suis "Mister Zen". »

Le yoga lui permet également d'entrer plus facilement dans un mode de pensée lente. Il arrive souvent au cours stressé par un problème de travail. Après avoir relaxé son corps et son esprit pendant une heure dans différentes positions, une solution lui vient parfois en tête. « Mon cerveau doit traiter les données à un niveau subconscient lorsque je fais du yoga, dit-il. Certaines de mes meilleures idées me viennent lorsque je rentre à pied de mon cours. »

D'autres sont intarissables quant à l'énergie que leur procure cette discipline. Dahlia Teale travaille dans un salon de coiffure de La Nouvelle-Orléans, en Louisiane. Elle avait l'habitude d'aller quatre fois par semaine à son club de gym pour prendre des cours d'aérobic et travailler sur les machines de cardio. En 2002, elle s'est inscrite à un cours de yoga avec une amie. Immédiatement, elle s'est sentie pleine d'énergie. « Avant, j'étais la plupart du temps épuisée en sortant de la gym, dit-elle. Avec le yoga, c'est l'inverse, je ressors avec un niveau d'énergie qui perdure. » Dahlia a résilié son abonnement au club de gym et se garde en forme en combinant le yoga, la marche et le vélo. Et elle a perdu trois kilos.

Le chi-kong est une autre hygiène physique extrême-orientale dont l'approche douce vis-à-vis du corps et de l'esprit gagne de nouveaux adeptes. Souvent décrit somme un « yoga de la méditation et du mouvement », *chi-kong* est un terme générique employé pour définir toute une gamme d'exercices venant de la Chine ancienne, destinés à améliorer la santé en faisant circuler le chi dans le corps entier. En position debout et en se servant de la région pelvienne comme point d'appui, les pratiquants enchaînent lentement une série de postures qui étirent les lombaires. Le souffle, lent et profond, prend aussi toute son importance. Il ne s'agit pas ici de faire grimper ses pulsations cardiaques en transpirant copieusement, mais plutôt de contrôler et d'avoir conscience de son corps. On en améliore l'équilibre, la vigueur, la posture, le rythme du mouvement. Plus encore que le yoga, le chi-kong aide à installer la détente de l'esprit dans un corps en mouvement. On lui connaît beaucoup de variantes, allant des arts martiaux tels que le kung-fu aux lents enchaînements du taï-chi.

En Occident, les gens s'en servent comme d'un moyen d'améliorer leur pratique sportive. Mike Hall donne des leçons de squash et de golf à Édimbourg, en Écosse, et ne jure que par la lenteur. Il affirme qu'en pratiquant le chi-kong pour apaiser son esprit, il peut quasiment distinguer les points jaunes de sa balle de squash lorsqu'elle fend l'air dans sa direction. Grâce aux mouvements lents et contrôlés de cette discipline, ses élèves apprennent à se mouvoir de façon plus fluide sur le court de squash, plutôt que de se jeter brusquement à gauche et à droite, et développent une tranquillité d'esprit qui leur donne l'impression d'avoir assez de temps pour jouer n'importe quel coup. « Le paradoxe est que vous êtes en même temps immobile et en mouvement », me dit-il au téléphone.

Pour voir ce paradoxe en action, je lui rends visite à Édimbourg, à son club de squash. Ancien professionnel de football, Mike Hall est un solide gaillard de quarante-cinq ans aux cheveux poivre et sel, affublé d'un léger zézaiement. Il termine un cours au moment où j'arrive. On le remarque d'emblée : tandis que les autres s'agitent en tous sens et ratent les balles, il évolue avec la grâce limpide d'un danseur de tango. Même lorsqu'il bondit en avant pour récupérer une balle difficile, il a l'air de flotter. Je me remémore ce fameux conseil contradictoire de ce héros de la formule 1 qu'était Jackie Stewart : « Pour aller plus vite, il faut parfois être plus lent. »

À la fin de la leçon, Hall m'entraîne dans quelques exercices de chi-kong, en me poussant à penser à mes mouvements tout en restant fluide. Il revient toujours sur l'importance de conserver un centre stable, tant au niveau du tronc qu'au niveau du mental. « La plupart des gens pensent que le problème, au squash, est de ne pas aller assez vite, dit-il. En réalité, ils ne sont pas assez lents. » Son discours me paraît un peu éculé – ce qui me stimule à échanger quelques balles avec lui lorsque nous entrons sur le court. Dès le premier échange, je me retrouve le dos au mur. Hall couvre le terrain entier en fournissant un minimum d'efforts. Il me bat 9 à 2.

Après quoi, l'élève suivant, Jim Hughes, un professeur d'études commerciales de soixante-douze ans étonnamment en forme, me confie combien la pratique du chi-kong l'aide à maîtriser son addiction à la vitesse. « Les choses ne changent pas du jour au lendemain, mais l'entraînement avec Mike a fait des merveilles sur mon jeu au squash, me dit-il. Je ne me précipite plus à tout bout de champ sur la balle comme je le faisais avant. » Le chi-kong l'a également aidé à évacuer une partie de son agitation au travail : sur des missions de conseil, il avait en effet coutume de rendre en urgence un avis à ses clients. Durant ses cours, il faisait ses démonstrations à toute allure, sans quitter l'horloge de vue. À présent, il aborde les choses beaucoup plus calmement – ce qui signifie qu'il se réserve le temps dont il a besoin pour donner ses cours à un rythme convenable et qu'il attend le moment opportun pour discuter des difficultés de son client. « Au lieu de céder à mon premier réflexe, qui est d'agir le plus vite possible, je vais désormais à mon rythme et je me donne de l'espace pour considérer mes choix, ajoute-t-il. Je suis sûr que cela fait de moi un meilleur professeur et un meilleur consultant. »

Le matin suivant notre match de squash à sens unique, Mike Hall me convie à frapper quelques balles de golf dans un parc voisin. Le temps est de « l'Édimbourg grand cru » : ciel gris et bruine. Hall me regarde jouer avec un fer n° 9, puis nous effectuons ensemble un enchaînement de chi-kong. Il revient sur l'importance de conserver son calme et sa tranquillité intérieurs, et m'apprend que des études ont prouvé qu'un swing trop rapide contribue à ralentir le club de golf au moment où il heurte la balle. En revanche, un swing plus lent et plus rythmé donne un meilleur contrôle et une puissance accrue. Je m'empare de mon club, déterminé à mettre ces paroles en pratique. Immédiatement, je sens mon swing plus coulé et plus puissant.

J'échange mes impressions avec Lindsay Montgomery, cinquante-cinq ans, directeur général du Bureau écossais d'aide juridique et golfeur de toujours. Lorsqu'il commença à prendre des cours avec Mike Hall, il était sceptique quant au chi-kong et sa promesse d'exploiter les pouvoirs de la lenteur. Six mois plus tard, à son grand étonnement, il avait rattrapé trois points de handicap. « Le chi-kong vous donne un sens différent du temps et du tempo, dit-il. J'ai tendance à tout faire à toute vitesse – c'est mon tempérament. Mais ralentir mon swing l'a rendu bien plus fluide. Le chi-kong m'a appris à ne pas aller trop vite, et cela a fait de moi un meilleur golfeur. »

L'Orient n'est pas la seule source de disciplines tendant à développer le calme et la conscience de soi. Dans l'Angleterre des années 1930, Joseph H. Pilates mit au point une méthode de musculation basée sur trois principes très yogis : la précision du mouvement, la concentration et le contrôle du souffle. Dans un cours de Pilates moderne, les élèves accomplissent certains exercices pour renforcer la musculature profonde gainant la colonne vertébrale et par là améliorer leur souplesse, leur endurance et leur posture. Bien qu'elle ne s'enracine pas dans une tradition spirituelle ou méditative, la méthode Pilates peut également développer la concentration et la capacité d'attention – ainsi le golfeur américain Tiger Woods la pratique-t-il en plus de la méditation.

En attendant, les experts sportifs commencent à accepter l'idée que l'entraînement à plus basse vitesse puisse produire de meilleurs résultats. Plus nous montons en régime, plus notre rythme cardiaque s'accélère et plus nous brûlons de graisses. Mais au-delà d'un certain point, l'équation vitesse-performance ne s'applique plus. Le docteur Juul Achten, chercheur à l'université de Birmingham, a découvert – et d'autres études l'ont confirmé depuis – que c'est dans la fourchette des 70 à 75 % de notre rythme cardiaque maximum que nous brûlons le plus de graisses par minute. Le sportif lambda peut atteindre ce point en courant à petite vitesse ou en pratiquant la marche sportive. Si l'on dépasse cette limite, en poussant le rythme cardiaque à son maximum ou presque, le corps commence à puiser dans ses sucres pour s'alimenter. En d'autres termes, le drogué du club de gym piétinant frénétiquement son StairMaster brûle probablement moins de graisses que son voisin plus timoré, s'exerçant plus calmement sur la machine d'à côté. La métaphore du Lièvre et de la Tortue permet de l'expliquer. « Le Lièvre croit en faire plus parce qu'il va plus vite, observe le docteur Achten, mais dans la course à la fonte des graisses, je parierais sur la victoire de la Tortue. »

Dans ce contexte, la marche, la plus vieille forme d'exercice, revient en grâce. À l'ère préindustrielle, les gens voyageaient principalement à pied – ce qui les gardait en forme. Puis vinrent les machines, et les gens devinrent paresseux. La marche devint le véhicule du dernier recours, un « art oublié », pour reprendre les termes de l'Organisation mondiale de la santé (OMS).

Comme nous l'avons vu dans le chapitre précédent, de nombreux urbanistes à travers le monde réaménagent banlieues et centres-villes en réservant de l'espace aux piétons. Mon arrondissement londonien, Wandsworth, vient juste de lancer sa « campagne pour la marche ». Il y a de multiples raisons pour marcher, et parmi elles la gratuité : nul besoin de cours ni d'entraîneur personnel pour apprendre à marcher dans un parc. Beaucoup de nos trajets en voiture pourraient tout aussi bien – et parfois même avantageusement – être effectués à pied. La marche stimule grandement la forme et prévient les problèmes cardiaques, les ruptures d'anévrisme, le cancer et l'ostéoporose. De plus, elle est moins susceptible de provoquer une blessure que l'exercice intensif.

Voyager à pied peut aussi pousser à la méditation et favoriser un mode de pensée calme. Lorsque nous marchons, nous sommes conscients des détails qui nous entourent – les oiseaux, les arbres, le ciel, les magasins et les maisons, les autres gens. Nous vivons un échange.

La marche peut même apaiser notre tendance à aller toujours plus vite. En voiture, en train ou en avion, quand la technique persiste à nous promettre plus de puissance et de vitesse, nous sommes tentés d'aller plus vite et de considérer tout délai comme un affront personnel. Du fait que notre corps soit structurellement limité dans sa célérité, la marche peut nous apprendre à oublier la vitesse. Elle est intrinsèquement lente. Selon les termes d'Edward Abbey, « l'enfant terrible » de l'environnementalisme américain : « Il y a de bonnes choses à dire de la marche... La marche prend plus de temps, par exemple, que toute autre forme de locomotion, à l'exception de la reptation. En outre, elle allonge le temps et prolonge la vie, qui est déjà trop courte pour se perdre dans la vitesse... La marche rend le monde plus grand et donc plus intéressant. On a le temps d'observer les détails. »

Alex Podborski n'aurait pas su dire mieux. Cet homme de trente-cinq ans avait l'habitude de se rendre à scooter à son bureau, une agence de voyages du centre de Londres. Soudain, en 2002, après qu'on lui eut volé son Vespa pour la troisième fois, il prit la décision de se rendre au bureau à pied. Il met désormais trente-cinq minutes pour y aller ou en revenir. Il traverse Hyde Park, où jaillissent ses pensées les plus fructueuses, sourit aux gens qu'il croise et se sent, d'une manière générale, davantage « relié » à sa ville. Au lieu d'arriver au bureau épuisé par le stress du trafic aux heures de pointe, il est détendu et disponible à tout ce qui peut se présenter : « La marche est mon sas de décompression. Cela me met en train pour la journée et me relaxe le soir venu. » Les bénéfices s'en ressentent aussi du point de vue de la forme. Depuis qu'il a pris l'habitude de marcher, Podborski se sent plus robuste et plus léger. « Je ne poserai jamais en sous-vêtements Calvin Klein, dit-il dans un sourire ironique, mais au moins j'ai perdu du ventre. »

Pour trouver une version plus contemporaine de l'exercice en mode lenteur, il n'est que de se pencher sur le mouvement SuperSlow, une méthode d'haltérophilie qui a balayé l'Amérique du Nord et même au-delà. Avant de passer au chapitre suivant, cependant, prenons le temps de mettre à bas une idée reçue : lever de la fonte ne transforme pas tout le monde en Incroyable Hulk. SuperSlow rend l'adepte moyen plus robuste et plus mince, sans charger le muscle. Et comme les muscles occupent environ 30 % d'espace de moins que la masse grasse, beaucoup de gens perdent une taille ou deux après quelques séances. *Vanity Fair*, la bible de ceux qui privilégient la beauté avec des rondeurs, a désigné SuperSlow comme la méthode de mise en forme la plus en vogue en 2002 ; *Newsweek*, *Men's Health*, *Sports Illustrated for Women* et le *New York Times* l'ont également plébiscitée.

La première fois que j'ai commencé à passer au crible la revue de presse, les témoignages semblaient trop élogieux pour être vrais. Lever des poids à vitesse normale ne m'a jamais fait tant d'effet que ça – ni sur qui que ce soit de ma connaissance. Le même exercice effectué au ralenti avait-il réellement le pouvoir de changer la donne à ce point ?

Le siège du mouvement SuperSlow se cache au fond d'une galerie marchande tout en longueur, non loin de l'aéroport d'Orlando, en Floride. À mon arrivée, Ken Hutchins, le fondateur du mouvement au début des années 1980, est occupé au téléphone à expliquer à quelqu'un de Seattle comment devenir un entraîneur certifié. Ce laps de temps me donne l'occasion d'observer la série des photos avant/après affichées aux murs du bureau. Ted, barbu entre deux âges, a perdu 15 cm de tour de taille en dix semaines ; Anne, une trentenaire, 17 cm de tour de cuisses en moins de trois mois. Les photos sont prises dans l'esprit « brut de décoffrage » des manuels médicaux – pas d'effets de coiffure, pas d'éclairages travaillés, pas de retouches. Cela me rassure. Cela laisse penser que SuperSlow gagne de nouveaux adeptes par ses résultats probants et non grâce à un marketing de luxe.

Ken Hutchins lui-même est grand et semble avoir hérité de la stature rigide d'un général quatre étoiles (il a travaillé autrefois comme assistant en chirurgie dans l'US Air Force). Il est en forme, sans être bardé de muscles. Nous nous asseyons tous deux et commençons à évoquer la folie de cette culture du « tout faire plus vite ». « La mentalité actuelle considère qu'une chose faite lentement n'est ni intense ni productive, et cela s'applique aussi à l'exercice physique, observe Hutchins. Les gens pensent que, à moins de pratiquer une activité frénétique telle que l'aérobic, vous n'en retirez aucun bénéfice. En réalité, c'est le contraire qui est vrai. C'est sa lenteur qui rend l'exercice si productif. »

Comment ça marche ? Un initié de SuperSlow prendra vingt secondes pour soulever et faire redescendre un poids, au lieu des six secondes habituelles. En éliminant l'élan, la lenteur force les muscles à travailler à plein régime – ce qui, en retour, les oblige à se reconstruire plus rapidement et plus en profondeur. La musculation peut aussi fortifier et densifier les os – une bénédiction pour les jeunes comme pour les vieux. Une étude parue dans le numéro de juin 2001 du *Journal of Sports Medicine and Physical Fitness* (*Journal de la médecine du sport et de la santé*) concluait que SuperSlow améliorait la robustesse de 50 % par comparaison avec la musculation traditionnelle, au moins à court terme. Mais la puissance ne représente qu'une partie des bénéfices. Fabriquer du muscle est également une bonne manière de perdre du poids parce qu'elle stimule le métabolisme, force le corps à brûler plus de calories tout au long de la journée. Faites du muscle, maintenez votre régime, et le gras commence à s'envoler.

SuperSlow a en plus l'avantage de ne prendre que très peu de temps. L'exercice est si intense qu'il ne dure jamais plus de vingt minutes. Les débutants doivent se reposer trois à cinq jours entre les séances – parfois même plus longtemps pour les plus avancés. Et comme on transpire très peu, voire pas du tout – on maintient une température basse dans le studio d'entraînement –, beaucoup d'adeptes effectuent leurs séances en tenue de ville. En définitive, aller moins vite, c'est bien aller plus vite. Et en prenant moins de risques : avec ses mouvements fluides et contrôlés, la méthode SuperSlow minimalise les risques de blessures musculaires.

Un entraînement régulier peut également générer une rafale de bienfaits physiologiques allant de l'amélioration du taux de bon cholestérol au renforcement et à l'assouplissement des articulations. Ken Hutchins affirme que sa méthode suffit à maintenir chacun en forme et en bonne santé et que toute pratique sportive supplémentaire serait tout simplement une entrave. La seule mention du mot *cardiotraining* lui fait lever les yeux au ciel. Tout le monde n'est cependant pas de cet avis. Aux États-Unis, l'American Heart Association et le ministère de la Santé recommandent tous deux de panacher l'entraînement en résistance et une base d'exercice plus classique d'aérobic.

Malgré l'absence d'études cliniques définitives sur cette méthode, les témoignages et les anecdotes lui gagnent des adeptes en masse. Aux États-Unis, les équipes sportives, tant professionnelles qu'amateurs, en auraient, dit-on, intégré des éléments dans leur programme d'entraînement, tout comme les Forces spéciales, le FBI, la police civile ou encore les auxiliaires médicaux. Médecins et physiothérapeutes sont absolument emballés. Dans toute l'Amérique du Nord, les clubs de SuperSlow offrent un portrait sociologique d'une grande partie de la société – des retraités aux adolescents nourris à la télé en passant par les yuppies accro à leur travail et les femmes au foyer. On appelle le siège d'Orlando presque chaque jour pour savoir comment devenir un entraîneur certifié. Des succursales ont ouvert en Australie, en Norvège, en Inde, en Israël et à Taïwan.

Pourquoi le mouvement SuperSlow a-t-il mis vingt ans à rencontrer le grand public ? Peut-être parce qu'il n'est pas si facile à aimer. Pour commencer, soulever des poids est une occupation moins susceptible de provoquer le pic d'endorphines que l'on retire d'autres formes d'activités physiques. Lever de la fonte à une vitesse d'escargot est également assez douloureux. Si vous suivez la méthode à la lettre, cela peut vite ressembler à un devoir plutôt qu'à un plaisir. Voyez plutôt la description que fait Hutchins du club idéal : « Un mobilier sobre, des murs de couleur pâle, pas de musique, pas de plantes vertes, pas de miroirs, pas de conversations durant l'exercice, un éclairage faible, une ventilation continue, une température modérée, peu d'humidité... Une démarche stricte et clinique est également inhérente à cet environnement idéal. »

À l'issue de notre rencontre, Hutchins me guide jusqu'à son centre pour une séance de SuperSlow. Fraîche, silencieuse et stérile, la pièce est aussi accueillante qu'une fabrique de puces électroniques. Bloc-notes et chronomètre en main, Hutchins me dirige vers une presse pour les jambes.

Il fusille littéralement ma première tentative de conversation. « Nous ne sommes pas là pour bavarder, lâche-t-il. La seule chose à faire est de répondre par oui ou par non à mes questions. » Je ne pipe plus mot et commence à pousser sur mes jambes. De prime abord, le poids semble assez léger, mais en poursuivant la séance, il commence à me paraître insupportablement lourd. À mi-parcours du second essai, mes cuisses tremblent et mes muscles me brûlent comme jamais. Mon instinct me dicte d'accélérer pour en finir, mais Hutchins ne veut pas en entendre parler. « Allez moins vite, me sermonne-t-il. Ne vous énervez pas : restez calme et continuez à respirer. Cela devient plus facile quand on reste concentré. » Au bout de six poussées, les muscles de mes cuisses n'en peuvent plus. Les trois machines suivantes infligent le même traitement à mes biceps, mes mollets et mes pectoraux. Arrive la fin de la séance. « Cela a duré quinze minutes et trente secondes, me dit Hutchins arrêtant son chronomètre. Comment vous sentez-vous ? » Essoré. Laminé. Et plus encore. J'ai les jambes en compote et le gosier desséché. Mais je découvre une nouvelle sorte de fatigue d'après-exercice – sans halètement ni essoufflement. Je ne suis même pas en nage. Quelques minutes plus tard, je retourne à ma voiture, le pied léger.

Tandis que je m'éloigne, je m'interroge : voudrai-je recommencer l'expérience ? La seule réponse honnête serait non. Les résultats sont peut-être étonnants, mais le tout paraît si... clinique – pour reprendre le terme de Ken Hutchins. J'ai toutefois lu que d'autres entraîneurs de SuperSlow proposent une approche plus détendue. Curieux d'en savoir plus, je saute dans un avion pour aller visiter un florissant club de New York.

Niché au septième étage sur Madison Avenue, au centre de Manhattan, l'Ultimate Training Center ressemble à un club de gym classique : miroirs sur les murs, musique d'ambiance, atmosphère détendue. Le propriétaire, Lou Abato, arbore une queue-de-cheval et un sourire très vendeur. Une photo de sa rencontre avec Arnold Schwarzenegger trône à la place d'honneur sur le rebord de la fenêtre, dans le hall d'accueil, juste devant des étagères recouvertes de hautes piles de magazines de musculation. Abato a un physique de super-héros et participe à des compétitions de body-building, mais son mode d'entraînement est un concentré de minimalisme : une séance de SuperSlow par semaine et rien d'autre... « Les gens ont du mal à le croire, mais c'est suffisant », me déclare-t-il.

Ultimate Training n'est pas pour autant une « Mecque de culturistes ». Presque tous les clients de Lou Abato travaillent à Manhattan. Le premier arrivé, vers 8 h 30, est Jack Osborn, un avocat du bâtiment entre deux âges rompu à cette discipline depuis trois ans. Il émerge des vestiaires vêtu d'un débardeur blanc et d'un short bleu. Il a l'air en forme, hormis son léger embonpoint. Abato le sangle à une sorte de presse semblable à celle que j'avais testée avec Ken Hutchins, et la séance commence. L'avocat grogne et grimace à chaque poussée. Sa respiration s'accélère, ses yeux sont exorbités, ses membres tremblent. Je peux ressentir sa douleur. Abato lui rappelle de ne pas chercher refuge dans l'accélération du mouvement : « Ralentissez, maintenant. Réduisez la vitesse. Ne vous pressez pas. » Et la séance se poursuit. Une vingtaine de minutes plus tard, Jack Osborn réapparaît en costume noir et me raconte comment SuperSlow l'a aidé à perdre cinq kilos et à maîtriser un mal de dos chronique, tout en lui prodiguant de profondes réserves d'énergie. « J'ai l'impression d'avoir un corps entièrement nouveau », dit-il. Suivant mon intuition, je lui demande si l'effort de soulever des poids très lentement génère également quelque bénéfice psychologique. Cela l'aide-t-il à faire face au climat de compétition permanente qui règne à New York, en développant un état d'esprit plus zen? Son visage s'éclaire: « Ce n'est pas la raison pour laquelle j'ai commencé le SuperSlow, mais c'est effectivement l'un des avantages que j'en retire. J'arrive à une sorte de calme méditatif qui dure jusqu'au soir. Les jours de réunion importante ou de plaidoirie, je fais en sorte de planifier une séance de SuperSlow de manière à m'y rendre concentré, l'esprit clair et maître de moi-même. » L'avocat a récemment excellé dans un procès très compliqué et attribue au moins une partie de son succès à son entraînement physique. « Même quand les choses tournaient à la folie, comme cela peut se passer au cours d'un procès, je suis resté calme et centré. J'étais capable de gérer mon client, le juge et les autres avocats en charge de l'affaire, me dit-il. Tout en me procurant des bénéfices physiques, SuperSlow m'a également aidé à devenir plus performant au barreau. »

Voilà un véritable plébiscite. Et les autres clients de Lou Abato? Se montraient-ils enthousiastes à ce point? Oui. Une fois Jack Osborn reparti à son cabinet, Mike Marino, un consultant en management de cinquante et un ans, me raconte comment il a perdu près de 50 % de sa masse grasse en neuf mois d'entraînement. Grand, mince et bronzé, il semble sortir directement d'un magazine de mode. Comme Osborn, il considère le SuperSlow comme un vaccin contre la tendance naturelle des New-Yorkais à tout précipiter. « J'ai sans aucun doute apaisé une part de mon style de vie agité, me confie-t-il. Lorsque je rencontrais un gros problème dans ma vie, mon instinct me dictait toujours d'aller vite, de le dépasser le plus rapidement possible. Désormais, je développe une approche bien plus méditative – ce qui m'aide dans mon travail de consultant. »

L'un après l'autre, chaque membre du club me raconte la même histoire de corps plus robuste, plus ferme, et soulagé de ses maux – et beaucoup attribuent au SuperSlow ce calme intérieur qui leur permet de garder la tête froide dans la mêlée new-yorkaise. La méthode semble fonctionner dans tous les sens du terme.

Après avoir remercié Lou Abato pour son aide, je prends l'ascenseur pour rejoindre la rue. Dehors sur le trottoir, une jeune femme chic somptueusement coiffée s'emballe sur son mobile à propos de SuperSlow. Je fais mine de fouiller dans mon sac pour laisser traîner une oreille. « Crois-moi, tu vas adorer, roucoule-t-elle dans son combiné. La lenteur, c'est la nouvelle vitesse. »

Chapitre 6
La santé : médecine et patience

Le temps est un grand médecin.
Proverbe anglais du XIVe siècle

Nous voici à présent dans une salle d'attente de l'hôpital de Chelsea et Westminster, à Londres. Je suis venu voir un spécialiste pour une douleur tenace au bas de la jambe droite. Même après des mois d'enflure et d'inconfort, j'ai le moral. L'hôpital m'évoque de bons souvenirs – mes deux enfants sont nés ici – et le service d'orthopédie est l'un des meilleurs du pays.

La salle d'attente est bondée. Les gens vont et viennent en clopinant sur leurs béquilles des toilettes à la pile de magazines. Ils s'assoient prudemment sur leurs chaises. Beaucoup sont confinés dans des chaises roulantes. Au-dessus de la porte menant à notre service, un tableau d'information électronique nous indique que les consultations ont quarante-cinq minutes de retard. Absorbé dans un vieux numéro de *Cosmopolitan*, je suis vaguement conscient des allées et venues des patients autour de moi.

À l'appel de mon nom, une aide-soignante me conduit dans le cabinet de consultation, où m'attend un jeune praticien. Là, mon cœur s'effondre. Tout chez lui, y compris les taches de café maculant sa cravate, me crie de me dépêcher. Après m'avoir marmonné un bonjour, il se lance directement dans un interrogatoire serré. Où ai-je mal ? Quand cela a-t-il commencé ? Quand ma douleur apparaît-elle ? Il veut des réponses rapides et concises.

Lorsque j'essaie de développer, il me coupe d'office et me répète la question plus fermement. Nous ne sommes pas d'accord. Je veux lui faire un tableau complet du problème – les changements intervenus dans mes habitudes sportives, comment la douleur a évolué, comment elle réagit aux antalgiques et à l'étirement, ses effets sur ma posture –, mais « Docteur Speed » veut mettre des croix dans ses cases et terminer sa journée. Au cours du bref examen médical qui s'ensuit, il jette un œil à sa montre – deux fois. N'étant pas en mesure d'identifier la cause de ma douleur, il me propose de continuer à avaler des antalgiques et me prescrit une IRM et une prise de sang. J'ai encore des questions, mais lui n'a plus le temps. Je quitte le cabinet en ruminant mon grave problème de « *contactus interruptus* ».

Beaucoup d'entre vous verront très bien de quoi je parle. Dans les hôpitaux et cliniques du monde entier, les médecins subissent la pression de devoir gérer leurs patients rapidement. Dans l'institution surchargée qu'est la Sécurité sociale britannique, la consultation d'un généraliste moyen dure à peu près six minutes. Même dans les hôpitaux privés bien dotés, les médecins sont en proie au virus de la précipitation. Leur récepteur d'appel les maintient constamment sur le qui-vive, à pratiquer ce que certains appellent une « médecine du *biper* ». On aboutit à une culture médicale axée sur un règlement rapide du problème. Plutôt que de prendre le temps d'écouter les patients et d'examiner tous les aspects de leur santé, de leur état d'esprit et de leur mode de vie, le médecin traditionnel tend à se concentrer sur les symptômes. L'étape suivante est souvent un recours à la technologie – scanners, traitements, chirurgie. Il n'est question que de résultats rapides et d'emploi du temps chargé – un fonctionnement que cautionnent les patients. Dans un monde où chaque seconde compte, nous voulons et même nous attendons tous d'être diagnostiqués, traités et soignés aussi rapidement que possible.

Bien sûr, la rapidité est toujours cruciale en médecine. Nous avons tous regardé *Urgences*. Si vous ne retirez pas un appendice malade, n'étanchez pas une blessure par balle ou n'administrez pas une dose d'insuline à temps, le patient mourra. Mais en matière de santé, comme dans tant d'autres domaines de la vie, la solution la plus rapide n'est pas forcément la meilleure. De nombreux praticiens et patients en prennent conscience : opter pour la lenteur est souvent payant.

Le retour de balancier contre une médecine chronométrée est en train de monter en puissance. Partout, les médecins demandent à passer plus de temps avec leurs patients. Dans les méthodes de diagnostic, les écoles de médecine accordent plus d'importance au dialogue et à l'écoute. Les études sont toujours plus nombreuses à démontrer que la patience est souvent la meilleure des politiques. Prenez l'infertilité. Les médecins ont coutume de recommander une fécondation *in vitro*, avec tous les risques que cela suppose, lorsqu'une femme n'est pas enceinte au bout d'un an de rapports sans contraceptifs. Pourtant, une étude menée en 2002 dans sept villes européennes a montré que ce délai était tout bonnement insuffisant : en s'accordant douze mois supplémentaires, la plupart des femmes en bonne santé sont fécondées. Selon cette étude, plus de 90 % des femmes approchant la quarantaine et dont le compagnon a également moins de quarante ans sont enceintes dans un délai de deux ans.

Déçus par la médecine traditionnelle, des millions de gens se tournent vers les médecines dites « alternatives et de complément » (MAC), qui s'appuient sur les traditions ancestrales holistiques et le long terme et conservent encore une grande influence dans la majeure partie du monde développé. Les MAC constituent un vaste mouvement ouvert à des philosophies thérapeutiques allant de la médecine chinoise traditionnelle à l'Ayurveda indien en passant par l'Unami arabe. Les plus connues de ces médecines alternatives sont l'homéopathie, la phytothérapie, l'aromathérapie, l'acupuncture, le massage et les thérapies énergétiques. Ostéopathes et chiropracteurs sont également rattachés à ce mouvement.

La question même d'évaluer jusqu'où cette médecine alternative est efficace fait l'objet d'un débat féroce. Les preuves scientifiques de son innocuité et de son efficacité sont difficiles à établir. Pour les sceptiques (et ils sont légion), les MAC évoquent des officines pour illuminés agrémentées de bougies et de cristaux. Selon eux, si jamais ça marche, c'est juste un effet placebo : les gens croient à la guérison, donc ils guérissent. L'institution médicale, pourtant, est plus attentive que jamais à ces thérapies. Les hôpitaux traditionnels et les instituts de recherche du monde entier les mettent face à des défis rigoureux. Et bien qu'il n'y ait pas encore de jury à proprement parler, les premiers témoignages suggèrent que certaines de ces médecines fonctionnent. Par exemple, de nombreux médecins reconnaissent que l'acupuncture peut soulager douleurs et nausées, même s'ils ne sont pas sûrs de pouvoir l'expliquer.

Tandis que les experts cherchent des preuves scientifiques en laboratoire, les patients, eux, votent avec leurs pieds. Le marché mondial des médecines parallèles atteint aujourd'hui soixante milliards de dollars par an. Près de la moitié de la population d'Amérique du Nord se fait désormais soigner en dehors du système de santé classique. En Allemagne, près de 80 % des cliniques de la douleur, où les MAC sont largement implantées, proposent de l'acupuncture. En Grande-Bretagne, le nombre de praticiens alternatifs dépasse désormais celui des généralistes. Ne trouvant pas ce qu'ils cherchent chez eux, les Occidentaux fondent en masse sur la Chine et les autres pays réputés pour leurs médecines traditionnelles. À Pékin, un hôpital a désormais ouvert un service réservé aux patients étrangers. Des agences proposent des circuits touristiques à dominante médicale – « Allez voir la Grande Muraille *et* un herboriste chinois ».

Les fans les plus zélés des médecines parallèles ne pensent pas pour autant qu'elles puissent – ou qu'elles devraient – remplacer complètement la médecine traditionnelle. Certaines pathologies, comme les infections ou les traumas, seront toujours mieux soignées par la médecine classique. Même en Chine, vous ne verrez pas de médecins aux pieds nus se précipiter au chevet des accidentés de la route. Les tenants des médecines ancestrales soutiennent qu'elles sont précisément plus efficaces sur le terrain où la médecine classique échoue : dans le traitement de maladies chroniques allant de l'asthme aux problèmes cardiaques, en passant par les dorsalgies et la dépression. Actuellement, la tendance est au panachage des traitements les plus efficaces des médecines classique et alternatives, un principe entièrement nouveau de médecine dite « intégrée ». Les unités d'enseignement des MAC se multiplient dans les écoles de médecine classique, et des centres de médecine intégrée ont éclos au sein d'universités américaines de premier plan telles que Harvard, Columbia et Duke. En 2002, l'OMS a lancé une campagne mondiale tendant à intégrer le meilleur des MAC à la médecine classique.

L'un des plus grands pourvoyeurs européens de cette médecine intégrée est la clinique Hale, qui occupe les quatre étages d'une maison de style Régence au centre de Londres. À son ouverture en 1987, l'endroit était considéré comme un refuge pour adeptes du New Age. Aujourd'hui, ce sont toutes sortes de gens, du chef d'entreprise au professeur de chimie, qui s'y rendent pour une séance d'acupuncture, d'aromathérapie ou un rééquilibrage des chakras. Les patients, jeunes et vieux, flânent à la librairie du sous-sol ou font la queue pour les remèdes homéopathiques ou phytothérapiques proposés au dispensaire. « Lorsque nous avons commencé, la médecine alternative était perçue comme étrange et révolutionnaire, réservée aux rebelles, me confie Teresa Hale, la fondatrice de l'établissement. À présent, elle est devenue banale. Certains hôpitaux nous adressent même leurs patients. » Dans son effectif d'une centaine de personnes, la clinique compte de nombreux médecins conventionnels, dont un couple de généralistes. En 2003, un hôpital de Londres a invité l'un de ces thérapeutes à travailler avec ses patients atteints du cancer.

Une part de l'attraction exercée par les médecines parallèles tient au fait qu'elles évitent les réponses rapides et traitent les patients en êtres humains plutôt qu'en simples porteurs de symptômes. La plupart d'entre elles sont naturellement d'obédience Slow ; elles agissent en harmonie avec le corps et l'esprit, en persuadant le patient par la douceur au lieu de le forcer à la guérison. La relaxation, qui fait baisser la tension et apaise la douleur, l'anxiété et la dépression, est toujours au cœur du traitement, tout comme la nécessité d'équilibrer le rythme de vie. À la clinique Hale, des praticiens de toutes disciplines encouragent leurs patients à ralentir – travailler moins, s'alimenter avec plus de plaisir, méditer et passer plus de temps auprès de leur famille et de leurs amis, se trouver un passe-temps contemplatif ou, plus simplement, un moment chaque jour pour marcher dans un parc.

En résumé, les praticiens des MAC passent bien plus de temps avec leurs patients que ne peuvent se l'autoriser leurs rivaux de la médecine classique. Un homéopathe pourra accorder jusqu'à deux heures de consultation à un patient pour établir un rapport, l'écouter attentivement, passer au crible ses réponses afin de mettre en évidence les origines du problème. Les séances de massage ou d'acupuncture durent en général une heure, au cours de laquelle le thérapeute touche son patient et lui parle. Cela peut paraître anodin, mais dans un monde où chacun est constamment en train de foncer à droite et à gauche, où les contacts entre les gens sont devenus rares et distants, un peu d'attention douce et aimante fait forcément de l'effet. Elle peut même stimuler une chimie thérapeutique du corps, comme en témoigne Ingrid Collins, une consultante britannique en psychologie : « Lorsque l'on offre au patient du calme et de l'attention, la relaxation devient curative. »

La recherche semble le confirmer. Dans une étude américaine, une psychothérapeute a travaillé au côté d'un généraliste, en prêtant une attention amicale au déroulement de ses consultations. Celui-ci posait des questions allant bien au-delà d'une enquête thérapeutique de routine : « Que ressentez-vous par rapport à la maladie ? Quelle a été son influence sur votre entourage ? » Ses patients appréciaient son attention, et certains guérirent de longues maladies. Cela nous ramène à l'interaction entre corps et esprit. Dans le chapitre précédent, nous avons vu comment le fait de ralentir l'exercice physique permettait d'atteindre un état proche du *mens sana in corpore sano* (« un esprit sain dans un corps sain ») cher aux Romains. Aujourd'hui, le monde médical commence à intégrer l'idée que l'état mental des gens a une influence sur leur bien-être physique. Et une fois que l'on accepte qu'un patient puisse avoir des humeurs, des problèmes et une histoire personnels, il ne suffit plus de faire la liste de ses symptômes et de se jeter sur le bloc d'ordonnances. Il faut prendre le temps de l'écouter, de rentrer en contact avec lui.

La médecine classique commence à s'ouvrir à la lenteur. On s'en rend compte à de nombreux détails, comme la volonté grandissante de faire appel à la relaxation thérapeutique. Pour aider les patients à lâcher prise, de plus en plus d'hôpitaux les dirigent vers des activités apaisantes comme le jardinage, la peinture, la pratique d'un instrument, le tricot ou même la compagnie d'animaux domestiques. Autre aspect de ce changement : la reconnaissance des bienfaits thérapeutiques de Dame Nature. Une récente étude de l'université A & M. du Texas a ainsi révélé qu'avoir vue sur des espaces verts depuis les fenêtres de leur chambre d'hôpital aidait les patients à se remettre d'une opération plus rapidement et réduisait leur prise d'antalgiques. Aussi les hôpitaux aménagent-ils des jardins et refont-ils leurs services de manière à avoir davantage de lumière naturelle et de points de vue sur l'extérieur. Ils les agrémentent de plantes vertes et diffusent sur des moniteurs de télévision interne des séquences montrant des dauphins ou des cascades émergeant d'une forêt tachetée de soleil. Les médecins classiques sont désormais de plus en plus nombreux à adopter les thérapies prônant la lenteur. Certains font appel à la méditation, au yoga ou au chi-kong pour agir sur le cancer, le syndrome du canal carpien, l'arthrite osseuse, le diabète, l'hypertension, l'asthme ou l'épilepsie, mais aussi sur les problèmes de santé mentale. D'autres se servent de la méthode SuperSlow pour rééduquer des patients souffrant de problèmes cardiaques ou d'ostéoporose. Beaucoup de généralistes envoient désormais leurs malades chez un chiropracteur, un ostéopathe, un phytothérapeute ou un homéopathe. Et bien que les traitements des médecines alternatives mettent habituellement plus de temps pour agir, l'approche douce donne parfois des résultats plus rapides. Prenons l'exemple de deux méthodes opposées dans le traitement de la douleur causée par le pincement d'un nerf de la colonne vertébrale. Un médecin occidental rédigerait sur-le-champ une ordonnance à base d'anti-inflammatoires, qui mettraient un certain temps à faire effet. Un médecin ayurvédique, quant à lui, serait à même de faire disparaître instantanément la douleur à l'aide d'un massage Marma, qui se concentre sur des points particuliers où les chairs, les os et les veines se rejoignent.

Certains praticiens classiques font un pas de plus en se recyclant dans ces médecines parallèles. C'est le cas de Catherine Watson, qui travaillait comme technicienne de recherche pour un grand laboratoire pharmaceutique développant des traitements pour le système immunitaire. Mais après quelques années passées dans ce laboratoire, elle s'est sentie déçue par l'approche lourde de la médecine conventionnelle. Les médicaments occidentaux bombardent souvent les symptômes de la maladie sans en traiter la cause profonde. Et beaucoup d'entre eux causent des dommages collatéraux – des effets pervers réclamant encore plus de médicaments. « J'ai simplement compris qu'il y avait une autre voie », dit-elle. En 1999, elle quitte son poste bien rémunéré pour aller étudier la phytothérapie occidentale. Son précédent métier l'y avait préparée dans la mesure où beaucoup de médicaments modernes sont dérivés de molécules végétales naturelles. Catherine Watson a désormais ouvert chez elle un florissant cabinet de phytothérapie, dans le Hertfordshire, juste en dehors de Londres. Elle s'est spécialisée dans les problèmes de peau et de digestion. Ses concoctions végétales se suffisent parfois à elles-mêmes, mais pour traiter d'autres affections telles que l'asthme, elles agissent en tandem avec la médecine classique. Elle adopte avec chaque patient une approche « lente » et consacre en général une heure à la première consultation, prenant soin de préciser que son traitement prend du temps. « Parfois, on obtient des résultats rapides, mais en temps normal la phytothérapie agit de façon progressive, en gagnant peu à peu sur l'affection, observe-t-elle. Cela va normalement moins vite que la médecine traditionnelle, mais au final les résultats sont plus efficaces que les gens ne l'imaginent et sans les effets secondaires que j'ai trop souvent constatés dans l'industrie pharmaceutique. »

Les MAC sont souvent le dernier refuge des patients que la médecine classique n'a pas réussi à soigner. Nik Stoker, une Londonienne de vingt-sept ans directrice de publicité, souffrait de terribles douleurs menstruelles. Chaque mois, ses hormones devenaient folles : des bouffées de chaleur la réveillaient en pleine nuit, la condamnant à une fatigue chronique pendant la journée. Ses émotions subissaient de violentes fluctuations et elle avait du mal à travailler. En fin de compte, son médecin lui prescrivit une pilule contraceptive, un remède courant contre les douleurs de règles. Durant des années elle était passée d'une marque de pilules à une autre sans jamais traiter le problème et en souffrant des effets secondaires. Ce traitement lui donnait l'impression d'avoir un boulet à l'estomac et aux jambes. Elle avait parfois du mal à marcher. « J'ai cru que j'allais devenir dingue », dit-elle. Après que des scanners et une chirurgie investigatrice eurent échoué à mettre en évidence la cause de ses malheurs, les médecins ne lui ont pas accordé plus de sympathie, lui expliquant que toutes les femmes souffraient de ce type de douleurs et que les seuls remèdes étaient d'appliquer une bouillotte et de bien se reposer. « Ils m'ont donné l'impression que je ne faisais que me plaindre, vous savez, que je leur faisais perdre leur temps », ajoute-t-elle.

En désespoir de cause, elle prit rendez-vous avec Tom Lawrence, un acupuncteur et phytothérapeute recommandé par un ami. C'était sa première incursion en médecine alternative ; l'approche détendue et holistique la mit tout de suite à l'aise. La première consultation dura plus d'une heure, pendant laquelle Nik Stoker ne cessa de parler, non seulement de ses symptômes, mais aussi de ses habitudes alimentaires, de sa carrière, de son humeur, de sa vie sociale et de ses hobbies. Le thérapeute voulait un tableau complet. Elle sentit que quelqu'un l'écoutait enfin. Le traitement en lui-même était très éloigné de ce qu'elle avait connu. Afin de réaligner et rééquilibrer les méridiens d'énergie qui parcouraient son corps, Tom Lawrence planta une forêt d'aiguilles dans le bas de ses jambes et dans ses poignets. Il lui demanda de ne plus consommer de produits laitiers et lui prépara des gélules composées d'une douzaine de plantes différentes (dont la menthe, l'angélique et la réglisse). Les médecins classiques peuvent toujours se moquer de ces méthodes : les résultats sont assez probants. Après son premier rendez-vous, la jeune femme se sentait moins tendue qu'elle ne l'avait été pendant des années. Une douzaine de séances plus tard, les douleurs avaient en partie disparu. Sa vie en est transformée. « Je suis une personne différente à présent », dit-elle.

À l'instar de nombreux patients qui s'aventurent en dehors de la médecine conventionnelle, Nik Stoker pense que la médecine alternative a soigné à la fois son corps et son esprit. Elle se sent désormais moins irritable, plus apte à affronter le stress et le rythme rapide de sa vie londonienne : « Vous connaissez ce sentiment d'énervement maladif qui vous saisit lorsque vous avez un million de choses à faire et que vous ne savez pas par quoi commencer ? Eh bien, je ne l'éprouve plus très souvent. Je ressens un plus grand calme intérieur et j'ai l'esprit plus clair. »

Tant que les MAC demeureront marginales, les patients devront traverser le champ de mines de la désinformation. Il existe de nombreux charlatans avides de s'enrichir à la faveur d'un engouement pour les thérapies alternatives, promettant des soins holistiques et n'en délivrant qu'une pâle imitation. Il faut des années pour apprendre les techniques du shiatsu ou du massage ayurvédique, et pourtant on voit des coiffeurs non qualifiés en proposer en guise d'extras. Bien souvent, le mauvais usage des thérapies alternatives ne représente rien de plus qu'une coûteuse perte de temps, mais il arrive que les dégâts soient vraiment considérables. Des études laissent penser que le millepertuis, un remède naturel contre la dépression, puisse, à l'instar d'autres produits, être contre-indiqué avec les substances utilisées dans les traitements du cancer et du sida. Et certaines cures en lien avec les médecines parallèles ont été vendues de manière très trompeuse : en Chine, la plante appelée *ma huang* (« éphédra ») est un remède traditionnel de la congestion pulmonaire passagère, mais des sociétés américaines l'ont mise sur le marché comme une aide au régime et un dynamisant. Il en a résulté une cascade de décès, de crises cardiaques et de ruptures d'anévrisme.

Peu à peu, néanmoins, la législation fait son apparition dans ce que certains considèrent comme le « Far West de la médecine ». Les gouvernements établissent des codes de pratique et des standards minimums. Une douzaine d'États américains ont fait passer des lois accordant des licences aux naturopathes et aux thérapeutes pratiquant toute une gamme de médecines alternatives allant de l'homéopathie à la phytothérapie. Les critiques objectent que cette formalisation pourrait figer l'innovation – même les plus anciennes traditions médicales ne cessent d'évoluer. Certes, mais l'obtention d'une habilitation officielle sera malgré tout porteuse de bénéfices qui ne seront pas extorqués au public.

À l'heure actuelle, la plupart des patients assument de leur poche le coût des MAC. Et de nombreux traitements ne sont pas bon marché : à Londres, une séance d'acupuncture peut coûter plus de 40 euros. Il ne sera pas aisé de convaincre les pouvoirs publics d'en payer la note. À l'heure où le coût du système de santé atteint des sommets, les gouvernements ne sont guère disposés à étendre la couverture à de nouveaux traitements, en particulier si leur validité scientifique n'est pas prouvée. C'est pourquoi les médecines alternatives sont plus souvent considérées comme un luxe que comme une nécessité. Dans un contexte économique difficile, en Allemagne, le régime public d'assurance médicale a réduit le nombre de médecines alternatives habituellement couvertes.

Il pourrait toutefois devenir intéressant, d'un point de vue économique, de rembourser les dépenses liées à l'exercice d'une partie au moins de ces thérapies : pour commencer, la médecine alternative peut coûter moins cher que ses concurrentes classiques. Une séance de massage shiatsu peut régler un problème de dos qui aurait mené, sinon, à une opération coûteuse. En Allemagne, on a désormais recours au millepertuis dans plus de la moitié des cas de dépression. Des études montrent que cette plante a moins d'effets secondaires que les antidépresseurs classiques. Et pour environ 35 centimes d'euro par jour, c'est un produit bien meilleur marché que le Prozac.

Les médecines parallèles sont également capables d'alléger les budgets de santé par d'autres biais. L'approche holistique par le corps et l'esprit que privilégient bien des praticiens est en soi préventive du stress – ce qui coûte moins cher que de le guérir. D'autre part, ces théories semblent exceller dans le traitement des maladies chroniques, qui engloutissent environ 75 % de toutes les dépenses de santé du monde industrialisé (celles-ci s'élèvent aux États-Unis à presque trois milliards de dollars).

Les amateurs de chiffres en ont pris bonne note. En Grande-Bretagne, où le budget de l'institution publique médicale est notoirement bridé, les hôpitaux commencent à rembourser des traitements tels que l'aromathérapie, l'homéopathie et l'acupuncture. Près de 15 % des hôpitaux américains proposent des médecines alternatives. En 2003, pour la première fois, deux naturopathes furent nommés au comité qui décidait des traitements que devait couvrir le système d'assurance sociale Medicare.

Beaucoup d'entreprises privées incluent à présent ces médecines dans leurs avantages sociaux – Microsoft serait prêt à payer pour que ses employés consultent un naturopathe. Des deux côtés de l'Atlantique, de grandes compagnies d'assurances paient la facture de nombreux traitements de ce type. L'ostéopathie et la chiropraxie sont les premières thérapies non conventionnelles concernées, mais beaucoup d'assurances privées prennent désormais en charge l'homéopathie, le *biofeedback*, les massages et les remèdes à base de plantes. Une demi-douzaine d'États américains obligent désormais leurs assurances à couvrir au moins une partie de ce type de soins. En Europe, les sociétés d'assurances offrent déjà des contrats d'assurance-vie moins coûteux à ceux de leurs clients qui méditent régulièrement.

Néanmoins, l'agrément du milieu de l'assurance n'est pas la seule garantie de l'efficacité réelle d'une thérapie alternative. À la clinique Hale, Danira Caleta pratique l'une des plus douces et des plus apaisantes qui soient : le reiki. Cette technique est basée sur l'imposition des mains sur le corps, pour en canaliser les énergies. Le but est de travailler en harmonie avec le patient, en réveillant son « médecin intérieur ». Bien que les compagnies d'assurances se tiennent prudemment à l'écart du reiki, plus d'une centaine d'hôpitaux américains proposent à présent cette spécialité, et Danira Caleta est submergée par des patients prêts à payer de leur poche pour en profiter.

Marlene Forrest s'est tournée vers cette thérapie en 2003. On lui avait diagnostiqué un cancer du sein et, à cinquante-cinq ans, elle devait subir une double mastectomie. Le souvenir de la mort de son père à la suite d'une opération dix ans plus tôt l'avait plongée dans la panique, et son esprit allait d'un sombre scénario à l'autre. Pour retrouver le calme et préparer son corps à l'opération, elle prit un rendez-vous avec Mme Caleta, qui combina le reiki avec d'autres techniques apaisantes et relaxantes. Elle commença par guider sa patiente dans un exercice de respiration profonde, puis se servit de la méditation dirigée pour l'aider à visualiser une scène de nature apaisante. « Les gens qui vivent en ville répondent particulièrement bien à cette connexion avec la nature, dit-elle. Cela les tranquillise vraiment. »

Au bout de cinq séances, l'anxiété de Mme Forrest diminua, et elle se rendit à l'hôpital avec un sentiment de sérénité. Tandis qu'elle attendait qu'on vienne la chercher pour l'emmener au bloc opératoire, elle effectua ses exercices respiratoires de méditation et de visualisation. Lorsque les brancardiers vinrent la chercher, elle était en train de sourire : « Je me sentais tellement détendue... comme si j'étais prête à tout. »

Après l'opération, Marlene Forrest, qui dirige une maison de retraite à Londres, se remit si miraculeusement que le personnel de l'hôpital l'avait surnommée « Superwoman ». Excepté une très petite dose initiale, elle n'eut besoin d'aucun médicament antalgique. « Les infirmières et les médecins n'en revenaient pas, dit-elle. Ils continuèrent à me surveiller pour voir si j'avais besoin de morphine, mais ce ne fut pas le cas. Ils ont dit que j'étais stoïque ou que mon seuil de tolérance à la douleur devait être élevé. Mais il ne s'agissait pas de cela : je ne ressentais aucune douleur. » L'infirmière qui la soignait était si impressionnée qu'elle encouragea vivement Danira Caleta à traiter d'autres patients atteints de cancer.

Sa combinaison thérapeutique n'est pas seulement destinée aux cas cliniques. Elle peut également aider les gens à développer un état d'esprit plus posé, comme en témoigne David Lamb, trente-sept ans. En 2002, cet agent travaillant dans le textile, très actif, se retrouva dans sa salle d'attente pour une pathologie de l'oreille interne causant des vertiges. Mécontent des soins prodigués par son généraliste, il suivit quelques séances chez Danira Caleta – ce qui lui épargna quatre semaines de convalescence. Il fut surtout impressionné par l'effet relaxant et réconfortant du traitement sur son état d'esprit. Bien après sa guérison, il continua à venir voir sa thérapeute toutes les trois semaines. « Tout le monde doit trouver un moyen de faire face au stress et au rythme de vie londoniens. Pour certains c'est le yoga, pour d'autres c'est la gymnastique ou le jardinage. Pour moi, c'est le reiki. » Une heure entre les mains de Danira Caleta parvient à le calmer et à le débarrasser de ses tensions. Son contact bénéfique l'a également aidé à repenser ses priorités : « Le reiki vous calme en vous faisant réfléchir aux choses qui sont vraiment importantes dans votre vie – vos enfants, votre conjoint, vos amis. Vous réalisez ainsi que votre course dans la conquête du prochain gros contrat, d'un plus gros salaire ou d'une maison plus grande est en réalité assez vaine. » Ce qui ne veut pas dire que David Lamb est sur le point de quitter son job et de rejoindre une communauté. Pas le moindre risque. Au contraire, il se sert de la sérénité du reiki pour mieux surmonter les aléas d'un monde professionnel qui va à cent à l'heure. Avant ses rendez-vous, lorsque sa tête s'emballe, il se relaxe par la visualisation et des exercices respiratoires. Il y a peu, il s'est rendu chez Danira Caleta pour calmer ses nerfs deux jours avant la négociation d'un gros contrat avec un fournisseur étranger. Le jour J, il s'est rendu en toute confiance à son rendez-vous, où il s'est montré des plus subtils et a conclu l'affaire. « Je suis un *businessman* et j'aime gagner de l'argent, mais il y a une façon correcte d'y parvenir, dit-il. Même si vous vous retrouvez dans un environnement agressif, vous pouvez l'aborder calmement. Le reiki a l'avantage de vous apporter ce calme. Un esprit apaisé vous donne plus de confiance et plus de force. »

Il n'est guère surprenant que Danira Caleta étende ses activités de l'hôpital et des cliniques à un cabinet privé. Elle a récemment traité Esther Porta, consultante dans un important cabinet de relations publiques à Londres. Pour la deuxième fois en cinq ans, cette jeune trentenaire avait contracté une névrite optique, une méchante inflammation du nerf optique déclenchant une perte temporaire de la vision. Grâce à notre thérapeute, sa rémission fut si rapide et si complète que le médecin était abasourdi. Lorsque ses collègues remarquèrent combien elle allait mieux, elle avoua avoir eu recours à une médecine parallèle. Plutôt que d'en sourire, les dirigeants de son cabinet voulurent en savoir plus. L'un de ses patrons suggéra même de faire venir la thérapeute sur place afin d'aider tout le personnel à se détendre et améliorer sa santé !

Intrigué par l'enthousiasme de ces témoignages et lassé du manque d'efficacité de la physiothérapie, des massages sportifs et des traitements appliqués pour la guérison de ma jambe, je décide à mon tour d'essayer le reiki. Mme Caleta organise une première entrevue un mardi après-midi, à la clinique Hale. Elle dégage une présence rassurante : c'est une Australienne de quarante-trois ans aux yeux rieurs et au sourire avenant. Sa salle de consultation, petite et peinte en blanc, a une grande fenêtre donnant sur l'arrière de l'immeuble voisin. Je n'y vois ni cristaux, ni cartes du ciel, ni bâtons d'encens – aucun des attributs ésotériques auxquels je m'attendais. Au contraire, l'endroit me fait furieusement penser au cabinet de mon généraliste.

La thérapeute commence par me poser toute une batterie de questions qui n'ont jamais été soulevées lors de ma consultation express chez le spécialiste : quels sont mon alimentation, mon rythme de travail, mon état émotionnel ? comment se passent ma vie de famille, mon sommeil ? Elle prête également une oreille attentive au tableau chronologique des évolutions intervenues dans ma douleur à la jambe. Quand je n'ai plus rien à ajouter, je m'allonge sur sa table de soins et je ferme les yeux.

La première étape est de ralentir ma respiration. La jeune femme me demande d'inspirer profondément par le nez, en laissant l'abdomen se gonfler, puis d'expirer par la bouche. « C'est une technique de chi-kong pour faire recirculer l'énergie », m'explique-t-elle. Puis nous passons à la méditation dirigée. Elle me fait visualiser un beau rivage... un soleil tropical... un ciel bleu... une douce brise... du sable chaud sous mes pieds... un lagon d'une eau turquoise, calme et transparente... une jungle d'émeraude parsemée des taches rouges de fleurs d'hibiscus et de frangipaniers jaune et blanc. « C'est absolument spectaculaire, murmure-t-elle. Et vous ressentez un sentiment de liberté, d'ouverture, de calme, de tranquillité et de paix. »

Au moment où elle s'apprête à commencer la séance de reiki proprement dite, j'ai pratiquement oublié le sens du mot *stress*. Elle frotte ses mains l'une contre l'autre, puis les tient au-dessus de différentes parties de mon corps, afin que l'énergie bloquée se remette à circuler. Bien que je ne puisse pas la voir, je sens où elle se tient, grâce à une étrange chaleur qui semble venir de mon propre corps, comme si quelque chose avait été activé profondément en moi. Dans le bas de mon dos, la chaleur est faible, à peine plus perceptible que celle d'un souffle. Mais lorsque Danira Caleta tient ses mains au-dessus de ma jambe droite, celle-ci me paraît carrément chaude.

La séance dure une heure et me laisse très agréablement détendu, mais également alerte et plein d'énergie, en pleine forme. Du côté de ma jambe, en revanche, rien de neuf. « Cela prend du temps, me dit-elle, lisant la déception sur mon visage. Le corps se soigne à son propre rythme, il faut être patient. Vous ne pouvez brusquer le processus. » Ce clair résumé d'une philosophie de la lenteur échoue à me faire garder espoir pour ma jambe, et je quitte la clinique avec des sentiments mélangés.

Quelques jours plus tard, néanmoins, je note un progrès. La douleur de ma jambe droite s'est estompée et l'enflure diminue, elle aussi. C'est le premier signe clair d'amélioration depuis des mois. Je ne peux expliquer cela par la science, pas plus que mon chirurgien orthopédiste lorsque je le retrouve une semaine plus tard. Peut-être la bonne volonté de Mme Caleta à prendre le temps de m'écouter a-t-elle déclenché la guérison ? Peut-être est-il possible de faire appel à l'énergie universelle pour aider le corps à se réparer ? Quelle que soit l'explication, le reiki semble fonctionner pour moi – mon prochain rendez-vous est d'ores et déjà pris.

Chapitre 7
Quand l'amour prend son temps

La plupart des hommes sont pris dans une quête si haletante du plaisir qu'ils passent devant sans en jouir.
Søren Kierkegaard (1813-1855)

Il y a des choses qui ne s'oublient jamais. Lors d'une interview réalisée il y a quelques années, le chanteur Sting avouait sa passion pour le tantrisme et son enthousiasme à faire l'amour à sa femme plusieurs heures de suite. En un instant, le rocker anglais devint la cible de toutes les plaisanteries. Des commentateurs se demandèrent quand il trouvait le temps d'écrire ses chansons ou comment sa femme pouvait encore poser le pied par terre. Le temps que Sting tente de nuancer ses tendances proclamées pour le tantrisme, il était trop tard. Son image de pop star priapique était imprimée dans l'esprit du public. Aujourd'hui encore, les DJ ne manquent pas de lancer ses morceaux en y glissant des références sournoises à une gaudriole sans fin.

Sting aurait dû se méfier. Il y a toujours quelque chose de grotesque à vouloir apprendre à améliorer ses performances sexuelles. Et le tantrisme, une combinaison mystique de yoga, de méditation et de sexe, est une cible particulièrement facile à dénigrer. Cela évoque irrésistiblement l'image de hippies hirsutes s'ébattant tout nus. Dans un épisode de *Sex and the City*, Carrie et ses amies assistent à un stage de tantrisme. Au bout de longs et lents préparatifs, le professeur projette accidentellement son sperme dans les cheveux de Miranda – laquelle passe le reste de l'épisode à essuyer frénétiquement sa frange à l'aide d'un mouchoir en papier.

Le tantrisme a pourtant plus à offrir que des plaisanteries grasses. Dans le monde entier, les gens commencent à accepter l'idée très tantrique que le « sexe au ralenti » est bien meilleur. La plupart d'entre nous devraient sans nul doute s'accorder plus de temps pour faire l'amour – une déclaration pour le moins bizarre, à première vue, car après tout le monde moderne est d'ores et déjà saturé de sexe. Du cinéma aux médias, en passant par l'art et la publicité, tout se teinte d'imagerie ou de thèmes érotiques. On a l'impression que tout le monde s'y adonne et tout le temps. Alors que non. Bien que nous passions une bonne partie de la journée à voir du sexe, à en parler, à fantasmer, à lire et à plaisanter sur le sujet, nous consacrons en réalité bien peu de temps à le pratiquer. En 1994, une étude de grande envergure a révélé que l'adulte américain moyen passait à peine une demi-heure par semaine à faire l'amour. Et lorsque finalement nous nous y mettons, cela s'arrête souvent avant même de commencer réellement. Bien que les statistiques du comportement sexuel doivent toujours être prises avec une pointe de réserve, les études théoriques comme la réalité anecdotique laissent supposer qu'un grand nombre de couples ne sont pas très loin d'une pratique à la va-vite – « Hop, hop, bonjour madame, au revoir madame ». Paru dans les années 1950, le fameux rapport Kinsey a fait date en dévoilant que 75 % des maris américains atteignaient l'orgasme au bout de deux minutes de pénétration.

Le sexe à la va-vite n'est pas une invention moderne; il remonte aux temps les plus anciens et trouve probablement son origine dans l'instinct de survie. Aux temps préhistoriques, la copulation accélérée rendait nos ancêtres moins vulnérables à l'agression, qu'elle soit le fait d'un animal sauvage ou d'un rival. Plus tard, la culture fournit d'autres motifs de précipiter l'acte sexuel. Des religions enseignèrent qu'il était voué à la procréation et non à la récréation : le mari était tenu à son devoir conjugal, ni plus ni moins.

Il en va différemment aujourd'hui. Le monde moderne adhère au point de vue de Woody Allen selon lequel le sexe représente la plus grande source d'amusement dont on puisse profiter – sans rire. Alors pourquoi continuons-nous à courir ? L'une des raisons est que notre exigence biologique à copuler rapidement reste profondément ancrée dans le cerveau humain – du moins, le masculin. Notre rythme de vie accéléré est également en partie responsable du phénomène. Nos emplois du temps surchargés militent contre de longues et languides séances de jeux érotiques. À la fin de leur journée, la plupart des gens sont trop fatigués pour faire l'amour. Travailler moins est l'un des moyens de libérer de l'énergie à consacrer au sexe, ce qui explique pourquoi les couples font davantage l'amour en vacances. Mais la fatigue et le manque de temps ne sont pas les seules causes du sexe en accéléré. Notre culture de la vitesse nous apprend que la destination est plus importante que le voyage lui-même – et le sexe pâtit de cette même mentalité du résultat. Même les magazines féminins ont l'air plus intéressés par l'orgasme – quelle quantité, quelle intensité – que par les préliminaires qui le déclenchent. Dans leur livre *Tantra : The Secret Power of Sex* (*Tantrisme : le pouvoir secret du sexe*), Arvind et Shanta Kale écrivent : « L'une des premières victimes de cette hâte déplacée de l'homme occidental est sa vie sexuelle. Son efficacité se mesure à la vitesse à laquelle une personne accomplit effectivement cet acte, et un acte sexuel efficace est un acte dont il résulte un orgasme... En d'autres termes, plus vite on atteint l'orgasme, plus le rapport est efficace. » La pornographie mène l'obsession occidentale du résultat à ses conclusions ultimes, réduisant le sexe à un va-et-vient confus et frénétique, couronné par le tout-puissant « coup final ».

Le monde moderne est peu patient avec ceux qui échouent à adopter cette cadence sexuelle. Beaucoup de femmes – 40 %, d'après certaines enquêtes – souffrent d'un manque de désir ou de plaisir sexuels. Fidèle à notre culture de la réponse immédiate, l'industrie pharmaceutique soutient qu'une pilule de type Viagra peut remettre les choses en ordre. Mais peut-être n'est-ce pas l'afflux sanguin génital qui pose un problème. Il est bien possible en effet que la vraie question soit celle du temps. Une femme a besoin de plus de temps pour se préparer à l'acte sexuel – il lui faut en moyenne vingt minutes pour atteindre une pleine excitation sexuelle, quand un homme y parvient en moins de dix. Comme le chantent les Pointer Sisters, la plupart des femmes préfèrent *« a lover with a slow hand »* (« un amant qui prend son temps »).

Ne nous leurrons pas pour autant. La vitesse a aussi sa place entre les draps. Avouons que nous n'avons besoin, parfois, que d'une brève partie de jambes en l'air – et acceptons volontiers un « coup » vite fait. Le sexe peut pourtant offrir bien plus qu'une course à l'orgasme. Faire l'amour lentement peut constituer une belle expérience et conduire à de fantastiques orgasmes.

C'est pourquoi la philosophie de la lenteur se glisse aujourd'hui dans les chambres à coucher du monde entier. Même les revues masculines commencent à suggérer à leurs lecteurs de séduire leurs partenaires par de longues rencontres érotiques décontractées, avec bougies, musique, vin et massage. Pendant plus de douze semaines en 2002, *Weekly Gendai*, le plus gros tirage des revues masculines japonaises, a rempli ses pages d'articles sur l'art de faire l'amour au XXIe siècle. Le ton était sérieux, voire légèrement didactique, le but étant d'enseigner aux lecteurs l'art de l'intimité, de la sensualité et du ralenti. « Au Japon, beaucoup d'hommes pensent que le rapport sexuel optimal est bref, dans l'esprit macho américain, observe Kazuo Takahashi, l'un des rédacteurs en chef du magazine. Nous voulions montrer qu'il existe une autre façon d'aborder une relation physique. » L'un des articles de la série saluait la tradition polynésienne du « sexe au ralenti ». L'auteur y expliquait comment les amants polynésiens passaient des heures à se caresser et à explorer mutuellement leurs corps. Quand arrive l'orgasme, la qualité prend le pas sur la quantité.

Cette série d'articles eut un grand succès au Japon. Le nombre de lecteurs du *Weekly Gendai* grimpa de 20 %, et le magazine fut submergé de lettres de remerciements. Dans l'une d'elles, un homme disait que cela lui avait donné le courage de parler ouvertement de sexe avec sa femme. Il eut un choc en apprenant qu'un rapport sexuel vigoureux et énergique ne lui convenait pas forcément toujours et qu'elle aurait aimé faire les choses à la polynésienne. Il s'y est essayé, et sa vie de couple comme son mariage s'en portent mieux que jamais.

Pratiquement au moment où les voyageurs du métro de Tokyo découvraient dans le journal les joies de la décélération érotique, le mouvement Slow Sex voyait le jour en Italie. Son fondateur, Alberto Vitale, est un consultant en marketing par Internet basé à Bra, ville d'élection du Slow Food. Dans un exemple parfait de fertilisation croisée au sein de ce mouvement en faveur de la lenteur, Vitale décida que le principe de Petrini (prendre son temps mène à un plus grand plaisir des sens) pouvait s'appliquer aussi bien à la table qu'à la chambre à coucher. En 2002, il fonda le Slow Sex pour sauver les rapports amoureux de « la frénésie insensée de notre monde fou et vulgaire ». Le nombre d'adhérents a dépassé la centaine et ne cesse de grimper, dans une parité entre hommes et femmes.

À l'issue d'une longue journée d'entretiens avec les militants de Slow Food, je rencontre Alberto Vitale à la terrasse d'un café de Bra. C'est un homme de trente et un ans empreint d'une certaine solennité. Aussitôt nos verres commandés, il commence par m'expliquer pourquoi ses jours de *Latin lover* sont comptés : « Dans notre culture de la consommation, le jeu consiste à mettre rapidement quelqu'un dans son lit avant de repartir vers de nouvelles conquêtes. Écoutez les conversations masculines – il n'y est question que du nombre de femmes, du nombre de fois, du nombre de positions. Toujours des nombres. Vous allez au lit avec une liste d'étapes à franchir. Vous êtes trop impatient, trop centré sur vous-même pour véritablement apprécier le sexe. »

Alberto Vitale milite contre la culture des rapports vite consommés. Il vient prêcher les joies de la lenteur dans des clubs du Piémont. Il projette de faire de son site Internet un forum de discussions sur tous les aspects de la décélération érotique. Cette nouvelle philosophie a fait merveille dans sa propre vie sexuelle. Au lieu d'enchaîner à toute allure ses positions favorites, Vitale prend désormais le temps de préliminaires prolongés, de parler à voix basse à sa partenaire, de la regarder dans les yeux. « Partout dans le monde on retrouve cette aspiration grandissante à la lenteur, dit-il. D'après moi, la chambre à coucher est le meilleur endroit où commencer. »

Rien ne met plus en lumière ce besoin d'une sexualité plus douce que l'intérêt mondial du public pour le tantrisme. Au cours de la révolution sexuelle des années 1960-70, quelques pionniers se sont familiarisés avec ces techniques. À présent, d'autres rattrapent leur retard. Chaque jour, 12 000 internautes naviguent dans le blizzard des sites pornographiques avant de tomber sur tantra.com. Loin d'être intimidés par la montagne de ridicule amoncelée sur la tête de Sting, des couples de tous âges s'inscrivent désormais nombreux à des ateliers de sexualité tantrique.

Mais qu'en est-il exactement du tantrisme ? Le mot vient du sanscrit *tantra,* qui signifie « prolonger, accroître ou se frayer un chemin ». Inventé en Inde il y a 5 000 ans, puis adopté plus tard par les bouddhistes du Tibet et de la Chine, le tantrisme est une discipline spirituelle qui utilise le corps comme un instrument de prière. Tout comme les mystiques chrétiens atteignaient l'extase mystique en passant par l'autoflagellation, les tantrikas se servaient de l'union sexuelle consciente et prolongée comme d'un chemin vers l'illumination. En d'autres termes, le sexe tantrique, dans sa forme la plus pure, n'est pas seulement une pratique sexuelle lente, il en canalise l'énergie pour aboutir à une parfaite union spirituelle avec son partenaire mais aussi avec l'univers lui-même.

La philosophie tantrique enseigne que le corps humain fait circuler l'énergie à travers les sept chakras ponctuant la colonne vertébrale de bas en haut, de la zone génitale au sommet de la tête. À travers une combinaison de méditation, d'exercices de yoga, de contrôle du souffle et de préliminaires prolongés, les couples apprennent à contenir et à canaliser leur énergie sexuelle.

Au cours du rapport qui suit, l'homme prolonge son érection par des poussées lentes et mesurées. Les hommes apprennent également à atteindre l'orgasme sans éjaculer. En mettant l'accent sur le partage, l'intimité et la lenteur, le tantrisme propose une approche très féminine de la sexualité. Et de fait, l'homme est censé traiter la femme comme une déesse, en stimulant doucement son excitation sexuelle sans chercher à prendre le dessus ou à imposer son rythme. Ce qui n'empêche pas qu'au final les profits soient équitablement partagés. Lorsque le tantrisme fonctionne, les deux partenaires parviennent, selon les termes mêmes de tantra.com, à un « stade plus élevé de conscience » et à une « compréhension de la nature divine du soi ». Si ce discours vous paraît un peu ressassé, les bénéfices charnels sont pourtant assez étonnants : le tantrisme enseigne aux hommes comme aux femmes à surfer sur la vague des orgasmes multiples, aussi longtemps qu'ils le souhaitent. Si un couple reste ensemble – et qui y renoncerait, après cela ? –, leur ardeur sexuelle n'en brûlera que plus vivement, au lieu de s'éteindre au fil des années.

L'exigence contemporaine de prendre son temps, dans la chambre à coucher comme ailleurs, trouve ses racines au XIXe siècle. Tandis que l'industrialisation faisait monter la cadence d'un cran, les gens commencèrent à se tourner vers l'Orient, en quête d'alternatives plus calmes. Leur intérêt grandissant pour les philosophies orientales a mis certains Occidentaux en contact avec le tantrisme. L'une des premières supportrices de ce qui allait devenir le « sexe sacré », Alice Bunker Stockham, était également l'une des premières femmes médecins des États-Unis. Après avoir étudié le tantrisme en Inde, elle revint au pays pour prêcher l'orgasme contrôlé comme une voie vers l'extase physique, l'attachement émotionnel, une meilleure santé et l'épanouissement spirituel. C'est à elle que l'on doit l'invention du terme *karezza*, dérivé du mot *caresse* en italien, pour définir sa version sécularisée du tantra. Ses conseils sur la sexualité parurent pour la première fois dans un livre intitulé *Toktology*, que Léon Tolstoï traduisit en russe. D'autres se mirent dans les pas d'Alice Stockham et défièrent les tabous victoriens pour publier ouvrages et manuels relatifs à l'art de l'amour conscient et maîtrisé. Dans son livre *Hell on Earth Made Heaven : the Marriage Secrets of a Chicago Contractor* (*L'Enfer sur Terre devenu paradis : les secrets de mariage d'un époux de Chicago*), George Washington Savory ajouta une touche de christianisme au sexe tantrique.

Plus d'un siècle plus tard, mon propre voyage dans le monde tantrique commença de façon plus qu'hésitante. Alors que je débutais mes recherches, ma réaction instinctive oscilla entre le sourire en coin et l'envie de fuir. Le jargon New Age, les chakras, les vidéos de présentation animées par des hommes arborant une queue-de-cheval : tout cela me paraissait très ringard. Je n'étais pas sûr d'avoir envie d'harmoniser mon homme intérieur ou d'éveiller ma divinité, ni même de savoir ce que recouvraient l'une et l'autre de ces notions. Et avons-nous vraiment besoin d'appeler le pénis un *lingam* ou une « baguette de lumière » ?

À bien y réfléchir, cependant, le tantrisme n'est pas aussi dingue qu'il y paraît. Même les plus terre à terre d'entre nous savent bien que le sexe ne se résume pas à un très agréable spasme musculaire. Le sexe peut forger de profonds liens affectifs ; il peut nous faire sortir de nous-mêmes et laisser planer notre esprit dans un éternel présent. À l'occasion, il nous donne l'aperçu d'une transcendance profonde. Lorsque les gens parlent de leurs moments d'extase sexuelle les plus intenses, ils utilisent souvent des métaphores spirituelles : « Je me sentais planer comme un aigle » ; « Je nageais dans le corps de mon partenaire » ; « J'ai vu le visage de Dieu ». Le tantrisme tend à développer le lien entre sexe et spiritualité.

Dans le monde ancien, les gens passaient des années à purifier et à maîtriser leur corps et leur esprit avant qu'un gourou tantrique ne prenne seulement la peine de les saluer. Ce n'est qu'après avoir éveillé leurs énergies psychiques internes qu'ils pouvaient commencer à étudier la technique sexuelle. De nos jours, tout le monde peut commencer demain matin à apprendre l'amour tantrique. Et dans le contexte d'une société de consommation, il existe des stages pour tous les goûts. Certains sont plus axés que d'autres sur la spiritualité. De nombreux professeurs occidentaux mélangent des techniques du *Kama-sutra* et d'autres sources du sexe sacré. Et comme on peut l'imaginer, les puristes accusent les réformateurs de dénaturer la « Lumière tantrique ». Même si c'est le cas, qu'est ce que ça change ? Est-ce un mal si le tantrisme modifié marche quand même ? En admettant que les gens échouent à atteindre un plan de conscience plus élevé ou à réaligner leurs chakras, ils peuvent tout de même bénéficier des bases de cette philosophie sexuelle. Après tout, lorsque vous débarrassez le tantrisme de son bagage spirituel, vous conservez les rudiments d'une sexualité épanouie : tendresse, communication, respect, variété et durée.

Même les sceptiques les plus endurcis succombent aux charmes du tantrisme. En 2001, Val Sampson, une journaliste d'une vingtaine d'années, s'apprêtait à écrire un article sur le sexe tantrique pour le *London Times*. Elle traîna son mari dans un atelier d'initiation, prévoyant des fous rires du début à la fin. Ils découvrirent au contraire ensemble que les simples exercices respiratoires marchaient vraiment et que le message d'honorer son conjoint dans une relation sexuelle partagée et prolongée avait fait vibrer une corde. « Ce fut une révélation, me confirme Val Sampson lorsque je la rencontre à son club de gym à Twickenham, aux abords de Londres. Je n'imaginais pas qu'il puisse exister une approche du sexe qui mette l'accent sur un temps mutuellement accordé l'un à l'autre et sur une implication totale d'âme et de cœur. »

Elle et son mari furent prompts à s'inscrire à un week-end de tantrisme et sont désormais des convertis. En 2002, la jeune femme a publié un essai intitulé *Tantra : the Art of Mind-Blowing Sex* (*Tantrisme : un art du sexe époustouflant*), guide destiné aux gens qui naviguent très à l'écart du New Age. Sa thèse est qu'il nous appartient de décider jusqu'où nous voulons explorer la part mystique de notre sexualité. « Je pense qu'il est aussi valable d'adopter le tantrisme comme voie spirituelle que comme un moyen d'améliorer notre vie sexuelle, dit-elle. En définitive, le résultat sera de toute façon probablement le même. »

À l'issue de notre conversation, la journaliste me donne le numéro de téléphone d'un maître de tantrisme, une certaine Leora Lightwoman – un nom qui ne s'invente pas. Je l'appelle le soir même. Mon interlocutrice est conquise à l'idée d'un livre faisant l'éloge de la lenteur et m'invite à la rejoindre lors de son prochain atelier.

Deux mois plus tard, par un vendredi soir où le vent souffle en bourrasques, ma femme et moi arrivons dans un vieil entrepôt du nord de Londres. Nous sonnons à la porte, qui s'ouvre automatiquement. Des voix venues du sous-sol montent dans l'escalier, dans des vapeurs d'encens. L'un des assistants du stage – que l'on appelle des « anges » – nous accueille sur le palier. Il a la trentaine et arbore un sourire en coin et une queue-de-cheval. Il porte un gilet blanc, un pantalon de yoga couleur crème et sent fortement la transpiration. Il me rappelle furieusement l'animateur d'une des vidéos les plus répulsives qu'il m'ait été donné de voir sur le sujet. Mon cœur se serre.

Nous retirons nos chaussures et rejoignons le sous-sol, une grande pièce passée au blanc et décorée de tissus ethniques. Ma plus grande crainte – celle que tous les membres du stage soient des végétariens macrobiotiques ou aromathérapeutes, voire les deux à la fois – m'apparaît soudain infondée. Il y a là quelques profils typiques, arborant sarongs et chapelets, mais la majorité des trente-deux participants sont des gens ordinaires vêtus de confortables tenues de ville. Il y a là des médecins, des agents de change et des professeurs. Un homme arrive directement de son bureau de la City. Beaucoup n'ont jamais mis les pieds dans un atelier de développement personnel.

Leora Lightwoman se met en quatre pour mettre tout le monde à l'aise. Gracieuse, avec une silhouette d'elfe, des cheveux coupés court et de grands yeux, elle parle lentement, comme si elle faisait tourner chaque phrase dans sa tête avant de la lancer. Elle débute la séance en expliquant un peu les principes du tantrisme, puis nous demande de nous présenter et de dire pourquoi nous sommes ici. Les personnes seules revendiquent un voyage à la découverte de soi-même. Les couples sont là pour approfondir leur relation.

Une fois la glace brisée, nous commençons par une petite stimulation de la *kundalini*: cela consiste à fermer les yeux et à faire vibrer son corps en partant des genoux. L'objectif est de se relaxer et de faire circuler son énergie interne. Je ne sais pas pour l'énergie, mais il est certain que je me sens moins tendu après dix minutes d'agitation vibratoire. Nous passons ensuite au moment le plus important de la soirée – l'éveil des sens. « Dans le monde moderne, où chacun passe son temps à courir, nous ne prenons pas souvent le temps d'utiliser nos sens, annonce Leora. Il s'agit là de redécouvrir vos sens et de les ramener à la vie. »

Tout le monde s'attache un bandeau sur les yeux et prend les mains de son partenaire. Au bout de quelques minutes, ma femme et moi sommes conduits à travers la pièce et invités à nous asseoir sur des coussins posés sur le sol. Le seul son audible est le doux bruissement des « anges » escortant les participants. Au lieu de gigoter, je sens que je m'abandonne au moment présent. D'une voix douce, l'animatrice nous demande d'écouter attentivement. Le silence est alors brisé par le son d'une cloche tibétaine. Privé d'une autre entrée sensorielle, mon esprit est libre de se concentrer sur le tintement. Le son lui-même – clair, riche, noble – semble m'envahir complètement. J'aimerais que cela ne s'arrête jamais. D'autres sons – battements de mains sur des percussions, maracas, didgeridoo – me font un effet similaire. Pendant un moment, j'ai l'impression que je pourrais supporter d'être aveugle si mes oreilles pouvaient toujours m'apporter un tel plaisir. La cérémonie continue pour se concentrer sur l'odorat. Les « anges » agitent sous notre nez des substances particulièrement odorantes – cannelle, eau de rose, orange. Les effluves sont intenses et excitants. Puis, pour éveiller nos papilles, ils glissent des morceaux de nourriture dans notre bouche – chocolat, fraise, mangue. Là encore, le résultat est une explosion sensorielle.

Le toucher est la dernière étape du voyage. Les « anges » promènent des plumes sur nos bras et nous frottent le cou avec des peluches – ce qui est bien plus agréable qu'il n'y paraît. Puis on nous donne un objet à explorer avec les mains. Le mien est une statuette de femme en bronze. Mes doigts en parcourent les moindres coins et recoins, tentant d'en retirer une image mentale. On nous demande alors d'explorer la main de notre partenaire avec le même esprit de découverte. Cela peut paraître idiot, mais l'expérience se révèle en réalité plutôt émouvante. Tandis que je parcours lentement les mains de ma femme, je me rappelle avoir fait la même chose il y a longtemps, au tout début de notre histoire, à la porte d'un bistro d'Édimbourg.

Plus tard, nous retirons nos bandeaux pour retrouver la pièce assombrie et tous assis en large cercle sur des coussins. Au milieu, les objets utilisés pour la séance sont joliment disposés sur une couverture rouge parsemée de bougies et recouvrant des boîtes. Cela ressemble à un luxueux paquebot de croisière arrivant au port un soir d'été. Une chaude lueur baigne la pièce. Un homme, un avocat venu là uniquement pour faire plaisir à sa femme, est soufflé. « C'était vraiment beau, marmonne-t-il. Vraiment beau. » Je comprends ce qu'il ressent. Je suis profondément troublé. La soirée a passé en un clin d'œil. Et je suis très impatient d'en découvrir davantage.

Le soir suivant, cependant, mes plans tombent à l'eau de façon désastreuse. Notre fille est emmenée d'urgence à l'hôpital pour une infection respiratoire, et ma femme doit laisser tomber la séance pour rester auprès d'elle. C'est une grosse déception pour nous deux. Néanmoins, je décide de continuer seul, en y allant le dimanche matin en célibataire.

La gêne du premier soir a laissé place à une franche camaraderie. Ce qui facilite les choses car l'atelier est loin de ressembler à la fête branchée que l'on peut imaginer. Il n'y a pas de contacts ouvertement sexuels, ni de nudité. Le respect est la priorité majeure de Leora Lightwoman. Et de fait, elle expulse un homme seul pour avoir manifesté un peu trop d'intérêt pour les femmes du groupe.

Après un nouvel exercice d'éveil de la *kundalini*, nous nous mettons par deux pour une série d'exercices destinés à nous enseigner l'art de la sensualité calme et tendre. L'un de ces exercices est intitulé « oui/non/peut-être/s'il vous plaît ». Les partenaires se touchent l'un l'autre tour à tour ; le touché livre ses impressions au toucheur : *oui* veut dire « j'aime ça » ; *non* veut dire « essaie autre chose » ; *peut-être* signifie « je ne suis pas sûr(e) » ; et *s'il vous plaît* « mmm, encore ». Dans le tantrisme, chaque fois qu'un couple fait l'amour, il doit explorer le corps de l'autre comme si c'était la première fois. Pour cet exercice, ma partenaire est une jeune femme légèrement intimidée. Les zones érogènes standard sont interdites, mais nous sommes libres d'examiner les zones généralement négligées dans le feu de l'action – genoux, mollets, chevilles, poignets, épaules, base du cou, coudes et colonne vertébrale. Nous commençons prudemment, puis trouvons peu à peu notre style. Tout est très doux et sensuel.

D'autres exercices insistent sur cette même éthique de la lenteur. Nous dansons de manière sensuelle, respirons à l'unisson, nous nous regardons dans les yeux... S'efforcer de créer une intimité avec une personne totalement étrangère me paraît un peu étrange, mais le principe – ralentir et initier le contact avec son partenaire – est clairement efficace pour nombre de participants. Des couples arrivés avec un langage corporel monotone se tiennent à présent les mains et se font des mamours. Ma femme me manque.

L'exercice le plus difficile du week-end est destiné à renforcer la région pubo-coccygienne, le plancher de muscles allant de la symphyse pubienne à la pointe du coccyx. Ces muscles sont ceux qui nous permettent d'expulser les dernières gouttes d'urine. Leora Lightwoman a baptisé cette zone « le muscle de l'amour ». Une fois renforcée, elle peut procurer aux deux sexes des orgasmes plus intenses et aider les hommes à séparer l'éjaculation des spasmes qui l'accompagnent, ouvrant la voie à l'orgasme multiple.

Notre initiatrice nous demande de combiner ce travail sur le muscle de l'amour avec une respiration contrôlée. Tout en contractant puis en relâchant cette zone, nous imaginons faire remonter notre souffle à travers les sept chakras, en partant du périnée pour finir au sommet de la tête. Même si, comme moi, vous restez sceptique au sujet de cette histoire de chakras, l'exercice, très relaxant, est étrangement émouvant.

Pour beaucoup, cependant, le point fort du week-end est une manœuvre appelée « relâchement du flux ». Suivant le cours normal des choses, le rapport sexuel culmine avec un orgasme génital qui dure quelques secondes. Le tantra tend à prolonger et à intensifier l'extase en relâchant l'énergie sexuelle de l'aine et en la faisant circuler partout. Cet état est connu sous le nom d'« orgasme corporel complet ». Pour les deux sexes, ce relâchement du flux est une technique permettant d'ouvrir les circuits dans lesquels circule l'énergie. Voici comment : après une stimulation de la *kundalini*, vous reposez sur le dos, les jambes repliées et les pieds posés au sol. Tandis que vous ouvrez et fermez doucement vos jambes, la vibration est supposée reprendre au niveau de vos genoux et remonter jusqu'en haut du corps. Votre partenaire peut aider à la circulation de l'énergie en laissant doucement flotter une main au-dessus de la zone vibratoire pour attirer l'énergie dans la bonne direction. Cela peut paraître dingue, mais laissez-moi vous dire que cette technique produit exactement l'effet annoncé – wahou ! Presque immédiatement après m'être allongé, le tremblement s'installe, comme si quelque chose avait pris possession de mon corps. Il passe de mon pubis à mon plexus solaire. Au début, les mouvements sont violents et quelque peu effrayants – ça me rappelle un épisode d'*Alien*, lorsque les personnages ont des convulsions et se tordent avant que le monstre ne jaillisse de leur poitrine. Mais la frayeur est de courte durée. Très vite, la vibration apporte une sensation d'allégresse et d'extase. Et je ne suis pas seul : tout autour de moi, les gens poussent des cris de libération joyeuse. Je vis un moment mémorable. Après quoi, les couples s'allongent entrelacés et se caressant avec langueur.

Le tantrisme n'est pas quelque chose que l'on maîtrise en un week-end. Cela prend du temps. Les exercices demandent de la pratique – il me faut encore travailler mon « muscle de l'amour » – et il y a beaucoup de techniques à apprendre. Mais cette première expérience suggère que, quoi que l'on pense du New Age, il peut ouvrir la porte à une meilleure sexualité ainsi qu'à une intimité et une conscience de soi plus profondes.

Pour en savoir plus sur les ressources cachées de cette sexualité de rêve, j'interroge plusieurs élèves de ces ateliers. La plupart ne tarissent pas d'éloges. Ainsi les Kimber, un couple entre deux âges de Rickmansworth, juste en dehors de Londres : Cathy, cinquante-deux ans, s'occupe du marketing de salons professionnels, et Roger, quarante-huit ans, dirige son entreprise d'ingénierie électrique, qui fabrique des systèmes de ventilation pour le bâtiment. Ils sont mariés depuis trente ans. Comme dans bien des relations de longue durée, le sexe a chuté dans la liste des priorités à l'arrivée des enfants (ils ont deux fils) et le travail a pris le dessus. Les Kimber étaient toujours trop occupés, trop fatigués ou trop stressés pour un feu d'artifice conjugal. Et lorsqu'ils faisaient l'amour, cela ne durait jamais longtemps.

En 1999, cependant, Cathy a décidé de faire bouger les choses. Elle sentait que sa vie filait à la vitesse d'une locomotive devenue folle et elle voulait ralentir l'allure. Le tantrisme lui est apparu comme un bon moyen d'enrayer le phénomène, et elle s'est inscrite au cours d'initiation animé par Leora Lightwoman. Au fur et à mesure que le week-end approchait, les Kimber se sentirent de moins en moins motivés. Roger, une personnalité plutôt terre à terre dotée d'une aversion naturelle pour les choses farfelues, redoutait une leçon sur le chi et les chakras, et la perspective de prendre part à un éveil des sens semait la panique chez Cathy. Comment cette personnalité de type A, active et dominante, allait-elle supporter de rester immobile sans rien faire pendant tout ce temps ? Ils acceptèrent pourtant de se jeter à l'eau, et le week-end fut une véritable révélation. Roger fut soufflé par l'exercice du flot d'énergie, et Cathy emballée par l'éveil des sens. « Je ressentais un tel plaisir sensuel... J'en suis sortie avec la sensation de flotter dans l'air, habitée par un incroyable sentiment de paix. » Le couple a depuis suivi quatre ateliers successifs.

Au cours du processus, leur vie sexuelle a connu une renaissance avec un grand « r ». Ils se retirent désormais au moins un soir par semaine dans une petite pièce réservée à leurs rendez-vous tantriques (l'une des recommandations du tantra est en effet de créer un espace sacré dédié au sexe – ce qui peut se résumer à faire brûler de l'encens parfumé ou à installer des lumières colorées dans la chambre). La pièce des Kimber ressemble à un petit temple séculier décoré d'objets mystiques et de souvenirs personnels : sculptures d'anges gardiens en pierre, livres favoris, cloches tibétaines, photos de famille, une figurine de céramique réalisée voici plusieurs années par leur plus jeune fils... Une amulette protectrice des mauvais songes d'origine amérindienne est suspendue au plafond. À la douce lueur des bougies, en faisant brûler des huiles essentielles, les Kimber passent des heures à se masser et à se caresser l'un l'autre, en respirant à l'unisson. Lorsqu'ils finissent par faire l'amour, c'est le séisme garanti. Tous deux connaissant maintenant des orgasmes plus profonds et plus intenses. Grâce à la relaxation, aux exercices pelviens et aux techniques du souffle enseignées par le tantrisme, Roger peut prolonger son orgasme de deux ou trois minutes. « C'est vraiment étonnant, dit-il en souriant, vous avez envie que cela ne s'arrête jamais. »

Comme d'autres adeptes du tantrisme, le couple apprécie toujours aussi les étreintes rapides sous la couette ; or il apparaît que même un rapport « classique » produit désormais des résultats époustouflants. Mais ces orgasmes exceptionnels ne représentent pour eux qu'une partie des bénéfices du tantrisme ; ils ont désormais accès à un nouveau monde de tendresse et d'intimité. Blottis l'un contre l'autre sur le canapé de leur salon, ils ressemblent à un couple de jeunes mariés. « Le tantrisme a donné beaucoup de profondeur à notre relation, dit Roger. Notre sexualité est aujourd'hui davantage empreinte de cœur et de spiritualité. » Cathy acquiesce. « Les gens peuvent être mariés depuis vingt ans et ne pas se connaître vraiment, parce qu'ils restent à la surface des choses, observe-t-elle. À travers le tantrisme, Roger et moi sommes vraiment parvenus à nous connaître en profondeur. »

Avant que vous ne vous précipitiez pour vous inscrire à un week-end d'initiation, apprenez que le tantrisme est une arme à double tranchant. D'un côté, il peut insuffler une nouvelle énergie à une relation qui s'étiole, de l'autre, en forçant les gens à ralentir la cadence, à regarder sérieusement l'autre mais aussi soi-même, il peut mettre en évidence d'irréconciliables différences. À mi-parcours de mon propre atelier, un homme a quitté le groupe. Sa femme m'a raconté qu'il errait, furieux et en pleurs, dans la maison, en clamant que leur couple était fichu.

Tim Dyer, un restaurateur de Bristol âgé de trente-sept ans, connaît bien le problème. En 2002, lui et sa fiancée, une brillante chef de produit, ont participé à un atelier de tantrisme. Ils vivaient ensemble depuis trois ans et voulaient redonner un coup de fouet à leur vie sexuelle trop tranquille avant de s'embarquer dans le mariage. Au lieu de les mener sur la voie du parfait orgasme, l'expérience fit apparaître que leur relation reposait sur du sable. Tim Dyer avait du mal à regarder sa fiancée au fond des yeux ; à la fin du week-end, le couple se querellait à voix basse pendant les exercices. Ils se séparèrent quelques semaines plus tard.

Dans un chapitre précédent, nous citions Milan Kundera : « Quand les choses se passent trop vite, personne ne peut être sûr de rien, de rien du tout, même pas de soi-même. » Tim Dyer ne pouvait que confirmer : « Avec le recul, je me rends compte que nos vies respectives étaient si remplies que nous n'avions jamais eu le temps de comprendre que nous avions pris des chemins différents. Le travail du tantrisme vous ralentit et vous fait prendre conscience des choses. Et je crois que, lorsque nous avons fait ce pas, nous avons réalisé que nous n'étions pas faits pour passer notre vie ensemble. » Soulagé d'avoir échappé à un mariage promis à l'échec, Dyer est de nouveau célibataire. Et il a retenu la leçon de ses erreurs. Armé de son petit bagage tantrique, il prévoit de consacrer plus de temps à l'aspect sensuel et intime d'une relation à venir : « J'ai appris que la meilleure sexualité était fondée sur la prise de contact, et on ne peut pas créer de vrai contact si on est pressé. La prochaine fois que je tombe amoureux, je souhaite dès le départ m'appuyer sur cette lenteur et cette conscience. »

S'il persiste dans cette voie, Dyer va peut-être découvrir que l'amour au ralenti aide à instaurer le calme dans d'autres domaines de la vie. Le tantrisme a sans aucun doute eu cet effet sur les Kimber. Cathy s'est détendue et devient plus patiente vis-à-vis des délais que lui impose sa vie quotidienne. Roger, de son côté, a décidé de travailler moins. Avec tant d'amour et d'orgasmes fabuleux qui l'attendent à la maison, il n'est pas étonnant qu'il soit moins enclin à passer de longues heures enchaîné à son bureau. « Le travail ne me semble plus compter autant », constate-t-il. Il a même commencé à faire tourner son entreprise avec des règles plus souples. Après s'être fait une fierté de livrer ses produits aussi vite que possible, il semble désormais moins obsédé par la réponse immédiate aux commandes. L'une des raisons invoquées était de diminuer la pression exercée sur le personnel. Sa société est-elle devenue la proie de rivaux plus rapides ? Bien au contraire, car le standard de qualité de ses produits s'est élevé, et le nombre de commandes ne faiblit pas. « Ralentir le rythme n'a pas les effets désastreux auxquels les gens s'attendent, dit Roger. On peut concrètement améliorer les choses. Cela ne veut pas dire que l'on ne peut plus mettre les gaz lorsque c'est nécessaire, mais nous ne sommes pas obligés de le faire en permanence. »

On ne devrait pas s'étonner de voir un homme d'affaires établir une connexion entre l'amour et le travail. Être « marié avec son travail » n'est pas sans conséquences sur nos relations intimes, mais le mal se propage également dans d'autres directions. D'après une étude américaine, les employés rencontrant des problèmes conjugaux s'absentent environ quinze jours ouvrables par an, coûtant chaque année aux entreprises près de sept milliards de dollars en perte de productivité. La solution mise en avant par la philosophie de la lenteur est aussi simple que séduisante : passer moins de temps à travailler et investir plus de temps dans sa sexualité.

CHAPITRE 8
TRAVAILLER MOINS DUR, VIVRE PLUS HEUREUX

Les ouvriers ne peuvent-ils donc comprendre qu'en se surmenant de travail, ils épuisent leurs forces et celles de leur progéniture; que, usés, ils arrivent avant l'âge à être incapables de tout travail; qu'absorbés, abrutis par un seul vice, ils ne sont plus des hommes, mais des tronçons d'hommes; qu'ils tuent en eux toutes les belles facultés pour ne laisser debout, et luxuriante, que la folie furibonde du travail.

Paul Lafargue, *Le Droit à la paresse* (1880)

Il y eut une époque, pas si lointaine, où l'humanité avait soif d'une nouvelle « ère du loisir ». Les machines promettaient de libérer chacun de la corvée du travail. Bien sûr, nous aurions toujours à travailler de temps en temps au bureau ou à l'usine, à vérifier des écrans, tripoter des cadrans ou signer des factures, mais nous passerions le reste de la journée à nous détendre et à prendre du bon temps. Avec tant de temps libre à disposition, des mots comme *empressement* et *hâte* finiraient, au bout du compte, par tomber en désuétude.

Benjamin Franklin fut l'un des premiers à imaginer un monde voué au repos et à la relaxation. Inspiré par les progrès techniques de la fin du XVIIIe siècle, il prédisait que l'homme ne travaillerait bientôt plus que quatre heures par semaine. Le XIXe siècle fit paraître cette prophétie stupidement naïve. Dans les fabriques sombres et infernales de la révolution industrielle, hommes, femmes et enfants trimèrent des quinze heures par jour. Puis, à la fin du XIXe siècle, l'ère des loisirs reparut dans le radar de la pensée. George Bernard Shaw s'aventura à dire que nous ne travaillerions plus que deux heures par jour en l'an 2000.

Ce rêve du loisir sans limites perdura tout au long du XXe siècle. Étourdi par la promesse magique de la technologie, l'homme de la rue rêva d'une vie passée au bord de la piscine, assisté par des robots qui non seulement lui prépareraient des Martini du tonnerre, mais contribueraient également à faire tourner l'économie. En 1956, Richard Nixon enjoignit les Américains à se préparer à la semaine de quatre jours « dans un futur pas si lointain ». Dix ans plus tard, un sous-comité du Sénat américain s'entendit annoncer qu'en l'an 2000 les citoyens de leur pays ne travailleraient plus que quatorze heures par semaine. Même dans les années 1990, certains prédirent que robots et ordinateurs allaient nous dégager tellement de temps libre que nous ne saurions qu'en faire.

Auraient-ils pu faire plus grossière erreur ? S'il y a une chose dont nous puissions être sûrs au XXIe siècle, c'est que les conclusions relatives à la mort du travail ont été largement exagérées. Aujourd'hui, l'ère du loisir nous semble aussi peu réaliste qu'un bureau entièrement informatisé. La plupart d'entre nous approchent plus de la journée de quatorze heures que de la semaine de quatorze heures. Le travail empiète sur notre temps de sommeil. Toutes les autres dimensions de notre vie – famille et amis, sexe et repos, passions et vacances – doivent se plier aux règles du tout-puissant emploi du temps professionnel.

Dans le monde industriel, le nombre moyen d'heures travaillées commença à décliner de façon constante à partir des années 1800, lorsque les semaines de six jours étaient la norme. Mais au cours des vingt dernières années, deux tendances rivales ont émergé.

Alors que les Américains travaillent davantage aujourd'hui que dans les années 1980, les Européens vivent la situation inverse. Selon certaines estimations, un Américain moyen travaille 350 heures de plus par an que son alter ego européen. En 1997, les États-Unis ont supplanté le Japon au titre du pays industrialisé comptabilisant le plus d'heures travaillées. Par comparaison, l'Europe ressemble à un paradis de fainéants. Mais le tableau reste à nuancer. Pour continuer à suivre le rythme rapide et constant d'une économie mondiale, beaucoup d'Européens ont appris à travailler plus, comme les Américains.

Derrière les statistiques moyennes se profile une dure vérité ; des millions de gens travaillent en fait plus longtemps et plus dur qu'ils ne le voudraient, en particulier dans les pays anglo-saxons. Un Canadien sur quatre abat plus de cinquante heures de travail par semaine, contre un sur dix en 1991. En 2002, un trentenaire anglais sur cinq travaillait au moins soixante heures par semaine – et cela sans compter les longues heures passées dans les transports.

Qu'a-t-il bien pu advenir de cette ère du loisir ? Pourquoi sommes-nous encore si nombreux à travailler autant ? L'appât du gain est l'une des explications. Tout le monde a besoin de gagner sa vie, mais l'avidité sans fin pour les biens de consommation nous pousse à accumuler encore et toujours plus d'argent. Alors au lieu de convertir les gains de productivité en une forme de temps libre en plus, nous les prenons en surcroît de revenus.

Parallèlement, la technologie a autorisé l'univers du travail à s'insinuer dans le moindre recoin de notre vie. À l'ère des super-autoroutes de l'information, il n'y a nulle part où échapper aux courriels, aux fax et aux appels téléphoniques. Une fois que l'on peut puiser de chez soi dans des bases de données professionnelles, accéder à Internet d'un avion ou prendre l'appel de son patron sur la plage, chacun est potentiellement corvéable à chaque instant. Je sais par expérience que travailler chez soi revient assez vite à travailler tout le temps. Dans une récente interview, Marylin Machlowitz, auteur de l'essai intitulé *Worka-*

holics (*Les Drogués du travail*, publié en 1980), déclarait qu'au XXIe siècle l'injonction de la disponibilité permanente était devenue universelle : « Les accros du travail étaient ceux qui travaillaient n'importe où n'importe quand. Ce qui a changé, c'est que la disponibilité 24 heures sur 24, 7 jours sur 7 est devenue la norme. »

La charge de travail est également beaucoup plus importante dans la plupart des emplois. Après des années de modernisation et de licenciements, les patrons des entreprises attendent désormais de leurs employés qu'ils prennent sur leurs épaules la charge de travail que leurs collègues largués sur la route ont laissée derrière eux. À l'usine comme au bureau, la peur du chômage pèse comme une épée de Damoclès ; aussi, nombreux sont ceux qui considèrent les longues journées de labeur comme le meilleur moyen de prouver leur valeur. Des millions d'entre nous se rendent au travail même s'ils sont trop fatigués ou trop malades pour être efficaces. Et des millions d'autres ne prennent jamais la totalité de leurs congés payés.

C'est de la folie pure. Si certains aiment travailler longtemps et devraient en avoir le droit, il n'est pas normal de s'attendre à ce que tout le monde leur emboîte le pas. L'excès de travail est mauvais pour nous comme pour l'économie. Une étude menée en 2002 à l'université de Kyushu à Fukuoka, au Japon, a révélé que les hommes travaillant soixante heures par semaine sont deux fois plus exposés au risque d'une crise cardiaque que ceux qui en font quarante. Le risque est triplé pour ceux qui, au moins deux fois par semaine, dorment moins de cinq heures par nuit.

Le stress sur le lieu de travail n'est pas entièrement négatif. À petites doses, il peut aider à la concentration et encourager la productivité. Mais son excès mène tout droit à la dépression nerveuse et à l'effondrement physique. Lors d'un récent sondage, plus de 15 % des Canadiens déclaraient que ce type de stress les avait menés au bord du suicide.

Les entreprises paient également un prix élevé pour imposer cette culture du travail à outrance. La productivité est notoirement difficile à mesurer, mais les théories autorisées s'accordent à dire que, au final, l'overdose de travail en fait drastiquement chuter le taux. C'est une question de bon sens : nous sommes moins productifs lorsque nous sommes stressés, fatigués, insatisfaits ou en mauvaise santé. Selon le Bureau international du travail, la productivité des travailleurs belges, français et norvégiens est supérieure à celle des Américains. Les Britanniques, qui passent plus de temps au travail que la plupart des Européens, disposent de l'un des taux horaires de productivité les plus bas du continent. « Travailler moins » signifie souvent « travailler mieux ».

Mais au-delà de ce grand débat sur la productivité se pose sans doute la question la plus importante : que faire de nos vies ? La plupart des gens s'accordent pour dire que le travail nous est bénéfique. Il peut être amusant et même gratifiant. Nous sommes nombreux à aimer notre travail – le défi intellectuel, l'investissement physique, la vie sociale et le statut qu'il nous procure. Mais il est déraisonnable de le laisser prendre le contrôle de nos vies. Il y a trop de choses importantes qui nous demandent du temps, comme les amis, la famille, les passe-temps et j'en passe...

Pour la philosophie de la lenteur, le lieu de travail est un enjeu de lutte majeur. Lorsque le travail engloutit tant d'heures, le temps imparti à tout le reste est littéralement étranglé. Les actes les plus simples – emmener les enfants à l'école, prendre son dîner, parler avec ses amis – deviennent une course contre la montre. L'un des plus sûrs moyens de ralentir la cadence est de travailler moins. Et c'est exactement ce que des millions de gens dans le monde cherchent à faire.

Partout et tout spécialement dans nos économies hyperactives, les enquêtes font apparaître le souhait de passer « moins de temps au boulot ». Dans une étude internationale récente menée par des économistes de l'université de Warwick et du collège de Dartmouth, 70 % des gens dans vingt-sept pays ont déclaré souhaiter un meilleur équilibre entre leurs vies personnelle et professionnelle. Aux États-Unis, l'addiction au travail est la cible d'un retour de balancier massif. Les grandes entreprises sont de plus en plus nombreuses, de Starbucks à Wal-Mart, à devoir faire face à des procès de leurs employés pour des heures supplémentaires qui n'auraient pas été payées. Les Américains se jettent sur les ouvrages expliquant comment une approche plus décontractée du travail et de la vie en général peut apporter le bonheur et le succès. Des titres récents en témoignent, parmi lesquels *The Lazy Way to Success* (*La Voie facile vers le succès*), *The Lazy Person's Guide to Success* (*Réussir en étant paresseux*) ou encore *The Importance of Being Lazy* (*De l'importance d'être cossard*). Le 24 octobre 2003, des militants pour la réduction des heures travaillées ont tenu leur première journée officielle sous le slogan « Regagnez votre temps » – cette date est celle à laquelle, selon les estimations, les Américains atteignent le quota annuel d'heures travaillées par les Européens.

Partout dans le monde industriel, des directeurs de ressources humaines rapportent que leurs plus jeunes candidats commencent à leur poser des questions impensables il y a dix ou quinze ans : « Pourrai-je quitter le bureau à une heure raisonnable le soir ? Est-il possible de troquer une part de salaire contre du temps libre ? Aurai-je le contrôle de mes heures de travail ? » Entretien après entretien, le message se fait entendre, clair et fort : « Nous voulons travailler, mais nous voulons aussi vivre. »

Les femmes sont particulièrement motivées par cet équilibre entre travail et vie privée. Les générations récentes ont grandi dans la conviction qu'il était de leur droit et de leur devoir de tout concilier : famille, carrière, maison et vie sociale enrichissante. Mais cet impératif ambitieux s'est révélé être, avec le temps, un calice empoisonné. Des millions de femmes se sont reconnues dans les portraits d'épouses lessivées de la collection américaine *The Bitch in the House* (*Une garce à la maison*) et dans *I Don't Know How She Does It* (*Je ne sais pas comment elle fait*), le best-seller d'Allison Pearson racontant la vie quotidienne d'une mère active se battant pour faire tourner son fonds d'investissement et sa maison. Lasses de jouer les Superwoman, les femmes sont en première ligne pour renégocier les règles sur le lieu de travail. Les attitudes changent. Dans les dîners mondains, les femmes de tête sont désormais tout aussi susceptibles de s'enorgueillir de la longueur de leur congé-maternité que de l'importance de leur prime. On peut même entendre des jeunes femmes ambitieuses et sans enfants parler de leur semaine de quatre jours.

Janice Turner, chroniqueuse au *Guardian*, a récemment observé que les chemins de la lenteur prenaient une saveur douce-amère pour les femmes modernes : « Comme il est cruel pour une génération de femmes éduquées à réussir et à utiliser chaque parcelle de leur temps à des activités choisies de découvrir que le bonheur ne consiste pas, après tout, à être la plus rapide ni la plus occupée. Quelle terrible ironie que le bonheur réside bien souvent dans les activités qui prennent du temps, comme lire une histoire à son enfant pour l'endormir en évitant de sauter les pages pour appeler New York. »

Partout, des politiciens en quête de nouvelles voies prennent en marche le train du temps partagé. En 2003, au Canada, le Parti québécois a proposé la semaine de quatre jours pour les parents de jeunes enfants. Que ces mesures puissent un jour rentrer dans les statuts reste à démontrer, mais nombre de politiciens et d'entreprises se disent favorables à leur application. Le seul fait qu'ils prennent la peine de se pencher sur la question révèle une profonde mutation culturelle.

Le changement est particulièrement manifeste au Japon, pays qui terrorisa le monde par son effrayante éthique de travail. Dix années de stagnation économique ont apporté l'insécurité de l'emploi, et avec elle une tout autre façon d'aborder le travail et le temps. Les jeunes Japonais sont de plus en plus nombreux à éviter les longues heures de travail au profit de leurs moments de loisir. « Pendant des années, les parents japonais ont crié à leurs enfants d'aller plus vite, de travailler plus vite et d'en faire plus – mais aujourd'hui les gens en ont assez, observe Keibo Oiwa, auteur d'un essai intitulé *Slow is Beautiful* (*La Beauté de la lenteur*). La nouvelle génération a pris conscience que l'on n'est pas obligé de travailler des heures et des heures et qu'aller lentement n'est pas une faute. » Au lieu de devenir un simple rouage de l'entreprise – un *salaryman* –, beaucoup de jeunes Japonais préfèrent passer d'un job à un autre. Les experts parlent de génération *Fureeta*, un néologisme composé de l'anglais *free* (« libre ») et de l'allemand *arbeiter* (« travailleur »).

Voyez plutôt Nobuhito Abe, un jeune diplômé de Tokyo de vingt-quatre ans. Alors que son père trime jusqu'à 70 heures par semaine dans une banque, lui travaille à temps partiel dans une épicerie et passe le reste de sa journée à jouer au base-ball, à des jeux vidéo ou à traîner en ville. Souriant sous sa crinière passée au henné, il m'apprend qu'une vie vouée au travail n'est pas pour lui, ni pour ses amis. « Ma génération est en train de réaliser ce que les Européens ont compris il y a déjà longtemps – que c'est une folie de laisser le travail prendre le pas sur votre vie. Nous voulons avoir la maîtrise de notre temps. Nous voulons être libres de ne pas nous presser. » Le modèle *Fureeta* est difficilement reproductible dans le futur – beaucoup financent leur style de vie sur le dos de parents travailleurs –, mais ce refus d'épouser à leur tour cette folie furieuse de travail dénote un changement de culture. Même la bureaucratie change de tactique. Le Japon a encore beaucoup de chemin à faire, mais la tendance a commencé à prendre.

L'Europe continentale est allée beaucoup plus loin dans la réduction du temps de travail. Les Allemands, par exemple, l'ont vu diminuer de 15 % en moyenne par rapport à 1980. Les économistes sont nombreux à réfuter la thèse selon laquelle la réduction du temps de travail créerait des emplois « collatéraux », mais chacun s'accorde à penser que ces coupes claires génèrent du temps pour les loisirs, auxquels les Européens restent traditionnellement attachés. En 1993, l'Union européenne a limité la durée maximum de travail hebdomadaire à 48 heures, avec la possibilité laissée aux salariés de travailler davantage s'ils le souhaitent. À la fin de la décennie, la France est allée encore plus loin en réduisant à 35 heures cette durée hebdomadaire – remettant clairement à sa place l'activité professionnelle.

En théorie, la loi française stipule que personne ne devrait travailler au-delà de 1 600 heures par an. Mais en pratique, avec la négociation des trente-cinq heures au niveau des entreprises, l'impact est variable sur le terrain. Beaucoup de Français ont des journées de travail plus courtes tout au long de l'année, tandis que d'autres travaillent autant, voire plus, mais récupèrent grâce à des jours de congé supplémentaires. En moyenne, un cadre français peut espérer avoir jusqu'à neuf semaines de congés annuels. Bien que certaines professions – cadres, dirigeants, médecins, journalistes ou militaires – ne soient pas concernées par cette mesure, il en résulte globalement une révolution du temps libre.

Pour beaucoup de Français, les fins de semaine démarrent à présent le jeudi soir ou se prolongent jusqu'au lundi soir. Pour d'autres, les journées sont plus courtes. Quand certains passent ce surplus de temps libre à se détendre – en dormant ou en regardant la télévision –, beaucoup d'autres ont élargi leur horizon. La pratique d'activités culturelles du type arts plastiques, musique ou cours de langues a grimpé en flèche. Les voyagistes enregistrent une forte demande sur les destinations proches telles que Londres, Barcelone et autres villes européennes à la mode. Bars et bistros, cinémas et clubs de sport sont bondés. Cette brusque hausse du temps des loisirs a donné un sacré coup de fouet à l'économie. Mais au-delà des réalités économiques, la réduction du temps de travail a révolutionné la vie des gens. Les parents passent plus de temps à jouer avec leurs enfants, les amis se voient plus souvent, les couples profitent davantage l'un de l'autre.

Les fans de ce nouveau régime ne sont pas difficiles à trouver. Prenez Émilie Guimard. Cette économiste parisienne profite désormais chaque mois de deux week-ends de trois jours, en plus de ses six semaines de congés payés annuels. Elle prend des cours de tennis et a le temps de lire l'édition du *Monde* du samedi de la première à la dernière page. Elle passe plusieurs de ses longs week-ends à visiter les musées d'Europe. « J'ai désormais du temps pour des activités qui enrichissent ma vie – ce qui est bon pour moi comme pour mes employeurs, dit-elle. Lorsque vous êtes heureux et détendu dans votre vie personnelle, vous travaillez mieux. Au bureau, la plupart d'entre nous estiment que nous sommes plus efficaces au travail que nous ne l'étions auparavant. »

Beaucoup de grosses entreprises ont appris à aimer les 35 heures. Outre les réductions fiscales obtenues pour embaucher plus de salariés, ce nouveau régime les a autorisées à négocier des horaires plus flexibles. Le personnel de grandes entreprises comme Renault ou Peugeot a accepté de travailler plus ou moins longtemps en fonction des pics ou des creux de production.

Ainsi les Cassandre qui prédisaient que les 35 heures allaient instantanément mettre à bas l'économie française ont-elles été démenties. Le produit intérieur brut national a augmenté et le chômage, bien que supérieur à la moyenne européenne, a baissé. La productivité aussi reste élevée. Les faits suggèrent que beaucoup de salariés français sont plus productifs aujourd'hui. En passant moins d'heures au travail et avec plus de temps libre en perspective, ils font plus d'efforts pour terminer leur tâche avant de pointer à la sortie.

Mais ce tableau idyllique n'est pas exempt de vices cachés – et non des moindres. Les petites entreprises vivent cette mesure comme un fardeau et beaucoup ont renoncé à la mettre en place avant la date limite d'entrée en vigueur, à l'horizon 2005. La compensation des exonérations fiscales qui sous-tendent le système a créé un trou dans les finances publiques. Parallèlement, les chefs d'entreprise se plaignent que cette révolution du loisir ait rendu la France moins compétitive. Il y a du vrai là-dedans. Le flux des investissements étrangers sur le sol français a faibli ces dernières années, certaines sociétés choisissent d'investir dans des pays où le travail coûte moins cher. La semaine de 35 heures n'y est pas pour rien. L'expérience française met en effet en évidence le danger qu'il y a à prendre une position unilatéralement défavorable à la culture du travail à outrance dans une économie mondialisée.

De même, tous les travailleurs n'ont pas forcément vécu ce nouveau régime comme une bénédiction. Beaucoup ont vu leur salaire baisser en compensation des coûts de production plus élevés. Dans le privé comme dans le public, les employeurs n'ont souvent pas embauché de nouveaux venus, laissant au personnel existant la responsabilité d'accomplir les mêmes tâches en moins de temps. Les ouvriers, en particulier, ont pris la réforme de plein fouet. La restriction des heures supplémentaires a réduit leurs revenus, et beaucoup ne maîtrisent plus la gestion de leur temps libre. Pour les salariés qui souhaiteraient travailler davantage, cette réforme est une abomination.

Le système a ses défauts, et tout le monde le sait. En 2002, le nouveau gouvernement de droite a commencé à le remettre en question en assouplissant les restrictions légales pesant sur les heures supplémentaires. À la faveur d'un sondage significatif réalisé en septembre 2003, une faible majorité de citoyens français souhaitait un retour au régime des 39 heures : 36 % d'entre eux voulaient un retour définitif et 18 % optaient pour un retour temporaire. Mais bien que les critiques affirment que la réforme est sur le point d'être abolie, son abrogation totale ne sera pas chose facile. Après avoir investi des années et des sommes conséquentes dans la mise en place des 35 heures, les dirigeants des entreprises sont réticents à rouvrir les négociations complexes et houleuses qui y ont mené. Qui plus est, le soutien en faveur de l'idéologie qui sous-tend le système – moins de travail, plus de loisir – reste fort.

La leçon qu'en retirent les autres pays, en particulier ceux bénéficiant d'une culture moins *dirigiste*, est qu'une approche unique de la réduction du temps de travail comporte de sérieuses faiblesses – ce qui explique pourquoi la bataille pour y parvenir prend des formes très diverses.

D'autres pays européens ont choisi la négociation collective pour réduire les heures travaillées dans chaque secteur particulier de l'économie. Les Pays-Bas sont souvent présentés comme un modèle de ce type d'approche sectoriel. Aujourd'hui, les Hollandais travaillent moins longtemps que la plupart des nations industrialisées. La durée de leur semaine de travail est tombée à 38 heures, puis à 36 heures en 2002 pour la moitié de la population active. Un tiers des salariés hollandais est désormais à temps partiel. L'élément crucial de ce changement est une législation passée dans les années 1990 qui a donné aux gens le droit de contraindre leurs employeurs à les laisser travailler moins en contrepartie d'une baisse de salaire. De tels arrangements sur le marché du travail ont fait frémir les économistes les plus orthodoxes. Mais cela a marché : les Pays-Bas combinent la prospérité avec une qualité de vie enviable. Les Hollandais passent ainsi moins de temps que les Américains dans les transports, dans les magasins et devant leur télévision, et en investissent plus dans leur vie sociale – à étudier, à s'occuper des enfants, à pratiquer un sport ou un passe-temps. D'autres pays, notamment le Japon, ont commencé à s'intéresser au « modèle hollandais ».

Même lorsque les législateurs rechignent à intervenir, les gens prennent personnellement position contre la loi du « travail permanent ». En 2002, Suma Chakrabarti, l'un des plus brillants hauts fonctionnaires britanniques, a accepté son dernier poste de secrétaire permanent au Département du développement international étant entendu qu'il travaillerait 40 heures par semaine et pas une seconde de plus. Pour quelles raisons ? Pour pouvoir, chaque matin, prendre le petit déjeuner avec sa fille de six ans et lui lire une histoire le soir avant qu'elle ne s'endorme. De l'autre côté de l'Atlantique, le président Bush se permet parfois d'écourter sa journée de travail sans éprouver le besoin de se justifier – de même pour ses week-ends décontractés. Et quand un professionnel ambitieux et connu des médias accepte de débrayer, on trouve des millions de gens ordinaires pour faire de même. Bien que « travailler moins » signifie bien souvent « gagner moins », nous sommes de plus en plus nombreux à penser que le jeu en vaut la chandelle. Une récente enquête britannique révélait que deux fois plus de gens préféraient travailler moins que de gagner au Loto. Selon une étude similaire menée aux États-Unis, il y aurait également deux fois plus de candidats pour deux semaines de vacances supplémentaires que pour deux semaines de salaire en plus. Dans toute l'Europe, le travail à temps partiel a répandu les stigmates du « McJob » (l'idéologie du « petit boulot ») jusqu'à devenir une tendance de plus en plus populaire. En 1999, une autre enquête a montré que 77 % des salariés à temps partiel de l'Union européenne avaient choisi de travailler moins dans le but de réserver du temps à leur famille, aux loisirs et au repos.

Au sommet de la chaîne alimentaire de l'entreprise, de plus en plus de dirigeants choisissent de travailler à leur compte ou comme salariés indépendants. Ils peuvent ainsi trimer dur quand ils le décident et conserver du temps pour recharger les batteries, profiter de leurs loisirs et être avec leur famille. Beaucoup sont des transfuges du « boom » de la Net-économie. Dan Kemp a passé trois ans à travailler 90 heures par semaine comme chef de projets dans une entreprise de la Silicon Valley. Son rythme de travail infernal a mis une telle pression sur son couple que sa femme l'a menacé de le quitter en emmenant avec elle leurs jumelles. Lorsque sa société a périclité en 2001 et que Kemp s'est retrouvé sur le marché du travail, il a décidé de réduire son activité. Il travaille à présent quatre jours par semaine en conseillant les entreprises dans la gestion de leur système informatique. Son salaire reste confortable, et il a désormais du temps pour sa famille et pour le golf. Il n'a rencontré jusqu'ici aucun signe de désapprobation ni de dédain chez ses collègues à plein temps. « Ils envieraient presque mon style de vie », dit-il.

Au rythme où vont les choses, les gens qui réduisent leur temps de travail n'en retirent souvent qu'un faible désavantage pécuniaire. Simplement parce que le fait de passer moins de temps au travail signifie réduire les dépenses attachées au travail lui-même : transports, parking, déjeuners, cafés, courses à l'épicerie du coin, garde des enfants, teinturier, achats compulsifs... Un revenu plus modeste se traduit aussi par une baisse des impôts sur le revenu. Selon une étude canadienne, certains salariés ayant choisi une baisse de salaire en contrepartie d'une réduction du temps de travail se retrouvaient même avec plus d'argent sur leur compte à la fin du mois.

Sensibles à cette tendance, les entreprises du monde industrialisé ont commencé à proposer à leur personnel la possibilité de se soustraire à l'engrenage du travail à outrance, y compris dans les secteurs les plus sensibles et les plus impitoyables, où l'on reconnaît qu'un des moyens de doper la productivité et les profits est de procurer aux salariés un meilleur équilibre entre travail et vie personnelle. À la SAS, une société leader dans la conception de logiciels informatiques basée à Cary, en Caroline du Nord, les employés ont des semaines de 35 heures lorsque leur charge de travail le permet et bénéficient de généreux congés. L'entreprise propose aussi des équipements intégrés incluant une crèche d'entreprise, un centre de soins, une cafétéria avec pianiste et un club de gym, et encourage le personnel à en profiter. La SAS est régulièrement élue au rang des sociétés proposant les meilleures conditions de travail aux États-Unis.

Un peu plus au nord, la Banque royale du Canada (RBC) recueille également des applaudissements pour une politique respectueuse de la vie personnelle de ses employés. Quel que soit le jour de l'année, jusqu'à 40 % d'entre eux peuvent profiter d'un programme de régulation du temps de travail : partage d'un poste, flexibilité, réduction des heures ouvrées. Au siège social, un flamboyant gratte-ciel situé au centre de Toronto, je fais la connaissance de Karen Domaratzki et de Susan Lieberman, un duo de quarantenaires brillantes et énergiques ayant rapidement évolué dans la hiérarchie depuis qu'elles ont commencé à partager un poste en 1997. En 2002, le tandem était directeur adjoint de la division des ventes de services bancaires à l'étranger. Nous nous rencontrons un mercredi, seul jour de la semaine où leurs activités se chevauchent. Leur bureau commun est accueillant, une forêt de photos de famille orne leurs deux étagères, des dessins d'enfants sont accrochés aux murs.

Les deux femmes affichent un parcours similaire. Après leur MBA, elles ont commencé à grimper les échelons à coups de semaines de 60 heures sans ciller. Mais une fois leurs enfants apparus (elles en ont chacune trois), leur vie s'est mise à ressembler à une interminable et frustrante course d'obstacles. Elles décidèrent donc de se partager un poste, chacune s'acquittant de trois jours de présence par semaine.

Les 40 % de salaire en moins se sont révélés moins dommageables que prévu. Évidemment, les salaires élevés de leurs maris y sont pour quelque chose, mais le temps dégagé par leur décision s'est révélé inestimable. Toutes deux passent plus de temps avec leurs enfants, et leur vie familiale est plus détendue et enrichissante. Le fils de Susan Lieberman, âgé de six ans, a récemment insisté auprès de son père pour qu'il commence lui aussi à partager son poste. Les deux banquières se sentent plus en phase avec leurs environnements respectifs. Elles ont désormais le temps de bavarder avec leurs voisins et leurs commerçants, de s'impliquer dans les activités scolaires et le bénévolat. Et elles ont de nouveau le temps de faire la cuisine. « Avant de partager notre poste, nos repas étaient assez mauvais », se souvient Karen Domaratzki avec une grimace de dégoût.

L'une et l'autre trouvent que leur relation au temps dans son ensemble a pris une tournure plus saine. La pulsion d'aller plus vite a disparu ou, du moins, s'est estompée. « Lorsque vous avez plus de temps libre pour ralentir et vous recharger, vous ne prenez plus les choses aussi intensément, observe Susan Lieberman. C'est votre niveau émotionnel tout entier qui évolue, et vous devenez plus calme d'une manière générale. »

Pour la banque, cette détente se traduit par une meilleure productivité et un développement de pensée lente. « Lorsque j'arrive au bureau le mercredi, je suis fraîche. Toute l'organisation domestique est sous contrôle – la maison est propre, le marché est fait, le linge est prêt, les enfants sont contents, explique Karen Domaratzki. Et durant mes jours libres, je ne me contente pas de me reposer et de me régénérer, je réfléchis. Le travail se poursuit quelque part dans ma tête, et souvent, grâce à cela, je prends de meilleures décisions, plus réfléchies, lorsque je me retrouve au bureau. On n'est plus obligé de réagir tout le temps sur-le-champ. » En 2000, la RBC a commencé à proposer des aménagements du temps de travail aux 11 000 nouvelles recrues embauchées à l'occasion de son expansion aux États-Unis.

La réduction formelle du temps de travail n'est pas le seul chemin vers une amélioration de la vie personnelle et professionnelle. Il suffit parfois de purger une culture d'entreprise de l'idée qu'en travaillant plus longtemps on travaille forcément mieux. C'est ce qu'a fait la société Marriott : en 2000, la chaîne hôtelière a constaté que ses dirigeants travaillaient toujours tard, simplement parce qu'ils pensaient que c'était ce que l'on attendait d'eux. Résultat : un moral en berne et de l'épuisement.

Pour combattre la culture du « présentéisme », Marriott lança un projet pilote dans trois hôtels du nord-est des États-Unis. Le personnel fut informé qu'il était permis de quitter le bureau quand le travail était fait, et ce quelle que soit l'heure. Montrant l'exemple, les responsables commencèrent à quitter ouvertement leur bureau à 17 heures, voire plus tôt. Au bout de trois mois, il était clair qu'une révolution culturelle était à l'œuvre. Les personnes qui partaient tôt, qui prenaient leur temps libre au milieu de la journée pour des raisons personnelles n'avaient plus à s'exposer à des plaisanteries et autres attitudes de désapprobation. Au contraire, les gens commencèrent à s'intéresser aux activités extra-professionnelles de leurs collègues. En moyenne, les dirigeants de Marriott travaillent cinq heures de moins par semaine et sont plus productifs. Le fait de ne pas avoir à rester plus longtemps au bureau pour le principe augmente leur motivation pour être efficaces et diligents. Bill Munck, le directeur de Marriott qui a supervisé cette réforme, en tire une conclusion qui devrait être affichée partout dans les bureaux et les usines : « L'une des choses les plus importantes que nous ayons apprises [...] est que les gens peuvent être tout aussi productifs – voire parfois davantage – lorsqu'ils travaillent moins longtemps. »

Cependant, les tentatives de contrecarrer une culture rigide du travail rencontrent de sérieux obstacles. Un P-DG peut concocter le programme le plus évolué qui soit en la matière, si les directeurs placés plus bas dans la hiérarchie sont réticents, cela ne marchera pas. Une société américaine a récemment mis en place tout un programme d'ajustement du temps de travail, avec le soutien absolu de ses dirigeants. Au bout d'un an, pourtant, le niveau des adhésions restait inférieur aux attentes. Une enquête révéla bientôt que de nombreux chefs de division avaient averti leurs subordonnés qu'une participation au programme pouvait compromettre leurs chances de promotion. « Beaucoup de gens restent très sceptiques sur l'assouplissement du temps de travail, rapporte un directeur des ressources humaines de cette entreprise. Changer les règles n'est qu'un début, il faut également changer les mentalités. »

Bien souvent, l'obstacle au maintien d'un équilibre entre vie et travail est interne. La plupart du temps, beaucoup d'hommes posent un regard sceptique sur ces mesures, et ce sont les femmes avec enfants qui utilisent en majorité le système. John Atkins, directeur des ventes dans un grand magasin de Londres, vient juste de devenir père. Il adorerait pouvoir travailler moins, mais il ne peut se résoudre à s'inscrire au programme : « Chaque fois que j'y pense, une petite voix dans le fond de ma tête me dit : "Si tu ne supportes pas la chaleur, sors de la cuisine." »

Un autre frein à la réduction du temps de travail est que chacun est différent. Il sera plus facile à un célibataire de trente-cinq ans de faire de longues journées qu'à une femme du même âge avec quatre enfants. Il se peut même que le célibataire *veuille* passer plus de temps au travail. Les entreprises ont besoin de trouver la formule qui leur permette de récompenser ceux qui travaillent plus sans pénaliser ceux qui travaillent moins. Ils doivent aussi gérer le ressentiment qui peut surgir entre collègues. Les salariés sans enfants vivent souvent mal les concessions accordées à ceux qui en ont ; ainsi les différents services des sociétés ne peuvent-ils pas toujours offrir les mêmes conditions d'aménagement, et cela cause des conflits. À la Banque royale du Canada, la division des marchés de capitaux offre moins de flexibilité horaire tout simplement parce que le personnel doit rester disponible pendant les heures d'ouverture du marché boursier.

Pour de nombreuses entreprises, les bénéfices à long terme de ces politiques sociales, tels qu'une productivité plus élevée et le maintien en nombre du personnel, peuvent être freinés par l'obligation de maintenir des coûts bas à court terme. La logique de bénéfice considère souvent comme plus rentable de pousser au maximum une minorité de salariés plutôt que d'en embaucher de nouveaux. La compétition pousse également beaucoup de patrons à placer le travail avant la vie privée. Un entrepreneur anglais le résume en toute franchise : « Nous sommes dans un environnement professionnel sans merci, et si nos concurrents obtiennent de leurs employés des semaines de 70 heures, nous devons atteindre au minimum le même rendement pour rester dans la course. » La législation est peut-être la seule façon de juguler cette « course aux armements » du temps de travail.

Par ailleurs, travailler moins ne représente qu'un aspect du projet Slow. Les gens veulent également décider *du moment* où ils vont travailler ; ils veulent garder le contrôle de leur temps personnel – et les sociétés qui leur accordent ce choix en recueillent les bénéfices. Dans notre culture où le temps se comptabilise en argent, accorder aux salariés de dominer le temps est contre-nature. Depuis le tout début de la révolution industrielle, la norme a été de rémunérer les gens pour le temps passé au travail plus que pour ce qu'ils produisaient. Mais à l'ère d'une économie de l'information, où la frontière entre travail et loisir est bien plus floue qu'elle ne l'était au XIXe siècle, les emplois du temps rigides sont dépassés. Nombre d'activités professionnelles reposent aujourd'hui sur cette pensée créative qui émerge rarement dans le cadre du bureau et ne peut être casée dans des plannings déterminés. Laisser aux gens la liberté de définir leurs propres horaires et les juger sur la base de ce qu'ils produisent plutôt qu'aux heures passées à le produire peut apporter cette flexibilité à laquelle aspirent tant d'entre nous.

Les études montrent que, lorsque l'on a la sensation de maîtriser son temps, on est plus détendu, plus créatif et plus productif. En 2000, une entreprise britannique spécialisée dans l'énergie a embauché des consultants en management pour rationaliser la rotation des équipes de son centre d'appel. Presque du jour au lendemain, la productivité amorça une chute, les plaintes de consommateurs explosèrent et le personnel commença à démissionner. En leur refusant la voix au chapitre, le nouveau régime avait cassé le moral des employés. Comprenant leur erreur, les dirigeants leur redonnèrent rapidement le contrôle de leurs rotations, et le centre d'appel devint bientôt plus productif que jamais. Beaucoup des salariés remarquèrent que le fait de se voir accorder « l'autonomie de leur temps » leur donnait l'impression d'être moins pressés et nerveux, que ce soit sur place ou en dehors du lieu de travail. Mme Domaratzki le constate dans sa banque : « Lorsque vous contrôlez votre emploi du temps, vous abordez toutes vos tâches plus calmement. »

Je peux attester cette vérité, par expérience. En 1998, après des années de travail indépendant, j'ai rejoint la rédaction d'un journal canadien en tant que correspondant à Londres. En un instant, je perdis le contrôle de mon temps. Parce que je n'avais pas d'horaires de travail établis, j'étais en théorie disponible 24 heures sur 24, et 7 jours sur 7. Même si mes rédacteurs en chef n'appelaient pas, il y avait toujours une chance qu'ils le fassent. Le décalage horaire faisait que mes ordres de mission tombaient toujours l'après-midi, me laissant à peine quelques heures avant de mettre mon fils au lit. Ce qui m'entraînait dans une course folle au bouclage, où je lisais des contes pour enfants avec du travail par-dessus la tête. C'était pathétique. À l'époque, j'avais trouvé d'autres raisons pour expliquer pourquoi un travail que j'adorais était devenu un tel boulet. Mon rédacteur en chef était étroit d'esprit. L'angle adopté par le journal pour traiter l'actualité n'était pas le bon. Les journées étaient trop longues. Lorsque je commençais à enquêter sur la philosophie de la lenteur, cependant, il m'apparut clairement que le fond du problème était que j'avais perdu le pouvoir de décider *quand* travailler. Alors pourquoi y suis-je resté attaché pendant trois ans ? Mes raisons étaient identiques à celles qui nous empêchent de quitter un travail qui ne nous satisfait pas : la peur de perdre un bon salaire, de mettre en péril sa carrière, de décevoir les autres. En fin de compte, je pris la décision d'arrêter. Lorsque le journal annonça des licenciements massifs, j'étais sur la liste – et je tombai des nues.

Les choses vont beaucoup mieux à présent. Je travaille toujours autant, parfois même plus, mais ma relation au temps est plus saine. Maintenant que je contrôle mon emploi du temps, ma journée de travail se déroule dans un moindre sentiment de stress et de rancœur. Et lorsque je ne suis pas à mon bureau, que ce soit pour lire une histoire à mon fils ou pour préparer le dîner, je suis moins enclin à couper court. Bien sûr, mes revenus ont baissé, mais ce n'est pas cher payé pour pouvoir apprécier à nouveau mon travail – et ma vie. Mon seul regret est de ne pas m'être remis plus tôt au régime indépendant.

Il va sans dire que le fait d'accorder aux salariés le contrôle de leur temps de travail va provoquer un séisme dans les mentalités. Mais lorsqu'il est réalisable, ce changement peut et devrait avoir lieu. Si l'on s'en sert avec le bon état d'esprit, les technologies de l'information devraient nous y aider. Au lieu de faire appel à des gadgets, ordinateurs portables et autres téléphones mobiles pour rallonger la journée de travail, nous pouvons nous en servir pour l'aménager différemment. De nombreuses entreprises sont déjà en train de céder plus d'autonomie à leurs salariés. En Grande-Bretagne, par exemple, British Telecom, Bayer et Lloyds TSB les autorisent à présent à personnaliser leur planning : en travaillant chez eux ou en fréquentant le bureau à des heures qui leur conviennent mieux. Bien que cette pratique soit naturellement plus adaptée aux emplois de bureau, elle commence à faire son chemin à l'usine. En Suisse, un fabricant de montres a réaménagé la production de manière à permettre aux ouvriers d'une même équipe de varier de deux à trois heures le début et la fin de leur rotation. Dans le Gloucestershire, une usine de Nylon laisse au personnel le choix de fixer ses horaires, du moment qu'il reste au moins deux employés au travail, quelle que soit l'heure.

Les bénéfices de la réduction et de l'aménagement des horaires sont assez évidents, mais il nous faut aussi considérer les raisons pour lesquelles il est parfois logique de travailler à un rythme moins soutenu. Sur nos lieux de travail modernes gouvernés par l'éthique du « juste à temps », la vitesse semble reine. Courriels et téléphones portables exigent de nous une réponse immédiate, et les délais nous guettent au tournant. En 2001, une étude menée par la Fondation européenne pour l'amélioration de la vie et des conditions de travail a montré que les travailleurs de l'Union subissaient une pression bien plus importante qu'au cours de la décennie précédente. Un tiers d'entre eux passe à présent le plus clair de son temps à tenter de respecter les délais. Bien entendu, la vitesse a toute sa place au travail. Un délai imposé peut développer notre concentration et nous motiver pour accomplir de remarquables prouesses. Le problème est que nous sommes nombreux à rester en permanence assujettis à ce mode de fonctionnement – ce qui laisse peu de temps pour se détendre et recharger les batteries. Les tâches qui demandent du temps – le planning stratégique, la pensée créative, la mise en place d'une relation – se perdent dans cette course folle pour se maintenir au niveau ou, plus simplement, pour avoir l'air occupé.

Erwin Heller, membre de la Société pour la décélération du temps, goûte l'avantage de travailler plus calmement à son cabinet juridique de Munich. Comme beaucoup d'avocats, il avait coutume, avec ses clients, de se précipiter dans un recueil accéléré des informations – dix minutes pour comprendre l'essentiel de l'affaire puis organiser tout de suite la riposte. Il a fini par remarquer qu'il devait toujours rappeler ses clients et qu'il s'engageait souvent dans la mauvaise direction – ce qui l'obligeait à revenir sur ses pas. « La plupart des gens rencontrent un avocat avec des buts dont ils l'informent, comme récupérer de l'argent, et d'autres qu'ils gardent pour eux, tels qu'obtenir gain de cause ou prendre une revanche, dit-il. Il faut du temps pour mettre au jour les vœux cachés qui motivent une personne, mais vous devez les identifier si vous voulez bien faire votre travail. » Aujourd'hui, ses premiers rendez-vous ne durent pas moins de deux heures, durant lesquelles il se fait une idée approfondie de la personnalité de son client, des circonstances, de ses valeurs, de ses buts et de ses peurs. En conséquence, Erwin Heller, un homme vif de cinquante-six ans au sourire malicieux, travaille plus efficacement et voit ses affaires prospérer. « Mes clients me disent toujours qu'avec les autres avocats ils ont cinq minutes pour expliquer le problème et remettre les papiers, avant de se retrouver dehors. Bien que cela paraisse très long et démodé, l'écoute reste la meilleure des politiques. La pire chose est de se précipiter dans l'action. »

De nombreuses entreprises essaient désormais d'atteindre un équilibre entre les modes de fonctionnement rapide et lent – ce qui les amène souvent à reconnaître les limites de la technologie. Les courriels, aussi rapides qu'ils soient, ne peuvent capter l'ironie, la nuance ou le langage corporel et entraînent parfois erreurs et incompréhensions. Des méthodes de communication plus lentes – se déplacer d'un bureau à l'autre et aller concrètement échanger avec une personne de visu, par exemple – peuvent économiser du temps et de l'argent et construire à long terme un esprit de corps. C'est la raison pour laquelle certaines sociétés ont commencé à demander à leurs employés de bien réfléchir avant d'envoyer un message. En 2001, Nestlé Rowntree fut la première entreprise britannique à instaurer le « vendredi sans courriels ». Un an plus tard, British Airways fit diffuser une série de spots télévisés chantant les louanges de la lenteur. L'un d'eux campait un groupe d'hommes d'affaires persuadés qu'ils avaient obtenu la commande d'une entreprise américaine en lui faxant leur proposition. Leurs concurrents leur soufflaient l'affaire sous le nez en prenant l'avion jusqu'à elle pour conclure l'accord face à face.

Les entreprises font également des efforts pour alléger la disponibilité permanente de leurs recrues. Le cabinet d'audit Ernst & Young a récemment averti son personnel américain qu'il était permis de ne pas consulter sa messagerie et son répondeur au cours du week-end. Dans la même veine, les cadres surmenés n'hésitent plus à commettre le crime d'éteindre leur portable en dehors du bureau. Jill Hancock, une fonceuse travaillant pour une banque d'investissements, avait coutume d'emmener partout avec elle son Nokia chromé dernier cri et prenait même des appels en vacances ou au beau milieu d'un dîner romantique.

Elle en a payé le prix en dépression et fatigue chronique. Lorsqu'une psychologue a diagnostiqué chez elle une dépendance au téléphone portable et l'a pressée de l'éteindre de temps en temps, Jill Hancock était horrifiée. Mais au bout du compte, elle tenta l'expérience en commençant par le faire pendant ses déjeuners, puis au cours de la soirée et du week-end, lorsque la probabilité d'un appel urgent était faible. En deux mois, elle avait arrêté les antidépresseurs, sa peau avait repris de l'éclat et elle accomplissait plus de tâches en moins de temps. À la banque, ses collègues se firent à l'idée qu'elle n'était plus joignable 24 heures sur 24. Quelques-uns, depuis, ont même suivi son exemple. « Je ne l'avais pas compris à l'époque, mais le fait d'être toujours disponible, toujours en veille me minait littéralement, dit-elle. Nous avons tous besoin de temps pour nous. » Cette remise au pas a également motivé la jeune femme pour laisser plus de place à d'autres quêtes de lenteur, dans différents aspects de sa vie. Elle a commencé le yoga et se prépare à présent un vrai dîner, au lieu d'un plat au micro-ondes, au moins deux soirs par semaine.

Pour éviter le surmenage et promouvoir la pensée créative, des gourous d'entreprise, des thérapeutes et des psychologues recommandent de plus en plus des ruptures de rythme au bureau. Dans un best-seller paru en 2002, *How to Succeed in Business Without Working So Damn Hard* (*Comment réussir en affaires sans y laisser sa peau*), Robert Kriegel suggérait de prendre des pauses de quinze à vingt minutes pendant la journée. Le docteur Donald Hensrud, directeur du programme de remise en forme des cadres à la clinique Mayo, le recommande lui aussi : « Essayez de fermer la porte de votre bureau et de fermer les yeux pendant quinze minutes. Appuyez-vous au dossier de votre chaise et respirez profondément. »

Même dans les industries où la pression et le rythme de travail sont élevés, les dirigeants se résolvent à aider leur personnel à décompresser. Certains d'entre eux lui accordent des congés sabbatiques dans l'espoir qu'une longue période à l'écart du bureau saura le rafraîchir et stimuler ses énergies créatives. D'autres leur proposent des cours de yoga sur place, de l'aromathérapie et des massages, ou encouragent les salariés à déjeuner à l'extérieur plutôt que devant leur bureau. D'autres encore ont installé des salles de détente ; à Tokyo, au siège d'Oracle, un géant du logiciel, le personnel a accès à une salle de méditation insonorisée dotée d'un sol en bois et bordée de galets aux formes arrondies et d'objets d'art oriental. L'éclairage est doux, un parfum d'encens flotte dans l'air. Il suffit d'appuyer sur un bouton pour entendre le murmure apaisant d'un ruisseau.

Takeshi Sato est un grand habitué du « sanctuaire » du huitième étage. En tant que directeur général du siège, il travaille 12 heures par jour, jongle avec les courriels, les réunions, les coups de téléphone et les rapports budgétaires. Lorsque le rythme se fait trop frénétique, il délaisse son bureau pour passer dix minutes dans la salle de méditation. « À certains moments de la journée, je ressens soudain le besoin de ralentir le rythme, de me détendre, de laisser mon esprit redevenir calme et tranquille, me dit-il. On pourra penser que ces dix minutes sont du temps perdu, mais je les vois comme un bon investissement. Il est très important, pour bien exécuter sa tâche, d'être capable de se déconnecter et de se reconnecter, en passant de la vitesse à la lenteur. Après un tour dans la salle de méditation, mon esprit est plus vif et plus calme, et cela m'aide à prendre les bonnes décisions. »

D'autres personnes poussent la décélération à sa conclusion ultime, en se laissant aller à un petit somme au cours de la journée. Bien que dormir au travail demeure le dernier tabou, la recherche a montré qu'un petit « somme récupérateur » (la durée idéale étant d'environ vingt minutes) peut stimuler l'énergie et la productivité. Une récente étude de la NASA a mis en évidence qu'une sieste de vingt-quatre minutes faisait merveille sur la vigilance et la performance des pilotes. Beaucoup des personnages les plus puissants et les plus talentueux de l'Histoire étaient de grands adeptes de la sieste : John F. Kennedy, Thomas Edison, Napoléon Bonaparte, John D. Rockefeller ou encore Johannes Brahms. Winston Churchill défendit cette idée de la façon la plus éloquente : « Ne croyez pas que vous travaillerez moins parce que vous faites un somme durant la journée. C'est là une idée stupide émanant de gens sans imagination. Vous serez capable d'en accomplir encore plus. Vous bénéficierez de deux journées en une – ou du moins une et demie. »

Un petit somme peut nous être particulièrement bénéfique, quand nous sommes si nombreux à ne pas dormir assez la nuit. Avec le soutien de groupes de défense du sommeil (de l'Organisation mondiale de défense du petit somme à l'Association portugaise des amis de la sieste), le temps de repos au milieu d'une journée de travail connaît une renaissance. Dans ses six usines américaines, la société Yarde Metals encourage son personnel à faire un somme durant les pauses. L'entreprise a construit des salles de sommeil spéciales et organise une fois par an une séance déguisée de sieste collective avec buffet ! La petite ville de Vechta, dans le Nord de l'Allemagne, pousse ses fonctionnaires à faire la sieste à leur bureau ou à la maison. De l'usine américaine à la mairie allemande, les résultats sont les mêmes : un personnel plus heureux, un meilleur moral, une meilleure productivité. Et cela ne fait que commencer. En 2001, l'un des plus importants fabricants européens de mobilier de bureau, Sedus, a lancé un nouveau fauteuil s'ouvrant en position horizontale pour permettre aux gens de s'abandonner quelques minutes aux bras de Morphée.

Pendant ce temps-là, en Espagne, la *siesta* fait son grand retour avec une touche de modernité. Depuis que la plupart des Espagnols n'ont plus le temps de rentrer chez eux pour un déjeuner copieux suivi d'un somme, Masajes a 1 000 (Massages pour 1 000), un réseau national de « salons de sieste », offre aujourd'hui à chacun, du banquier au patron de bar, l'opportunité de grappiller vingt minutes de sommeil – moyennant quatre euros. Au salon de la rue de Mallorca, à Barcelone, chaque détail est conçu pour la détente. Les murs sont peints dans une nuance apaisante couleur pêche, les pièces sont chaleureuses et doucement éclairées, des haut-parleurs invisibles diffusent une musique New Age. Tout habillés, agenouillés ou allongés sur le ventre dans des sièges ergonomiques, les clients se font masser la tête, le cou et le dos. Lorsqu'ils sont prêts à s'endormir, le masseur les couvre d'une épaisse couverture de laine et se retire. Tandis que je m'installe sur mon fauteuil, trois personnes au moins dans la pièce ronflent doucement. Je les rejoins deux minutes plus tard...

Un peu après, à la sortie du salon, j'entame la conversation avec un jeune commercial prénommé Luis, resserrant sa cravate à l'issue d'un somme de quinze minutes. Il a l'air aussi frais que moi. « C'est tellement mieux que d'aller au club de gym, dit-il en fermant sa serviette d'un coup sec. Je me sens regonflé à bloc. Prêt à tout. »

Chapitre 9
Pour un art du temps libre

La capacité à remplir intelligemment son temps libre est le produit ultime de la civilisation.

Bertrand Russell (1872-1970)

Dans un monde obsédé par le travail, le temps libre n'est pas à prendre à la légère. Le droit au loisir a même été reconnu, au titre des droits humains fondamentaux, par les Nations Unies, en 1948. Un demi-siècle plus tard, nous sommes submergés de livres, de sites Internet, de magazines, d'émissions de télévision, et même de suppléments à la presse quotidienne, tous dédiés à l'assouvissement de nos hobbies et de nos loisirs. Leur étude est même devenue une discipline universitaire.

L'art de faire le meilleur usage de son temps libre n'est pas une préoccupation nouvelle ; il y a deux mille ans, Aristote déclarait qu'un des défis essentiels auquel l'homme devait faire face n'était autre que l'occupation de son temps libre. Au cours de l'Histoire, les élites, parfois appelées « classes oisives », avaient plus que tout autre le temps de peser cette question. Au lieu de trimer pour joindre les deux bouts, elles passaient leur temps en jeux de société, activités sociales et pratique de sports. À l'époque moderne, cependant, les loisirs sont devenus plus démocratiques. Dans les premiers temps de la révolution industrielle, les masses travaillaient trop dur et étaient trop pauvres pour tirer le meilleur parti du temps libre qu'il leur restait. Mais à mesure qu'augmentèrent leurs revenus et que diminua le temps de travail, une culture des loisirs commença à émerger. Comme le travail, le loisir tendit à s'officialiser. Beaucoup de nos passe-temps actuels ont vu le jour au XIXe siècle. Le football, le rugby, le hockey et le base-ball sont devenus des sports-spectacles. Les villes ont aménagé des parcs destinés à accueillir les promeneurs et les pique-niqueurs. Les classes moyennes ont investi les courts de tennis, les clubs de golf et se sont rendues en masse dans les nouveaux musées, les théâtres et les music-halls. L'amélioration des techniques d'impression, conjuguée à l'envol du taux d'alphabétisation, fut à l'origine d'une véritable explosion de la lecture.

Pendant que les loisirs se popularisaient, les gens commencèrent à débattre de leur finalité. Beaucoup de victoriens les voyaient avant tout comme une évasion par rapport au travail ou un moyen de travailler mieux. D'autres allèrent plus loin en suggérant que ce que nous faisions de notre temps libre donnait de la chair, de la forme et du sens à nos vies. « C'est dans le plaisir que l'homme vit véritablement, a dit l'essayiste américaine Agnès Repplier. Le temps libre est le matériau à partir duquel l'homme tisse la véritable étoffe de sa vie. » Platon pensait que la plus haute forme de loisir consistait à rester calme et réceptif au monde – un point de vue repris par les intellectuels modernes, et parmi eux Franz Kafka : « Vous n'avez pas besoin de quitter la chambre. Restez assis à votre table et écoutez. N'écoutez même pas, attendez, simplement. N'attendez même pas, restez bien tranquille et solitaire. Le monde s'offrira librement à vous sans masque. Il n'a pas d'autre choix. Il se roulera en extase à vos pieds. »

Tant d'avis éclairés ayant prédit « la fin du travail » au XXe siècle, les experts se sont demandé comment les gens allaient faire face à tout ce temps libre. Certains redoutaient que nous ne devenions paresseux, corrompus et immoraux. L'économiste John Maynard Keynes prétendit que les masses allaient gaspiller leur vie à écouter la radio. D'autres furent plus optimistes. En 1926, William Green, le président de la Fédération américaine du travail, voyait dans la réduction du temps de travail la libération de l'homme et de la femme, qui leur permettrait de connaître un « développement plus élevé de leurs aptitudes spirituelles et intellectuelles ». Selon le philosophe anglais Bertrand Russell, beaucoup mettraient à profit leur « surplus » de temps libre pour leur développement personnel : ils liraient ou étudieraient et s'adonneraient à de sages occupations propices à la méditation telles que la pêche, le jardinage ou la peinture. Dans son essai de 1935 *Éloge de l'oisiveté*, Russell écrit qu'une journée de travail de quatre heures nous rendrait « plus amicaux, moins oppressifs et moins enclins à considérer les autres avec suspicion ». Avec tout ce temps libre, la vie serait douce, calme et civilisée.

Sept décennies plus tard, pourtant, la révolution des loisirs demeure un doux rêve. Le travail domine toujours nos vies, et lorsque nous bénéficions de temps libre, nous l'utilisons rarement à nous plonger dans quelque rêverie de calme et de sensibilité. Bien au contraire, fidèles en cela à Frederick Taylor, nous nous pressons de remplir d'activités le moindre moment disponible. Un créneau libre dans l'emploi du temps constitue plus souvent une source de panique que de plaisir.

La prophétie de Russell s'est malgré tout en partie réalisée : les gens consacrent plus de temps libre à des activités calmes et contemplatives. Le jardinage, la lecture, la peinture, la fabrication d'objets : tout cela satisfait une nostalgie grandissante pour un temps où le culte de la vitesse était moins puissant et où faire une chose bien, en éprouvant un réel plaisir à la faire, était plus important que de tout faire plus vite.

Les produits de l'artisanat sont une parfaite expression de la philosophie de la lenteur. Tandis que le rythme de vie s'accélérait au XIXe siècle, beaucoup de gens se détournèrent des marchandises fabriquées en série qu'écoulaient les usines fraîchement sorties de terre. William Morris et d'autres partisans du mouvement *Arts and Crafts* né en Grande-Bretagne reprochaient à l'industrialisation de laisser la machine prendre le dessus en étouffant l'esprit créatif. Ils se proposèrent de revenir à une fabrication à la main, lente et attentive. Les artisans produisirent (entre autres) du mobilier, des textiles ou de la poterie à partir de méthodes traditionnelles et préindustrielles. Leurs objets furent salués comme les symboles d'une époque plus douce et plus aimable. Plus d'un siècle plus tard, alors que la technologie semble dicter sa loi, notre passion pour le « fait main » est plus forte que jamais. On peut l'observer notamment à travers le culte du « fait maison » inspiré par la décoratrice Martha Stewart, le développement du mouvement Slow Food ou la folie du tricot qui balaie actuellement l'Amérique du Nord.

À l'instar d'autres savoir-faire domestiques tels que la cuisine et la couture, le tricot est tombé en désuétude pendant la seconde moitié du XXe siècle. Le féminisme dénonça la tradition du « fait maison » comme la malédiction des femmes et comme un obstacle majeur à l'égalité des sexes. Et pour celles qui luttaient pour se faire une place dans le monde du travail, le tricot était une occupation bonne pour Mamie dans son fauteuil à bascule. Mais à présent qu'hommes et femmes se retrouvent plus ou moins sur un pied d'égalité, les arts domestiques d'antan reviennent en force.

Mis en avant par des féministes à la mode telle Debbie Stoller et salué par les faiseurs de tendances comme le « nouveau yoga », le tricot est désormais officiellement à la mode. Certaines des célébrités les plus en vue d'Hollywood – Julia Roberts, Gwyneth Paltrow, Cameron Diaz – en sont des adeptes ferventes. Depuis 1998, plus de quatre millions d'Américains de moins de trente-cinq ans, en majorité des femmes, se sont mis au tricot. On les repère à New York, en vestes Ralph Lauren et chaussures Prada, tricotant furieusement dans le métro ou assis dans le siège confortable d'un Starbucks (chaîne de cafés américaine, plutôt chic). Sur d'innombrables sites Internet, les fans de tricot échangent des tuyaux de toute sorte, du choix de la meilleure laine pour des mitaines au moyen de se débarrasser d'une crampe au doigt. De nouvelles boutiques branchées proposent de séduisants fils à tricoter – genre fausse fourrure ou cachemire – qu'on ne trouvait auparavant que chez les créateurs de mode.

Bernadette Murphy, une essayiste de quarante ans de Los Angeles, a capturé l'air du temps dans son livre publié en 2002,

Zen and the Art of Knitting (*Zen et Art du tricot*). Elle voit dans ce retour aux aiguilles et au fil à tricoter une réaction de grande ampleur à la superficialité du monde moderne. « Notre culture est actuellement assoiffée de sens, en demande de choses qui nous relient avec le monde et avec les autres, de choses qui soient une vraie nourriture de l'âme. Le tricot est un moyen de prendre le temps d'apprécier la vie, de trouver ce sens et de créer ces liens. »

Dans les salons, les dortoirs de collège et les cafétérias d'entreprise de toute l'Amérique, des femmes se joignent à des cercles de tricot, où elles nouent autant d'amitiés que de mailles ou presque. Les pulls, bonnets et écharpes qu'elles confectionnent offrent une alternative aux plaisirs éphémères de la consommation moderne. Alors que les articles manufacturés peuvent être fonctionnels, durables, beaux et même inspirés, le simple fait qu'ils soient fabriqués en série en fait des produits jetables. Dans son unicité, ses excentricités et ses imperfections, un article fait main, tel un châle tricoté, porte l'empreinte de son créateur. Nous pouvons évaluer le temps et le soin qu'a nécessités sa fabrication et ressentir à leur égard un plus profond attachement.

« Dans le monde moderne où il est si facile, si peu cher et si rapide d'acheter, les choses ont perdu de leur valeur. Quelle valeur accorder en effet à un objet que vous pouvez acheter en dix autres exemplaires identiques, en un instant ? constate Bernadette Murphy. Lorsqu'un article est fait à la main, on sait que quelqu'un y a investi du temps – ce qui l'imprègne d'une réelle valeur. »

L'auteur s'est tournée vers le tricot de façon presque accidentelle. Lors d'un voyage en Irlande en 1984, elle se déchira le tendon d'Achille et se retrouva dans l'impossibilité de marcher pendant deux mois. Elle se mit alors à tricoter pour s'occuper et trouva l'activité immensément apaisante.

Le tricot est, par nature, une activité lente. On ne peut tricoter plus vite en appuyant sur un bouton ou un cadran numérique. La véritable joie du tricot naît plus du temps que l'on y passe que du résultat final. Des études montrent que la danse rythmée et répétitive des aiguilles peut abaisser le rythme cardiaque et la pression sanguine, en amenant le tricoteur à un état de tranquillité proche de la méditation. « Ce qu'il y a de mieux, dans le tricot, c'est sa lenteur, poursuit Bernadette Murphy. Cela prend tellement de temps que l'on peut apprécier la beauté inhérente à chaque petite tâche menant à la réalisation d'un pull. On sait que l'ouvrage ne sera pas fini le jour même – et sans doute pas avant de longs mois –, ce qui nous permet de faire la paix avec la nature indéterminée de la vie. Tricoter est un apprentissage de la lenteur. »

De nombreux amateurs font de leur passe-temps un antidote au stress et à la précipitation de la vie moderne. Ils tricotent avant et après leurs rendez-vous professionnels, pendant leurs téléconférences comme à la fin d'une rude journée. Certains déclarent que les effets apaisants persistent bien après avoir reposé les aiguilles et les aident à conserver leur calme dans un environnement de travail peu stable. Bernadette Murphy pense que le tricot l'aide à passer en mode de pensée lente. « En fait, je peux sentir la partie active de mon cerveau se relâcher – ce qui m'aide à démêler l'écheveau de mes pensées. Une merveilleuse façon de remettre de l'ordre dans la caboche d'un écrivain. »

Cette folie du tricot au tournant du siècle finira-t-elle par s'essouffler ? Difficile à dire. La mode est notoirement capricieuse. Le « tricoté main » peut être tendance aujourd'hui ; mais que se passera-t-il lorsque gros pulls et écharpes *funky* ne feront plus la une de *Vogue* ? Certains remiseront probablement leurs aiguilles et passeront à la lubie suivante, mais beaucoup continueront. Dans un univers de haute technologie, au rythme toujours plus accéléré, un passe-temps bien concret, qui aide les gens à lâcher prise, a toutes les chances de rester attractif.

Il en va de même pour le jardinage. Dans presque toutes les cultures, le jardin est un sanctuaire, un lieu de repos et de réflexion. *Niwa*, le mot japonais désignant le jardin, signifie « lieu clos purifié pour le culte des dieux ». L'acte même de jardiner – planter, tailler, désherber, arroser et attendre que les choses poussent – peut nous aider à prendre notre temps. Pas plus que le tricot, le jardinage ne peut céder à la vitesse. Même avec une serre, on ne peut faire fleurir une plante à la demande, ni toujours modifier le cours des saisons pour les plier à nos besoins. La nature a son rythme propre ; dans un monde sous pression, où tout est calculé pour un maximum d'efficacité, s'y abandonner peut avoir des vertus thérapeutiques.

Le jardinage est devenu un passe-temps populaire au cours de la révolution industrielle. Il donna aux citadins une impression d'idylle rurale et fit rempart au rythme frénétique des villes nouvelles. L'Angleterre, tôt industrialisée, ouvrit la voie. Au XIXe siècle, l'atmosphère polluée des grandes villes rendit les cultures malaisées, notamment au centre de Londres, mais dans les banlieues, les classes moyennes commencèrent à installer des jardins ornementaux avec parterres de fleurs, arbustes et plans d'eau.

Passons directement au XXIe siècle, où le jardinage a de nouveau l'ascendant. Dans un monde où tant de métiers tournent autour de la gestion de données sur un écran d'ordinateur, les gens commencent à apprécier le plaisir simple et tranquille de plonger ses mains dans la terre. Comme le tricot, le jardinage a bouleversé son image de passe-temps pour retraités pour devenir un loisir à la mode et une détente pour les gens de tous âges et de tous milieux. Le magazine *Time* a récemment salué l'émergence d'un « chic de l'horticulture ». À travers le monde industriel, pépinières et magasins de jardinage sont bourrés de jeunes gens en quête de l'arbuste ou de la plante idéaux, du pot en céramique parfait. Une enquête menée en 2002 pour le compte d'un centre d'études familiales a montré que 78,3 millions d'Américains passaient du temps à jardiner, faisant de cette activité le premier des loisirs de plein air. Il en va de même en Grande-Bretagne, où les émissions consacrées au jardinage sont diffusées aux heures de grande écoute et où les présentateurs aux mains vertes tels que Charlie Dimmock et Alan Titchmarsh sont de véritables vedettes. Une émission de radio comme *Gardener's Question Time* (*La Question du jardinier*), lancée pour la première fois par la BBC après la Seconde Guerre mondiale, a vu doubler son audience depuis le milieu des années 1990.

Branché, jeune et urbain, Matt James est le nouveau visage du jardinage. Son programme télévisé *The City Gardener* (*Le Jardinier des villes*) apprend aux citadins britanniques pressés comment mettre Mère Nature à leur porte. James est convaincu que le jardinage, au-delà de nous remettre en contact avec le rythme des saisons, peut également rapprocher les gens : « Le jardinage ne représente pas seulement un retour à la nature. Un jardin bien conçu est le parfait endroit où inviter ses amis, ouvrir quelques bières et allumer un barbecue. Sa dimension sociale est très importante. »

James a hérité sa passion du jardin de sa mère ; il en a fait son passe-temps puis son métier depuis la fin de sa scolarité. Ce qu'il apprécie le plus dans ce contact avec la terre et les plantes, c'est le calme qu'il en retire. « Jardiner peut être incroyablement frustrant lorsqu'on débute ; vos plantes meurent, cela semble exiger des tonnes de travail, mais une fois passé ce premier cap difficile, tout devient très apaisant et relaxant. On peut déconnecter, être avec soi-même, laisser son esprit vagabonder. De nos jours, alors que tout le monde est tellement pressé tout le temps, nous avons plus que jamais besoin de loisirs plus tranquilles, comme le jardinage. »

Dominique Pearson ne pourrait pas davantage abonder dans ce sens. Âgé de vingt-neuf ans, ce courtier d'une banque londonienne vit à cent à l'heure. Les chiffres crépitent sur son écran la journée durant, l'obligeant à prendre en une fraction de seconde des décisions pouvant faire gagner – ou perdre – des millions à son employeur. Il avait l'habitude de carburer au bourdonnement incessant de la salle des marchés et de gagner des primes conséquentes. Mais quand la bulle spéculative s'évanouit, il commença à souffrir d'anxiété. Sa petite amie lui suggéra de se mettre au jardinage, cela lui ferait sûrement du bien. Étant plutôt un amoureux de la bière et du rugby, Pearson avait quelques doutes, mais il accepta de tenter l'expérience.

Il arracha les vieux pavés de la terrasse attenante à l'arrière de son appartement et les remplaça par un petit gazon. Le long des bordures, il planta des roses, des crocus et de la lavande, des renoncules, du jasmin d'hiver et un wisteria. Il investit aussi dans un lierre grimpant et quelques plants de tomates, et pour finir remplit son appartement de plantes en pots. Trois ans plus tard, sa maison est une fête pour les sens. Par un après-midi d'été, les parfums de son jardin écrasé de soleil prennent un caractère entêtant.

Dominique Pearson pense que le jardinage améliore ses performances professionnelles. Tandis qu'il désherbe ou qu'il taille, son esprit s'apaise et de ce silence émergent certaines de ses plus brillantes idées. Il est moins tendu en salle des marchés et dort mieux la nuit. Dans presque tous les aspects de sa vie, il se sent plus calme, plus investi et moins pressé. « Jardiner fonctionne comme une thérapie, sans avoir à payer le prix d'une thérapie », dit-il.

Après une dure journée de travail, la plupart des gens sont malgré tout plus enclins à attraper la télécommande plutôt qu'un plantoir ou une paire d'aiguilles à tricoter. Regarder la télévision est sans conteste le passe-temps numéro un au monde et le plus grand consommateur de notre temps libre. Un Américain moyen lui consacre en moyenne quatre heures par jour, l'Européen trois. La télé peut nous amuser, nous informer, nous distraire et même nous détendre, mais pas dans un esprit « lent » au sens le plus pur du terme. L'étrange lucarne ne nous accorde ni temps de pause, ni temps de réflexion. Elle nous dicte son rythme, qui est souvent bousculé – successions rapides d'images, dialogues du tac au tac et montages serrés. Qui plus est, lorsque nous regardons la télévision, nous ne sommes pas connectés à notre environnement. Au contraire, nous sommes assis sur le divan, abreuvés d'images et de mots, sans rien donner en retour. La plupart des études montrent que les plus intoxiqués sont ceux qui consacrent le moins de temps à ce qui fait les plaisirs de la vie – la cuisine, les conversations familiales, l'exercice, l'amour, la vie sociale ou encore le bénévolat.

Nombreux sont ceux qui décident de rompre avec la télévision pour un style de vie plus épanouissant. C'est aux États-Unis que le mouvement antitélévision est le plus actif. Chaque année depuis 1995, un groupe de pression baptisé TV-Turnoff Network (Réseau pour l'extinction de la télé) encourage le public à éteindre son poste une semaine entière au mois d'avril. En 2003, plus de 7 millions de personnes ont répondu à l'appel, aux États-Unis et ailleurs. La plupart des pantouflards ayant réduit les heures passées devant leur petit écran ont constaté qu'ils passaient plus de temps à des occupations authentiquement lentes.

Parmi celles-ci, la lecture. Comme le tricot et le jardinage, l'acte de s'asseoir et de s'abandonner à la chose écrite est un défi au culte de la vitesse. Selon les mots du philosophe français Paul Virilio : « Lire suppose un temps de réflexion, une décélération qui détruit l'efficacité d'une dynamique de masse. » Même lorsque les ventes de l'édition stagnent ou sont en baisse, beaucoup d'entre nous, particulièrement des citadins éduqués, envoient au diable la dynamique d'efficacité pour se blottir dans un fauteuil avec un bon bouquin. On peut même parler d'une renaissance de la lecture.

Il n'est que de voir le phénomène *Harry Potter* : il n'y a pas si longtemps, il était communément admis que la lecture était en voie de disparition chez les jeunes. Les livres étaient, disait-on, trop ennuyeux, trop « lents » pour une génération élevée à la PlayStation. Mais J. K. Rowling a changé tout cela. Aujourd'hui, des millions d'enfants de par le monde dévorent la saga *Harry Potter*, dont le dernier opus pèse près de 800 pages. Et en découvrant les joies du monde de l'écrit, les jeunes se sont mis en quête d'œuvres d'autres auteurs. Lire devient même légèrement à la mode. Au fond du car scolaire, les gosses feuillettent les dernières parutions de Philip Pullman et Lemony Snicket. Mine de rien, la littérature enfantine est passée des oubliettes au-devant de la scène, avec à-valoir conséquents et adaptations cinématographiques à la clé. En 2003, les éditions Puffin ont versé un million de livres à Louisa Young pour *Lionboy* (*L'Enfant-Lion*), l'histoire d'un gamin qui découvre qu'il peut parler aux chats après avoir été griffé par un léopard. En Grande-Bretagne, les ventes de livres destinés à la jeunesse ont grimpé de 40 % depuis 1998.

Le développement des groupes de lecture est un autre signe du grand retour de ce passe-temps. Les cercles de lecture sont nés au milieu du XVIIIe siècle, en partie dans le but de faire circuler les livres, qui coûtaient cher, mais également pour jouer un rôle de forums sociaux et intellectuels. Deux siècles et demi plus tard, on les voit fleurir un peu partout, y compris dans les médias. En 1998, la BBC a lancé un Club du livre mensuel sur l'éclectique Radio 4 et une émission similaire sur le service international. Oprah Winfrey a lancé son très influent Book Club en 1996. Les romans qui y sont présentés, même ceux dont les auteurs sont encore inconnus, se hissent invariablement en tête des ventes. En 2003, après un intermède de dix mois, Oprah a ressuscité son Book Club avec un intérêt nouveau pour les classiques de la littérature. Vingt-quatre heures après avoir été recommandé, le roman de John Steinbeck *À l'est d'Éden*, publié pour la première fois en 1952, est passé du 2356[e] rang à la deuxième place dans la liste des ventes d'Amazon.

Les clubs de lecture attirent des professionnels occupés en quête d'un moyen enrichissant pour se détendre et se faire des relations. Paula Dembowski a rejoint l'un de ces groupes à Philadelphie en 2002. Diplômée de littérature anglaise, elle a commencé à lire de moins en moins à mesure que décollait sa carrière de professionnelle du recrutement. Puis, un jour, cette jeune femme de trente-deux ans a réalisé qu'elle n'avait pas ouvert un roman depuis six mois. « Cela résonna en moi comme un signal d'alarme : j'étais en train de perdre mon équilibre, confie-t-elle. Certes, je voulais revenir à la lecture, mais je la voyais également comme un moyen de rééquilibrer ma vie. » Pour faire de la place aux livres, elle commença à moins regarder la télévision et à réduire peu à peu ses engagements à l'extérieur après le travail. « J'avais complètement oublié la relaxation totale que procure le fait de s'asseoir et de passer une soirée entière avec un bon roman. Vous entrez dans un autre monde, et tous vos petits soucis (et même les gros) s'évanouissent. La lecture donne aux choses une couleur différente, plus calme. »

Pour beaucoup, l'acte de lire reste une pratique lente en elle-même. Mais certains vont plus loin en faisant l'effort de lire moins vite. Cécilia Howard, écrivain américain d'origine polonaise, se décrivant elle-même comme « une personne pressée et un profil de type A », établit un parallèle entre la lecture et la pratique sportive : « Ma devise est que tout ce qui vaut la peine d'être lu vaut la peine d'être lu lentement. Pensez-y comme à l'équivalent mental d'un exercice de SuperSlow. Si vous voulez vraiment vous muscler, vous faites vos mouvements le plus lentement possible. Et si vous voulez corser la performance, vous vous exécutez si lentement que cela frise l'immobilité. Et c'est ainsi qu'il faut lire Emily Dickinson. »

L'écrivain israélien Amos Oz va dans le même sens. Dans une récente interview, il nous recommandait d'aller moins vite dans nos lectures. « Je prône l'art de la lecture lente. Chaque petit plaisir que je peux imaginer ou que j'ai pu expérimenter est plus délicieux, est encore plus un plaisir si je le déguste à petites gorgées, si je prends mon temps. La lecture ne fait pas exception. »

Lire lentement ne veut pas dire « consommer moins de mots à la minute ». Il nous suffit de poser la question à Jenny Hartley, enseignante anglaise et spécialiste de cercles de lecture. En 2000, son groupe basé à Londres a décidé de lire *La Petite Dorrit* de Charles Dickens comme on l'aurait fait à l'époque de sa parution, à savoir sous forme d'épisodes mensuels étalés sur un an et demi. Ce qui supposait de résister à l'injonction bien moderne de courir à la fin du livre, mais cela valait le coup d'attendre. Chacun a apprécié ce rythme de lecture *lento*. Ayant déjà lu le roman six fois dans le cadre de son travail pédagogique, Hartley fut ravie de découvrir qu'une lecture plus lente l'ouvrait à un nouveau monde de détails et de nuances. « Quand on survole le texte, on ne peut apprécier certaines plaisanteries et stratégies d'attente, comme le jeu bâti par Dickens à base d'histoires secrètes et d'intrigues cachées. Lire cette œuvre plus lentement est bien plus satisfaisant. » Dans le cadre de son cours à l'université de Roehampton, dans le Surrey, elle en fait désormais l'expérience avec ses étudiants en leur faisant consacrer un semestre entier à la lecture de *Middlemarch* de George Eliot.

À des milliers de kilomètres de là, dans les prairies canadiennes, Dale Burnett, professeur d'éducation à l'université de Lethbridge, a mis au point une version high-tech de la lecture lente. Chaque fois qu'il se lance dans la lecture d'une œuvre de quelque nature qu'elle soit – excepté les romans de gare –, il en tient le journal sur Internet. Après chaque séance de lecture, il y consigne ses notes et ses impressions, des détails basiques sur l'intrigue et les personnages, enfin toute réflexion que lui inspire le texte. Il lit le même nombre de mots à la minute, mais prend deux à quatre fois plus de temps pour terminer un livre. Lorsque je le rencontre, il progresse lentement dans *Anna Karenine*, lisant une heure ou deux, puis passant autant de temps à coucher ses réflexions et ses impressions dans son cyberjournal. Il déborde d'enthousiasme pour la finesse de compréhension de la nature humaine dont témoigne Tolstoï. « J'estime avoir une bien meilleure appréciation des livres que je lis aujourd'hui. La lecture approfondie est un peu un antidote au rythme effréné qui est le nôtre actuellement. »

On peut dire la même chose de l'art. La peinture, la sculpture, tout acte de création artistique entretient un lien particulier avec la lenteur. Comme l'a noté l'écrivain américain Saul Bellow, « l'art a quelque chose à voir avec la poursuite du calme au milieu du chaos. Un calme qui s'apparenterait à [...] l'œil du cyclone [...], à une pause de l'attention au milieu de la distraction ».

Dans les galeries du monde entier, des artistes analysent au microscope notre relation à la vitesse. Leurs œuvres tendent souvent à nous faire passer à un mode plus calme, plus contemplatif. Dans l'une de ses récentes vidéos, l'artiste norvégienne Marit Folstad s'est représentée en train de souffler dans un gros ballon rouge jusqu'à le faire éclater. Son but est que le public s'arrête assez longtemps pour se mettre à penser. « En usant d'une série de métaphores visuelles centrées sur le corps, le souffle et l'exploration des limites de la résistance physique, je m'efforce de faire ralentir le spectateur » dit-elle.

Dans la vie quotidienne, au-delà des galeries et des lofts, le public s'adonne à l'art pour ralentir le rythme. L'une des premières enseignes en anglais que je repère à Tokyo est celle d'un cours de relaxation artistique. Kazuhito Suzuki se sert de la peinture pour trouver la tranquillité. Concepteur de sites Internet dans la capitale, il saute d'une échéance professionnelle à l'autre. Pour éviter le surmenage qui lui pend au nez, cet homme de trente-six ans s'est inscrit à une activité artistique en 2002. À présent, chaque mercredi soir, il se joint à une douzaine d'autres élèves pour deux ou trois heures de reproduction de modèles ou de natures mortes. Pas d'échéances, pas de compétition, pas de pression – juste lui et son art. De retour dans son petit appartement, Suzuki peint toutes sortes d'objets à l'aquarelle, d'une coupe de fruits à ses manuels d'informatique. Sa dernière œuvre représente le mont Fuji un matin de printemps. Dans son bureau, le chevalet est posé juste à côté de son ordinateur : yin et yang, travail et loisir, en parfaite harmonie. « La peinture m'aide à trouver l'équilibre entre vitesse et lenteur – ce qui me rend plus calme et davantage maître des choses », dit-il.

La musique peut avoir des effets similaires. Chanter et jouer d'un instrument ou écouter les autres sont parmi les plus anciennes formes de passe-temps. Exaltante, stimulante ou émouvante, la musique peut aussi être apaisante ou relaxante – toutes qualités que nous sommes nombreux à rechercher. Recourir à la musique pour calmer ses nerfs n'est pas chose nouvelle. En 1742, le comte Kaiserling, alors ambassadeur de Russie à la cour de Saxe, demanda à Bach de lui écrire une musique qui l'aide à vaincre son insomnie. Le compositeur revint avec les *Variations Goldberg.* Deux siècles et demi plus tard, même l'homme de la rue fait appel à la musique classique pour se relaxer. Les stations de radio proposent des programmes entiers à base de morceaux doux et apaisants. Des compilations classiques utilisant dans leurs titres les mots de *relaxation, détente, décompression* ou *apaisant* se vendent comme des petits pains.

Les auditeurs ne sont pas les seuls à rechercher passionnément un changement de tempo. Un nombre croissant de musiciens – près de deux cents au dernier recensement – estime qu'une grande partie du répertoire classique est joué trop rapidement.

Beaucoup de ces rebelles font partie du mouvement baptisé Tempo Giusto (« le Tempo juste »), qui se donne pour mission de convaincre les chefs, les orchestres et les solistes du monde entier de se livrer à une activité pas du tout moderne : aller doucement.

Pour en savoir plus, je fais un saut en Allemagne pour assister à un concert de Tempo Giusto. Par un calme soir d'été, une petite foule se tient en file indienne devant une maison de quartier de la banlieue de Hambourg. Des affiches sur la porte annoncent un programme familier de sonates de Beethoven et de Mozart. Dans l'auditorium moderne inondé de soleil, un piano à queue, seul, sous une rangée de fenêtres. Après avoir pris place, les spectateurs se préparent au concert, éteignent leurs téléphones mobiles et s'éclaircissent ostensiblement la gorge – rituel typique du public de concert à travers le monde. Rien ne me semble différent de tous les concerts auxquels il m'a été donné d'assister à ce jour – jusqu'à ce que le pianiste entre en scène.

Homme entre deux âges, Uwe Kliemt est un Allemand à la carrure solide, au pas élastique et à l'œil malicieux. Au lieu de s'asseoir immédiatement à son clavier pour débuter le concert, il reste debout devant son Steinway rutilant et s'adresse au public : « J'aimerais vous parler de la lenteur. » Puis, comme il le fait avant chaque concert dans toute l'Europe, il se lance dans une mini-conférence sur les maux engendrés par le culte de la vitesse, ponctuant son discours en agitant sa paire de lunettes comme un chef d'orchestre ferait de sa baguette. Un murmure d'approbation parcourt le public lorsque le pianiste, qui se trouve également être un membre de la Société pour la décélération du temps, récapitule brièvement les principes d'une philosophie de la lenteur : « Il ne sert à rien de tout faire plus vite pour la seule raison que nous en avons la possibilité ou que nous en ressentons le besoin. Le secret, dans la vie, est de toujours chercher le *tempo giusto*. Et ce n'est jamais plus vrai qu'en musique. »

D'après Kliemt et ses amis, les musiciens ont commencé à jouer plus vite à l'avènement de l'ère industrielle. Tandis que le monde prenait de la vitesse, ils ont accéléré avec lui. Au tout début du XIXe siècle, le public est tombé amoureux d'une nouvelle génération de pianistes virtuoses, tel Franz Liszt, suprêmement doué, qui jouait avec une stupéfiante dextérité. En élevant le tempo d'un cran, ce virtuose révélait toute son excellence technique et faisait frissonner le public.

Les avancées dans la technologie des instruments peuvent également avoir joué un rôle dans cette accélération du jeu. C'est également au XIXe siècle que le piano atteignit son apogée. Il se révéla plus puissant et mieux à même de faire sonner les notes ensemble que ses prédécesseurs, le clavecin et le clavicorde. En 1878, Brahms écrivait qu'« au piano [...] tout se passe plus vite, avec plus de vivacité et un tempo plus léger ».

Miroir fidèle de l'obsession moderne de l'efficacité, l'enseignement musical emprunta à l'éthique industrielle. Les élèves commencèrent à apprendre en jouant des notes plutôt que des morceaux. La culture du travail acharné devint prédominante. Les élèves pianistes d'aujourd'hui peuvent passer six à huit heures par jour sur leur clavier quand Chopin recommandait de ne pas dépasser les trois heures quotidiennes.

Selon Uwe Kliemt, toutes ces tendances ont contribué à alimenter l'accélération du tempo classique. « Pensez aux grands compositeurs qui ont précédé le XXe siècle – Bach, Haydn, Mozart, Beethoven, Schubert, Chopin, Mendelssohn, Brahms. Nous les interprétons tous à un rythme trop rapide. »

Il ne s'agit pas d'une conception répandue. Au sein du monde musical, la plupart des gens n'ont jamais entendu parler de Tempo Giusto, et ceux qui connaissent le mouvement tendent à le regarder de haut. Certains spécialistes sont cependant sensibles à l'idée que la musique classique souffre d'une accélération excessive de tempo. Les preuves sont là : dans une lettre datée du 26 octobre 1876, Liszt écrivait qu'il avait pris « *presque une heure* »* pour jouer la sonate *Hammerklavier* op. 106 de Beethoven. Cinquante ans plus tard, Arthur Schnabel ne la jouait qu'en quarante minutes, et il se trouve aujourd'hui des pianistes pour la survoler en trente-cinq.

Les compositeurs d'antan reprochaient aux musiciens de succomber au virus de la vitesse. Il arriva à Mozart lui-même d'entrer dans une colère noire à ce sujet. En 1778, il envoya une lettre cinglante à son père après avoir entendu Abbe Vogler, grand musicien de l'époque, massacrer sa sonate en ut majeur K 330, lors d'une soirée musicale : « Vous pouvez aisément imaginer que la situation fût intolérable pour que je ne puisse m'empêcher de lâcher un "Bien trop prompt". » Beethoven connut exactement le même sentiment. « Une malédiction pèse sur les virtuoses, se plaignit-il un jour. Leurs doigts entraînés sont toujours en avance sur leurs émotions, parfois même sur leurs pensées. » Cette méfiance du tempo accéléré persista au XXe siècle. On raconte que Mahler conseillait aux jeunes chefs de ralentir l'allure plutôt que de l'accélérer lorsque le public commençait à s'ennuyer.

À l'instar du plus vaste mouvement Slow, les musiciens de Tempo Giusto ne sont pas opposés à la vitesse en elle-même. Ce qu'ils récusent, en revanche, est cette conception très moderne selon laquelle le plus rapide serait toujours le mieux. « La rapidité peut procurer une grande excitation, et il y a de la place pour elle dans la vie comme dans la musique, dit Kliemt. Mais il faut poser des limites et ne pas en faire un usage systématique. Il est stupide de boire un verre de vin trop vite... et il est stupide de jouer Mozart trop rapidement. »

Il n'est cependant pas toujours aussi facile qu'on le croit de trouver le bon tempo. Car le tempo musical est, au mieux, un concept fuyant et davantage un art qu'une science. La cadence d'interprétation d'un morceau peut varier avec les circonstances – l'humeur du musicien, son type d'instrument, la nature de l'occasion, le caractère du public, le lieu, l'acoustique, le moment de la journée et jusqu'à la température de la pièce. Un pianiste est susceptible de ne pas jouer une sonate de Schubert de manière exactement identique selon qu'il se trouve dans une salle de concert bondée ou en présence de quelques amis. Les compositeurs eux-mêmes sont réputés varier les *tempi* de leurs propres œuvres d'un concert à l'autre. De nombreuses compositions musicales s'accommodent bien de cadences différentes. Le musicologue britannique Robert Donington le résume en ces termes : « Le bon tempo d'un morceau de musique, quel qu'il soit, est celui qui lui va comme un gant va à la main, c'est-à-dire l'interprétation *qu'en donne celui qui est en train de la jouer.* »

On se dit que les grands musiciens ont sûrement dû laisser des indications sur le tempo qu'ils jugeaient « adapté » à leur musique ? Eh bien, pas vraiment. Beaucoup d'entre eux n'ont laissé aucune précision. Presque toutes les notations que nous trouvons dans les œuvres de Bach furent ajoutées par ses élèves et disciples après sa mort. Au XIXe siècle, la plupart des compositeurs indiquaient le tempo à l'aide de termes italiens tels que *presto, adagio* ou *lento,* tous sujets à interprétation. Le terme *andante* a-t-il le même sens chez un pianiste moderne que chez Mendelssohn ? L'arrivée du métronome de Maelzel en 1816 ne parvint pas plus à régler la question. De nombreux compositeurs du XIXe siècle luttèrent pour convertir le tic-tac mécanique de l'objet en notations de tempo intelligibles. Brahms, qui mourut en 1897, résuma cette confusion dans une lettre à Henschel : « D'après l'expérience qui est la mienne, chaque compositeur ayant laissé des indications métronomiques les a retirées tôt ou tard. » Pour compliquer encore les choses, les éditeurs de musique ont pris l'habitude au fil des années de modifier les notations de tempo inscrites sur les partitions qu'ils publient.

Tempo Giusto prend un chemin controversé dans la restauration des véritables intentions de compositeurs plus anciens. En 1980, le musicologue hollandais W. R. Talsma posa les bases philosophiques du mouvement dans son livre intitulé *The Rebirth of the Classics : Instruction for the Demechanization of Music* (*Renaissance des classiques : instructions pour la démécanisation de la musique*). Sa thèse, dérivée d'une étude exhaustive d'enregistrements historiques et des structures musicales, est que nous interprétons systématiquement de manière fausse les notations métronomiques. Chaque note devrait en réalité correspondre à deux battements de pendule (de droite à gauche et retour) plutôt, comme le veut l'usage commun, qu'à un seul battement. Afin d'honorer le vœu de compositeurs antérieurs au XIXe siècle, nous devrions donc réduire de moitié les cadences. Talsma pense néanmoins que les œuvres les plus lentes – comme par exemple le premier mouvement de la sonate *Clair de lune* de Beethoven – ne devraient pas être ralenties à ce point, voire pas du tout, parce que, depuis l'ère industrielle, les musiciens l'ont interprétée plus lentement ou dans le tempo original, pour en souligner la sentimentalité et accentuer le contraste avec des passages plus rapides. Cet avis, cependant, ne fait pas l'unanimité des membres de Tempo Giusto. Ainsi la compositrice allemande Grete Wehmeyer, auteur d'un ouvrage paru en 1989, *Prestissimo : the Rediscovery of Slowness in Music* (*Prestissimo : la redécouverte de la lenteur en musique*), pense que tous les classiques d'avant l'industrialisation, vifs ou lents, devraient être joués moitié moins vite qu'au tempo communément admis aujourd'hui.

Les musiciens de Tempo Giusto se rangent soit aux idées de Talsma, soit à celles de Wehmeyer, ou adoptent une position médiane. Certains prêtent moins attention aux notations métronomiques au profit de preuves plus historiques ou simplement de ce qui leur semble juste. Chacun pourtant s'accorde à penser qu'un tempo plus lent peut mettre en lumière les détails internes à l'œuvre, les notes et nuances qui leur confèrent son caractère propre.

Même les sceptiques peuvent être ébranlés. Aujourd'hui, le représentant le plus en vue de Tempo Giusto pour la musique orchestrale est probablement Maximianno Cobra, chef d'orchestre d'origine brésilienne en charge de l'Orchestre philharmonique européen de Budapest. Bien que ses enregistrements réalisés en 2001 des neuf symphonies légendaires de Beethoven aient pris deux fois plus de temps que les interprétations habituelles, cela lui a néanmoins valu des jugements favorables. Le critique musical Richard Elen a ainsi concédé que « de nombreux détails se révèlent dans cette interprétation, qui sont d'ordinaire exposés si vite qu'on peut rarement les entendre ». Bien qu'il n'apprécie pas cette approche lente, il a admis, mais avec réticence, qu'elle puisse être plus proche des conceptions de Beethoven et a qualifié d'« extrêmement bonne » la prestation de Cobra.

Reste alors à nous poser une question : s'il est vrai que nous jouons les classiques plus vite que ne le faisaient nos ancêtres, est-ce si mauvais que cela ? Le monde évolue et nos sensibilités avec lui. Nous ne pouvons éluder le fait que nous avons appris à apprécier un tempo musical plus rapide. Le XXe siècle est placé sous le signe de l'accélération des rythmes, le ragtime ayant mené au rock'n'roll puis au disco, au *speed metal* et, au bout du compte, à la techno. Lorsque Mike Jahn publia en 1977 *How to Make a Hit Record* (*Comment faire un album à succès*), il enseignait aux apprentis pop stars qu'un tempo de cent vingt pulsations par minute était l'idéal pour un tube dansant. Selon lui, tout ce qui dépassait les cent trente-cinq pulsations par minute ne plairait qu'aux allumés des cadences rapides. Au début des années 1990, les musiques drum'n'bass et *jungle* s'accommodaient de cent soixante-dix pulsations par minute. En 1993, un grand nom de la techno, Moby, sortit ce qui allait s'inscrire au *Guinness des records* comme le tube le plus rapide de tous les temps : *Thousand* montait à mille pulsations par minute au point que certains auditeurs fondent en larmes à son écoute.

La musique classique a elle aussi évolué, et les variations extrêmes de tempo sont devenues à la mode au XXe siècle. Les orchestres jouent également bien plus fort aujourd'hui que par le passé ; la manière dont nous consommons le répertoire classique a évolué. Dans un monde toujours pressé, qui a le temps de s'asseoir et d'écouter une symphonie ou un opéra du début jusqu'à la fin ? Le plus souvent, nous en écoutons les meilleurs passages dans des compilations. Terrifiées à l'idée d'ennuyer leur public, certaines radios dédiées à la musique classique entrecoupent leur programmation d'interventions d'animateurs au débit rapide, de hit-parades et de concours futiles. Certaines privilégient des morceaux plus courts ou des interprétations plus rapides. D'autres réduisent les pauses indiquées par les compositeurs sur la partition.

Tout cela affecte notre réception de la musique ancienne. Si cent pulsations à la minute accéléraient le rythme cardiaque au XVIIIe siècle, ils auraient plutôt tendance à provoquer des bâillements à l'ère de Moby. Au XXIe siècle, pour vendre des disques et remplir les salles de concert, les musiciens sont-ils sans doute amenés à jouer certains classiques à un tempo plus élevé… et peut-être que ce n'est pas la fin du monde. Même Uwe Kliemt ne souhaite pas mettre les interprétations plus rapides hors la loi. « Je ne veux pas être dogmatique et indiquer précisément à chacun comment il devrait jouer, parce qu'il y a de la place pour la diversité, dit-il. Je pense simplement que, si les gens ont l'opportunité d'écouter leur morceau favori interprété plus lentement et le font dans un état d'esprit ouvert, ils sauront alors intimement que cela résonne mieux. »

Ma tête bourdonne encore de ce grand débat sur le tempo quand Uwe Kliemt s'assoit enfin au piano dans cette salle de Hambourg. Ce qui suit est un croisement entre un concert et un séminaire. Avant chaque morceau, Kliemt joue quelques mesures au tempo accéléré que privilégient la plupart des pianistes, puis rejoue le même segment à un tempo plus lent, avant de commenter les différences.

La première œuvre du programme est une sonate de Mozart bien connue : en ut majeur, K 279. J'en écoute souvent l'enregistrement dans l'interprétation de Daniel Baremboïm. Kliemt commence par jouer un morceau de la sonate à une cadence familière à l'oreille moderne. Cela sonne bien. Puis il ralentit à un tempo qu'il considère comme le *tempo giusto*. Sa tête balance rêveusement tandis que ses doigts caressent le clavier. « Lorsque l'on joue trop vite, la musique perd son charme, ses nuances les plus fines et son caractère, nous dit-il. Parce que chaque note a besoin de se développer, nous avons besoin de cette lenteur pour en faire ressortir la mélodie et l'intensité. » Jouée au-dessous du tempo habituel, la sonate commence par résonner bizarrement. Puis la démarche prend sens. À mes oreilles profanes, pour le moins, elle paraît alors plus riche, plus texturée, plus mélodieuse, dans la version Tempo Giusto. Cela coule bien. D'après le chronomètre que j'ai introduit en cachette dans la salle de concert, Kliemt joue les trois mouvements de la sonate en vingt-deux minutes et six secondes. Sur mon CD, Baremboïm réduit la même partition à quatorze minutes.

Comme Talsma, Kliemt pense qu'il faut jouer moins vite les morceaux classiques les plus vifs et laisser les plus lents à peu près tels qu'ils sont. Il maintient pourtant que l'interprétation au *tempo giusto* va au-delà d'une simple réinterprétation des indications métronomiques. Il faut *entrer* dans la musique, en éprouver tous les contours, découvrir la pulsation naturelle de l'œuvre, son *eigenzeit* (ou « temps naturel », voir chap. 3). Uwe Kliemt accorde une grande importance à l'idée de faire coïncider le tempo musical aux rythmes du corps humain. En 1784, Mozart publia une fameuse sonate intitulée *Rondo alla turca*, ou *Marche turque*. La plupart des pianistes contemporains jouent cette œuvre à un rythme exubérant, proche du galop, au mieux d'un trot assez enlevé. Le tempo choisi par Kliemt, plus lent, évoque plutôt une marche de soldats.

La danse est également une autre pierre de touche. Beaucoup d'œuvres classiques anciennes furent écrites pour la danse – ce qui suppose que les aristocrates d'antan étaient capables d'entendre les notes et d'en suivre le déroulement. « Au temps de Mozart, la musique était encore un langage, remarque notre pianiste. Si vous jouez trop vite, personne ne comprend plus rien. »

Le concert se poursuit. Kliemt accorde le même traitement aux trois dernières œuvres, une fantaisie de Mozart et deux sonates de Beethoven, qui sonnent toutes trois merveilleusement, sans une once de lenteur, de lourdeur ou d'ennui. Après tout, un musicien peut ralentir le tempo et conserver une expression de vitesse et de vivacité, en jouant d'une manière très rythmée. Mozart joué lentement s'écoute-t-il mieux que Mozart joué vite ? C'est inévitablement une affaire de goût. L'alternative sonne à peu près comme la version acoustique d'un tube très rythmé passant sur MTV. Il y a de la place pour les deux dans ce monde toujours plus rapide. Pour ma part, j'aime le style Tempo Giusto, mais j'apprécie toujours d'écouter Daniel Barenboïm jouer Mozart et Beethoven à sa manière.

Pour connaître un peu mieux l'opinion du public, je fais un sondage personnel à l'issue du récital de Hambourg. Un universitaire d'un certain âge aux cheveux fous n'est pas convaincu : « Trop lent, trop lent, trop lent », marmonne-t-il. D'autres cependant paraissent enchantés de ce qu'ils viennent d'entendre. Gudula Bischoff, une inspectrice des impôts entre deux âges en tailleur crème et chemisier fleuri, est une admiratrice de longue date d'Uwe Kliemt. Elle lui attribue le mérite de lui avoir révélé le génie de Bach. « Lorsqu'on entend jouer Uwe, c'est beau, c'est une manière complètement nouvelle d'entendre la musique, dit-elle avec un air rêveur que l'on n'imagine pas forcément chez un inspecteur des impôts. Parce qu'on peut entendre les notes qu'il joue, la mélodie ressort bien mieux, et la musique en paraît plus vivante. »

Kliemt a fait au moins une nouvelle adepte ce soir. Dans la file des spectateurs qui attendent de le rencontrer après le concert, Natascha Speidel, une jeune femme sérieuse de vingt-neuf ans qui étudie le violon, a l'habitude de survoler les œuvres à la vitesse standard des musiciens ordinaires. « Dans les écoles de musique, la technique est une grande priorité, et on pratique beaucoup la vitesse, me dit-elle. Nous entendons des morceaux joués vite, nous travaillons et nous jouons vite. Je me sens à l'aise avec un tempo rapide. »

Je lui demande ce qu'elle a pensé d'Uwe Kliemt.

« Merveilleux, dit-elle. Je croyais qu'un tempo lent serait ennuyeux, mais c'est l'inverse. La musique était beaucoup plus intéressante : on percevait bien plus de détails qu'avec un tempo rapide. À la fin, j'ai regardé ma montre et j'ai pensé : "Wouaouh ! Déjà deux heures." Le temps a passé bien plus vite que je ne m'y attendais. »

La jeune femme n'est pas pour autant pressée d'adhérer au mouvement Tempo Giusto. Elle aime toujours jouer vite et elle sait que jouer lentement aurait des conséquences sur ses notes à l'école de musique. Cela pourrait même saborder son rêve de faire partie d'un orchestre. « Je ne peux me permettre pour l'instant de jouer lentement en public, parce que les gens s'attendent à un autre tempo ; mais peut-être vais-je jouer plus lentement pour moi seule, de temps en temps. Il faut que j'y réfléchisse. »

Pour Kliemt, l'épisode est en soi un triomphe : un germe de lenteur a été planté. Après que la foule s'est dispersée dans la douceur du soir, nous nous attardons sur l'aire de parking, savourant un beau coucher de soleil. Le pianiste est en pleine forme. Sans aucun doute, il sait que Tempo Giusto se prépare à une bataille difficile. Avec leurs fonds de catalogue à écouler et leur réputation à protéger, les « poids lourds » de la musique classique ont peu de temps à consacrer à un mouvement proclamant qu'ils ont passé leur vie à jouer et à diriger en suivant un mauvais tempo... Uwe Kliemt lui-même est toujours en train d'affiner sa quête du *tempo giusto*. Trouver la bonne cadence suppose maints et maints tâtonnements : certains de ses derniers enregistrements sont plus rapides que ceux d'il y a dix ans. « Peut-être suis-je allé un peu loin au début, lorsque j'ai commencé à explorer la lenteur, reconnaît-il. Beaucoup de points restent encore à discuter. »

Quoi qu'il en soit, le musicien bouillonne d'une ardeur messianique. Comme d'autres adeptes de Tempo Giusto, il pense que le mouvement pourrait constituer la plus importante révolution au sein de la musique classique depuis plus d'un siècle. Et il puise sa conviction dans les progrès enregistrés par d'autres campagnes en faveur de la lenteur. « Il y a quarante ans, les gens se moquaient de l'agriculture bio, et aujourd'hui il semblerait qu'elle s'apprête à devenir une norme nationale en Allemagne, observe-t-il. Peut-être que, d'ici quarante ans, tout le monde jouera Mozart plus lentement. »

Tandis que Tempo Giusto s'essaie à récrire l'histoire de la musique classique, d'autres se servent de la cadence lente pour lancer un défi symbolique au culte de la vitesse.

Un vieux phare sur les quais de la Tamise, dans la partie orientale de Londres, est désormais le siège de ce qui pourrait devenir le plus long concert jamais interprété. Le projet, baptisé *Longplayer*, est parti pour durer mille ans. La musique repose sur un enregistrement de vingt minutes de sons vibrants de bols tibétains. Toutes les deux minutes, un ordinateur iMac rejoue six segments de l'enregistrement sur des tons différents, produisant une bande-son qui ne se répétera jamais durant un millénaire. Jem Finer, le créateur de *Longplayer*, a voulu prendre une position forte contre l'étroitesse de vue de notre monde intoxiqué de vitesse. « Quand tout va toujours plus vite et que notre fenêtre d'attention se réduit de jour en jour, nous ne savons plus ce que c'est que de ralentir, me dit-il. Je voulais réaliser quelque chose qui évoque le temps comme un long et lent processus plutôt que comme un espace à parcourir à toute vitesse. » S'asseoir en haut d'un phare offrant une vue sur la Tamise et écouter le bourdonnement profond et méditatif des bols tibétains est une expérience très apaisante. Le projet *Longplayer* touche un public plus vaste que la somme des pèlerins se rendant dans l'est de Londres. Au cours de l'année 2000, un deuxième iMac s'est mis à émettre ces sons rassurants au sein de la zone de repos du Dôme du millénaire, de l'autre côté du fleuve. La radio nationale danoise lui a également ouvert ses ondes pendant quatre heures sans interruption en 2001. En ce moment même, *Longplayer* est diffusé sur Internet.

Un autre de ces projets-marathons est en préparation à Halberstadt, petite ville allemande célèbre pour ses orgues anciennes. L'église locale Saint-Burchardi, édifice du XIIe siècle mis à sac par Napoléon, est le lieu d'un concert qui se terminera en l'an 2640 si les sponsors le veulent bien. La partition a été écrite en 1992 par John Cage, compositeur américain d'avant-garde. Son titre, assez approprié, est *ASLSP* – pour *As SLow aS Possible* (*Aussi lentement que possible*). La durée de l'œuvre a longtemps été l'objet de controverses parmi les connaisseurs. Certains estimaient que vingt minutes suffisaient. D'autres, jusqu'au-boutistes, ne voulaient rien au-dessous de l'infini. Après avoir consulté un groupe de musicologues, de compositeurs, d'organistes, de théologiens et de philosophes, la ville se décida pour une durée de 639 ans – soit le temps exact écoulé depuis la création de l'orgue Blockwerk qui fit sa renommée.

Pour rendre justice à l'œuvre de John Cage, les organisateurs commandèrent un orgue destiné à résister aux siècles. Des poids attachés aux touches du clavier font tenir les notes très longtemps après que l'organiste les a jouées. Le récital *ASLSP* a commencé en septembre 2001 par une pause qui a duré dix-sept mois durant laquelle le seul son entendu fut celui du passage de l'air dans les soufflets. En février 2003, un organiste est venu jouer les trois premières notes, qui se sont répercutées dans l'église jusqu'à l'été 2004, date à laquelle les deux notes suivantes ont été jouées.

Le concept d'un concert si lent qu'un individu ayant entendu la première note ne vivra pas assez longtemps pour entendre la note finale a clairement éveillé l'intérêt du public. Des centaines de spectateurs fondent sur Halberstadt chaque fois qu'un organiste vient jouer une nouvelle grappe de notes. Et au cours des longs mois d'intervalle, les visiteurs se pressent pour en recueillir les sons résiduels qui résonnent et font écho dans l'église.

J'ai assisté au concert de l'été 2002, alors que les soufflets se chargeaient continûment d'air et avant que l'orgue définitif ne soit installé. Norbert Kleist, un avocat d'affaires membre du projet John Cage, fut mon guide. Nous nous rencontrâmes non loin de l'église Saint-Burchardi. De l'autre côté de la place, une ancienne ferme avait été reconvertie en logements sociaux et abritait un atelier de meubles. À côté de l'église se dressait une sculpture moderne faite de cinq piliers métalliques disjoints. « Cela symbolise la brisure du temps », m'expliqua Norbert Kleist en sortant un trousseau de clés de sa poche.

Nous franchîmes une lourde porte de bois pour entrer dans l'église, qui était spectaculairement vide. Ni bancs, ni autel, ni tableaux religieux – juste un sol de gravier et un haut plafond entrecroisé de poutres en bois. L'air était frais et embaumait la vieille maçonnerie. Au-dessus de nos têtes, les pigeons battaient des ailes, perchés au rebord des fenêtres. Dans l'un des transepts, logés dans un grand coffre de noyer, l'orgue et ses soufflets se tenaient repliés comme une centrale électrique miniature, sifflant et soufflant dans le demi-jour. Son chuintement doux, presque musical, rappelait celui d'une locomotive à vapeur entrant en gare à la fin d'un long voyage.

Kleist me dépeignit ce concert de 639 ans comme un défi au rythme de vie haletant et bousculé du monde moderne. Alors que nous sortions de l'église, laissant l'orgue remplir ses vastes poumons, il observa : « Peut-être sommes-nous au début d'une révolution de la lenteur ? »

Chapitre 10
Pour épargner à nos enfants la dictature de la vitesse

L'éducation la plus efficace, c'est que l'enfant joue au milieu des belles choses.
Platon (v. 427-v. 347 av. J.-C.)

Harry Lewis est doyen de l'université d'Harvard. Au début de l'année 2001, il assistait à une réunion au cours de laquelle les étudiants étaient invités à émettre les griefs qu'ils pouvaient avoir à l'encontre de l'équipe dirigeante de l'université de l'Ivy League. L'un d'eux piqua une crise mémorable. Il voulait effectuer un double cursus, en biologie et en anglais, le tout en trois ans au lieu de quatre, et était exaspéré par son directeur de thèse, qui ne pouvait ou ne voulait pas élaborer un emploi du temps lui permettant de suivre l'intégralité des cours. Tout en écoutant l'étudiant se plaindre d'être entravé dans son désir, Harry Lewis eut une illumination : « Je me souviens avoir pensé : "Attends un instant, certes tu as besoin d'aide, mais pas dans le sens où tu le penses. Il faut que tu prennes le temps de réfléchir à ce qui est réellement important, plutôt que de tenter de coincer le plus de cours possible dans le moins de temps." »

À l'issue de cette réunion, le doyen commença à se demander comment l'étudiant du XXIe siècle était devenu un disciple de l'urgence. Très vite, il fut amené à s'insurger contre les emplois du temps surchargés et les programmes d'études accélérés, deux véritables fléaux. Durant l'été 2001, il écrivit une lettre ouverte aux étudiants de première année, plaidoyer passionné pour une nouvelle approche de la vie sur le campus, mais aussi en dehors. Cet essai très clair, rassemblant les vues qui sont au cœur de la philosophie de la lenteur, est désormais distribué aux étudiants de première année et s'intitule *Ralentissez.*

Sur sept pages, Lewis y plaide en faveur d'une méthode qui consiste à obtenir davantage de l'université et de la vie en général en en faisant moins. Il incite les étudiants à y réfléchir à deux fois avant de courir après les diplômes. « Il faut du temps pour maîtriser un sujet », écrit-il, avant de faire remarquer que les facultés de médecine, de droit et de commerce préfèrent aujourd'hui les candidats matures, qui ont plus à proposer qu'une « formation étudiante abrégée et intense ». Harry Lewis met en garde contre l'accumulation des activités extrascolaires. Quel est l'intérêt, demande-t-il, de jouer au hockey, de présider des débats, d'organiser des conférences, de faire partie d'une troupe de théâtre, de publier un journal estudiantin si c'est pour se retrouver à essayer de ne pas crouler sous un emploi du temps plus que surchargé ? Mieux vaut faire peu de choses, mais en avoir le temps.

En matière de vie universitaire, Harry Lewis prône cette même méthode du « plus dans le moins ». Prenez des temps de repos, relaxez-vous et sachez cultiver l'art de ne rien faire. « Le temps libre n'est pas un vide à combler. C'est ce qui permet de réorganiser votre esprit de manière créative. De même que le cube vide d'un Rubik's Cube permet de faire bouger les quinze autres pleins qui l'entourent. » En d'autres termes, ne rien faire, aller à son rythme favorise un bon fonctionnement de la pensée.

Ce mot d'ordre n'est pas une charte pour les paresseux ou les soixante-huitards attardés. Le doyen aime autant travailler dur et obtenir des succès universitaires que n'importe quel étudiant débordé d'Harvard. Simplement il pense que ralentir un peu, de façon bien choisie, peut permettre aux étudiants de mieux vivre et travailler. « En vous conseillant de ralentir et de limiter vos activités, je ne veux pas vous empêcher de viser les plus grands succès, ni l'excellence, conclut-il. Mais vous serez ainsi plus à même de soutenir l'effort intense que nécessitent de tels objectifs si vous vous accordez des temps de loisirs, une pause, des moments de solitude. »

Son *cri du cœur* ne vient pas trop tôt : dans notre monde frénétique, le virus de l'urgence est déjà passé du monde des adultes à celui des plus jeunes. À notre époque, les enfants grandissent plus vite, quelle que soit leur tranche d'âge. Dès six ans, ils organisent leur vie sociale grâce à leurs portables, et certains adolescents traitent leurs affaires depuis leurs chambres. Ils sont préoccupés de plus en plus tôt par leur apparence, par le sexe, les marques et même leur carrière. L'enfance ne dure plus si longtemps : de plus en plus de fillettes atteignent la puberté avant treize ans. Les jeunes d'aujourd'hui sont de toute évidence plus occupés, tributaires d'horaires et plus pressés que ceux de ma génération. Récemment, une enseignante m'a raconté avoir pris contact avec les parents d'un enfant dont elle s'occupait. Elle trouvait qu'il passait beaucoup de temps à l'école et pratiquait trop d'activités extrascolaires. Elle leur suggéra de lui accorder une pause. Le père était furieux. « Il doit apprendre à travailler dix heures par jour, comme moi », lâcha-t-il. Le petit avait quatre ans.

En 1989, le psychologue américain David Elkin a publié un ouvrage sous le titre évocateur *L'Enfant pressé : celui qui grandit trop vite et trop tôt.* Comme le suggère le titre de son essai, l'auteur nous met en garde contre la mode de faire entrer très vite les enfants dans l'âge adulte. Combien de gens ont-ils retenu l'avertissement ? Très peu, semble-t-il. Dix ans plus tard, la majorité des gamins sont plus pressurés que jamais.

Pourtant nos enfants ne naissent pas obsédés par la vitesse ou l'efficacité, c'est nous qui sommes à l'origine du phénomène. Dans les foyers monoparentaux, la pression exercée sur les enfants est encore plus forte, car ils doivent épauler les adultes. Les publicitaires les encouragent à devenir des consommateurs dès que possible. Les écoles leur apprennent à vivre contre la montre et à utiliser leur temps le plus efficacement possible, relayées en cela par les parents qui surchargent leurs emplois du temps d'activités supplémentaires. Tout leur laisse à penser que le moins n'est pas le plus et que le plus vite est toujours le mieux. L'une des premières phrases que mon fils a apprise est « Allez! Dépêche-toi! ».

La compétition pousse beaucoup de parents à presser leurs enfants. Nous voulons tous que notre progéniture réussisse dans la vie. Dans un monde très actif, cela veut dire les mettre sur la voie rapide dans le plus de domaines possible : les études, le sport, l'art, la musique... Il ne suffit plus d'égaler son voisin, il faut le distancer dans chaque discipline.

La peur que ses enfants ne soient pas à la hauteur n'est pas nouvelle. Au XVIIIe siècle, Samuel Johnson enjoignait les parents à ne pas tergiverser : « Pendant que vous vous demandez quel livre votre enfant doit lire en premier, un autre a lu les deux. » Dans cette économie mondiale fonctionnant 24 heures sur 24 et 7 jours sur 7, la pression est plus féroce que jamais et mène à ce que les experts appellent « l'hyperparentalité », une conduite compulsive tendant à vouloir rendre son enfant parfait. Pour que leur rejeton prenne le départ en tête, les parents ambitieux lui font écouter Mozart *in utero*, lui apprennent le langage des signes avant qu'il ait six mois et utilisent des images colorées pour lui enseigner le vocabulaire avant un an. Des séjours d'initiation à l'informatique et des séminaires de motivation acceptent désormais les enfants à partir de quatre ans ; les cours de golf commencent à deux ans. Quand tous les autres parents mettent leurs enfants très vite sur les rails, il est difficile de résister à la pression. L'autre jour, je suis passé devant une publicité pour un cours de langues de la BBC destiné aux enfants : « Parlez français à trois ans! Espagnol à sept! proclamait le slogan. Si vous attendez, il sera trop tard! » Mon impulsion première fut de me précipiter sur le téléphone pour me renseigner, la seconde de me sentir coupable de ne pas l'avoir fait.

Dans un monde sans merci, l'école est un champ de bataille où le seul but est d'arriver en tête de la classe. C'est particulièrement vrai en Extrême-Orient, où le système éducatif est basé sur « l'enfer des examens ». Pour suivre le rythme, des millions d'enfants passent leurs soirées et leurs week-ends dans des écoles de bachotage. Il n'est pas rare de les voir consacrer 80 heures par semaine au travail scolaire.

Dans cette course aveugle aux scores élevés dans les classements internationaux, le monde anglophone a voulu rejoindre le modèle asiatique. Ces vingt dernières années, les gouvernements ont adhéré à la doctrine de « l'intensification » selon laquelle il s'agit d'accumuler plus de travail à la maison, plus d'examens, pour avoir un solide *curriculum vitæ*. Le travail commence souvent avant l'école primaire. Dans sa maternelle à Londres, mon fils a commencé à apprendre, sans grand succès, à tenir un stylo et à écrire alors qu'il avait trois ans. L'enseignement privé est en pleine expansion en Occident, et ce à des âges de plus en plus précoces. Dans l'espoir d'avoir une place dans le « bon » jardin d'enfants, les parents américains rodent leurs petits de quatre ans pour qu'ils réussissent leurs entretiens. À Londres, il existe des cours particuliers à partir de trois ans.

L'intensification ne se limite pas au domaine scolaire. Entre deux cours, beaucoup courent d'une activité à l'autre. Les gamins n'ont plus le temps de se détendre, de jouer seuls ou tout simplement de laisser leur imagination vagabonder. Pas le temps de prendre son temps.

Les enfants payent le prix de ce rythme effréné. On voit aujourd'hui des mômes de cinq ans souffrir de mauvaise digestion, de maux de tête, d'insomnie, de dépression et de troubles de l'alimentation dus au stress. Comme tout le monde, dans notre société où il faut toujours être sur tous les coups, trop d'enfants ne dorment pas assez – ce qui tend à les rendre grincheux, nerveux et impatients. Des enfants qui manquent de sommeil ont plus de mal à se faire des amis, ils risquent d'avoir un poids trop faible, car le sommeil profond permet la libération des hormones de croissance.

Vouloir que son fils ou sa fille soit en avance cause souvent plus de tort que de bien. La Société américaine de pédiatrie a énoncé une mise en garde concernant la spécialisation précoce dans le domaine du sport, qui engendre des dommages physiques et psychiques. Il en va de même pour l'éducation. On ne compte plus les preuves qui démontrent que les enfants apprennent mieux quand ils vont plus lentement. Kathy Hirsch-Pasek, professeur de psychologie infantile à l'université Temple de Philadelphie, en Pennsylvanie, a testé récemment cent vingt petits Américains d'âge préscolaire. La moitié d'entre eux avait fréquenté des maternelles où l'accent était mis sur les échanges sociaux et une approche ludique de l'apprentissage. Les autres avaient fréquenté des établissements qui les poussaient vers le succès scolaire, selon une méthode que les spécialistes rangent dans la catégorie des « pédagogies agressives ». La psychologue a découvert que les enfants éduqués dans un environnement plus tranquille et apaisé étaient moins inquiets, plus curieux d'apprendre et plus aptes à penser de façon autonome.

En 2003, cette psychologue a cosigné l'ouvrage *Einstein Never Used Flash Cards : How Our Children Really Learn – And Why They Need to Play More and Memorize Less* (*Einstein n'a pas eu besoin d'images colorées : comment nos enfants apprennent vraiment. Pourquoi il leur faut jouer plus et mémoriser moins*). Le livre déboulonne le mythe selon lequel l'« apprentissage précoce » et la « pédagogie accélérée » permettent de construire de meilleurs cerveaux. « Quand il s'agit d'élever et d'instruire les enfants, la tendance actuelle est de croire qu'il est bon d'aller vite et que chaque seconde compte. C'est faux, dit l'auteur. Les résultats scientifiques prouvent clairement que les enfants apprennent mieux et s'épanouissent davantage quand ils étudient de façon plus détendue, moins stricte et moins rapide. »

En Extrême-Orient, le principe du travail punitif appliqué dans des écoles et qui fut envié dans le monde entier se retourne clairement contre son objectif. Les élèves ne sont plus en tête dans les résultats internationaux et ils ne parviennent pas à développer les talents créatifs que réclame l'économie de l'information. De plus en plus, les étudiants asiatiques se rebellent contre cette éthique du « marche ou crève » appliquée à la pédagogie.

Les taux de criminalité et de suicides sont en progression, et l'absentéisme scolaire a pris l'ampleur d'une épidémie. Dans le primaire et le secondaire, plus de 100 000 élèves japonais sèchent les cours plus d'un mois par an. Beaucoup d'autres refusent carrément d'aller en cours.

Dans l'ensemble du monde industrialisé, la réaction se fait violente contre les méthodes qui tendent à bousculer les enfants. La lettre ouverte du doyen d'Harvard a eu un grand succès, tant auprès des éditorialistes que des étudiants et des équipes dirigeantes. Les parents dont les aînés sont à Harvard la font lire aux plus jeunes. « Il semble que ce soit devenu la bible de certaines familles », dit Harry Lewis. Beaucoup de ces idées gagnent du terrain dans les médias : les magazines de presse parentale publient régulièrement des articles sur les dangers d'une pression excessive sur les enfants. Chaque année apporte une nouvelle moisson d'ouvrages émanant de psychologues et d'éducateurs et faisant le procès des méthodes de « gavage ».

Il y a peu, le *New Yorker* a publié une bande dessinée reflétant cette peur grandissante de voir refuser une véritable enfance aux plus jeunes. Deux garçons du primaire, coiffés de casquettes de base-ball, marchent dans la rue, leurs livres sous le bras. D'un air las et fatigué fort peu de son âge, l'un marmonne à l'autre : « Tellement de jouets, et si peu de temps libre. »

Mais nous connaissons tout cela. La philosophie de la lenteur et le combat pour rendre leur enfance aux enfants trouvent leurs racines dans la révolution industrielle. En effet, la conception moderne de l'enfance comme un moment d'innocence et d'imagination est issue du mouvement romantique qui a traversé l'Europe à la fin du XVIIIe siècle. Jusque-là, les enfants étaient considérés comme de petits adultes qui devaient trouver leur utilité aussi tôt que possible. Dans son ouvrage *Émile, ou De l'éducation*, essai-phare sur l'éducation des enfants en accord avec la nature, le philosophe Jean-Jacques Rousseau s'attaque à cette tradition de les traiter comme s'ils étaient des adultes. Et dans *Julie, ou la Nouvelle Héloïse* (1761), il écrivait déjà : « L'enfance a des manières de voir, de penser, de sentir qui lui sont propres ; rien n'est moins sensé que d'y vouloir substituer les nôtres. » Au XIXe siècle, les réformateurs tournent leurs regards vers les méfaits du travail infantile, qui, dans les usines et les mines, contribuait à faire fonctionner la nouvelle économie industrielle. En 1819, Coleridge inventa le terme d'« esclaves blancs » pour désigner les enfants qui peinaient dans les filatures anglaises. À la fin du XVIIIe siècle, l'Angleterre commença à retirer les enfants des ateliers pour les mener en classe et leur offrir une enfance digne de ce nom.

Aujourd'hui, éducateurs et parents du monde entier veulent à nouveau donner aux plus jeunes la liberté d'aller lentement et d'être des enfants. Dans mes recherches d'interviews, j'ai envoyé des messages à différents sites parentaux sur Internet. En quelques jours, ma boîte de réception a été submergée de courriels en provenance de tous les continents. Certains émanaient d'adolescents se plaignant de leurs vies conditionnées par l'urgence. Une jeune fille australienne, Jess, se décrit elle-même comme une « ado débordée » et me dit qu'« elle n'a le temps de rien » ! Mais la plupart des messages viennent de parents s'enflammant sur les différents moyens de tranquilliser leurs enfants.

Commençons dans la salle de classe, où la pression monte pour instaurer une méthode d'apprentissage plus pondérée. À la fin 2002, Maurice Holt, professeur émérite en éducation à l'université du Colorado, à Denver, a publié un manifeste appelant à un mouvement mondial pour une « scolarité lente » dite aussi « progressive ». Comme les autres, il tire son inspiration de Slow Food ; selon lui, gaver les enfants d'informations le plus vite possible est aussi peu nourrissant que d'engloutir un Big Mac. Mieux vaut apprendre calmement, prendre le temps d'approfondir les sujets, de se faire des relations, s'exercer à penser plutôt qu'à passer des examens. Si manger lentement excite le palais, apprendre lentement peut élargir et fortifier l'intelligence.

« La notion d'école à vitesse lente va contre cette idée que les études consistent à inculquer de force, passer un examen et standardiser le savoir, écrit Maurice Holt. Une approche apaisée de la nourriture permet de découvrir et de développer la notion de connaisseur. Les festivals Slow Food mettent en vedette de nouveaux plats et de nouveaux ingrédients. Dans le même sens, les écoles du savoir progressif laissent libre cours à l'invention et répondent à un changement culturel, alors que les écoles qui cherchent à rentabiliser le savoir servent toujours les mêmes vieux hamburgers. »

Holt et ses adeptes ne sont pas des extrémistes, ils ne souhaitent pas que leurs enfants étudient moins ou s'amusent toute la journée. Le travail a toute sa place dans une école progressive. Mais au lieu d'être obsédés par les tests, les objectifs et les horaires, les enfants ont la liberté de se passionner pour les études. Plutôt que de passer le cours d'histoire à écouter un enseignant débiter des dates et des faits sur la crise des missiles cubains, la classe peut débattre de la question, un peu comme aux Nations Unies : chaque élève s'informera sur la position d'un pays majeur à l'époque et la défendra devant sa classe. Tout en travaillant dur, les élèves évitent de passer par la corvée du « par cœur ». Comme tout ce qui émane du mouvement en faveur de la lenteur, la scolarité lente n'est qu'une question d'équilibre.

Les pays ayant adopté cette méthode d'éducation en recueillent déjà les fruits. En Finlande, les enfants entrent en maternelle à l'âge de six ans, et en primaire à sept. Ils passent très peu d'examens générateurs de stress, fléau de la vie estudiantine du Japon à l'Angleterre. Le résultat ? La Finlande est régulièrement en tête des classements de l'Organisation pour la coopération et le développement économique mondial, par ses performances en matière d'éducation et d'alphabétisation. Et les délégués du monde entier se pressent pour étudier le « modèle finlandais ».

Ailleurs, les parents qui veulent que leurs enfants soient baignés dans la pédagogie progressive se tournent vers le secteur privé. Dans l'Allemagne de l'entre-deux-guerres, Rudolf Steiner fut l'un des premiers pédagogues à mettre au point un type d'éducation aux antipodes de l'apprentissage accéléré. Il pensait qu'on ne devait jamais pousser les enfants à étudier tant qu'ils n'étaient pas prêts et s'opposait à l'apprentissage de la lecture avant sept ans. Au contraire, l'enfant devait passer ses premières années à jouer, dessiner, raconter des histoires et étudier la nature. Steiner évitait aussi les emplois du temps rigides qui obligent les enfants à passer d'un sujet à l'autre, selon les caprices de la cloche. Il préférait les laisser étudier un sujet jusqu'à ce qu'ils se sentent prêts à passer à autre chose. Aujourd'hui, il y a plus de huit cents écoles d'inspiration Steiner dans le monde et sans doute plus encore à venir.

L'école expérimentale de l'Institut d'étude de l'enfant de Toronto pratique aussi une approche lente. Elle compte deux cents élèves, âgés de quatre à douze ans, auxquels elle « apprend à apprendre », à comprendre, à accumuler les connaissances pour leur propre satisfaction, mais aussi à se libérer de l'obsession des contrôles, des notes et des horaires. Pourtant, quand ils doivent passer des examens communs avec les autres enfants, leurs résultats sont en général très bons. Beaucoup ont obtenu des bourses pour les meilleures universités du monde, confirmant les idées de Holt, d'après qui « l'ironie suprême de l'école progressive, c'est précisément qu'elle fournit aux étudiants la nourriture intellectuelle dont ils ont besoin. [...] Les bons résultats aux examens suivent. [...] On atteint plus aisément le succès, comme le bonheur, par les chemins de traverse ». Cette école existe depuis 1926, et sa philosophie est aujourd'hui plus populaire que jamais. Malgré des frais d'inscription annuels de 7 000 dollars canadiens, plus de mille enfants sont sur liste d'attente.

Au Japon aussi, on voit naître des écoles expérimentales en réponse à la demande de méthodes d'enseignement plus douces. C'est le cas d'Apple Tree, école fondée dans la préfecture de Tokyo Saitama en 1988 par un groupe de parents désespérés du système. Ses principes sont à des milliers de kilomètres de la discipline martiale, de la compétition fébrile et de l'atmosphère de rivalité régnant sans les classes japonaises. Les élèves vont et viennent à leur gré, étudient ce qu'ils désirent et ne passent aucun examen. On pourrait penser que ce type d'enseignement mène à l'anarchie, mais en fait ce rythme décontracté donne d'assez bons résultats.

Il y a quelque temps, un après-midi, vingt élèves âgés de six à dix-neuf ans grimpent les marches en bois bancales qui mènent au premier étage du petit bâtiment. Ils n'ont pas l'air particulièrement rebelles, certains ont les cheveux teints, mais aucun ne porte de tatouage visible ou de piercing au visage. À la japonaise, ils déposent leurs chaussures à l'entrée avant de s'agenouiller pour travailler devant des tables basses disposées en forme de « L ». De temps à autre, un élève se lève pour faire du thé vert dans la cuisine ou donner un coup de téléphone sur son portable. Sinon, tout le monde est très concentré sur son travail. Ils écrivent, échangent des idées avec les enseignants ou leurs camarades.

Hiromi Koike, une jeune fille de dix-sept ans au visage angélique, en jeans et casquette Denim, se lève pour m'expliquer en quoi des écoles comme Apple Tree sont une bénédiction. Incapable de supporter la pression constante et le rythme effréné de l'éducation publique traditionnelle, elle avait décroché et était devenue la cible des petits caïds de la cour de récréation. Le jour où elle a refusé catégoriquement de retourner à l'école, ses parents l'ont inscrite à Apple Tree. Elle y prépare son diplôme universitaire en quatre ans au lieu de trois. « Dans une école normale, on est en permanence sous pression, il faut aller vite, tout faire en un temps donné, dit-elle. Je préfère mille fois être à Apple Tree, je peux décider de mon emploi du temps et étudier à mon rythme. Ici, ce n'est pas un crime d'être lente. »

Certains critiques observent que l'éducation progressive est plutôt destinée aux enfants ayant des facilités intellectuelles ou qui viennent de familles où l'éducation occupe une place de choix. C'est assez vrai, mais le fond de la méthode lente peut être appliqué partout et certains des pays les plus concernés transforment peu à peu leurs méthodes d'enseignement. En Extrême-Orient, les gouvernements commencent à alléger le fardeau des étudiants. Le Japon a adopté l'approche dite « du rayon de soleil » – plus de liberté en classe, plus de temps pour la créativité et des horaires allégés. En 2002, on a aboli les cours du dimanche – oui, du dimanche – et l'État s'est décidé à apporter son soutien au nombre croissant d'écoles privées qui adoptent une pédagogie plus douce; Apple Tree a enfin reçu l'agrément du gouvernement en 2001.

Le système éducatif britannique cherche lui aussi à alléger la pression pesant sur ses élèves stressés. En 2001, le pays de Galles a abandonné les tests obligatoires d'évaluation destinés aux enfants de sept ans. En 2003, l'Écosse a commencé à se détourner de l'examen formel, et les nouveaux programmes des écoles primaires anglaises ont désormais pour but de rendre l'enseignement plus agréable.

Les parents commencent aussi à réfléchir à l'esprit de compétition qui règne dans trop d'écoles privées britanniques. Certains n'hésitent pas à faire pression sur les directeurs pour qu'il y ait moins de travail à la maison et plus de temps consacré à l'art, la musique ou tout simplement la réflexion. D'autres retirent tout bonnement leurs enfants pour les inscrire dans des écoles qui utilisent d'autres méthodes.

C'est ce qu'a fait Julian Griffin, un agent de change londonien. Comme beaucoup de parents qui ont réussi, il voulait donner à son fils ce qu'il croyait être la meilleure éducation qui soit. La famille avait même déménagé pour que le bambin puisse se rendre à pied dans une école primaire privée très cotée du sud de Londres. Très vite, James, un enfant rêveur et artiste, a perdu pied. Doué en dessin et en travaux manuels, il luttait pour suivre le rythme scolaire, les longues heures en classe, les devoirs à la maison, les examens. La plupart des parents de cette école avaient du mal à faire faire à leurs enfants cette montagne de devoirs, mais le combat était particulièrement âpre chez les Griffin. James a commencé à avoir des crises de panique et à fondre en larmes quand ses parents le déposaient à l'école. Après deux années de marasme et de fortunes dépensées en consultations de psychologues, les Griffin décidèrent de chercher une autre école. Tous les établissements privés leur fermèrent la porte au nez. Une directrice leur suggéra même que James avait peut-être un retard mental. En fait, c'est le médecin de famille qui proposa la solution : « James va bien. Il a tout simplement besoin de décompresser. Mettez-le à l'école publique. »

Les écoles publiques britanniques n'entretiennent pas la compétition. Alors en septembre 2002, les Griffin ont inscrit leur fils dans une école primaire publique, populaire auprès des parents ambitieux de la bourgeoisie du sud de Londres. Ce fut une véritable renaissance pour le garçon. Bien qu'il ait toujours tendance à rêvasser, il a pris goût à l'étude et se situe aujourd'hui dans le milieu de la classe. Il attend avec impatience le moment d'aller à l'école et fait ses devoirs – pas plus d'une heure par semaine – sans histoire. Il prend aussi un cours de poterie hebdomadaire. Mais par-dessus tout, il est heureux et a repris confiance en lui. « J'ai l'impression de retrouver mon fils », dit Julian. Déçus de la culture de compétition qui règne dans le secteur privé, les Griffin pensent envoyer leur cadet, Robert, dans la même école que son frère. « Il a un caractère différent de celui de James et je suis sûr qu'il arriverait à se faire une place dans une école privée ; mais pourquoi vouloir mener les enfants à l'épuisement ? »

Même quand leurs enfants s'en sortent bien, des parents décident de les retirer des écoles privées pour leur donner la possibilité d'exercer leur créativité. À quatre ans, Sam Lamiri a réussi les examens d'entrée à une école privée très cotée de Londres. Sa mère était ravie et fière. Le petit garçon travaillait bien, mais elle sentait que l'école exigeait trop de lui. Elle était particulièrement déçue du peu de cas que l'on y faisait de l'art. Les enfants avaient un cours d'une heure le vendredi après-midi, au bon vouloir de l'enseignant. Mme Lamiri pensait qu'il manquait quelque chose à son fils. « Il avait la tête tellement pleine de faits et de connaissances, il subissait trop de pression pour rester au niveau et n'avait plus le temps de laisser libre cours à son imagination. Ce n'était absolument pas ce que je désirais pour lui. Je voulais qu'il soit équilibré, curieux et imaginatif. »

Quand la famille s'est vue privée d'une partie de ses revenus, sa mère a soudain eu une bonne excuse pour faire changer les choses. Au milieu de l'année scolaire 2002, elle a transféré Sam dans une école publique de quartier et elle est maintenant satisfaite du rythme scolaire plus paisible et de l'attention prêtée à l'exploration du monde par l'art. Son petit garçon est à présent plus heureux et plus énergique. Il témoigne d'un vif intérêt pour les animaux, en particulier les serpents et les guépards, et sa mère voit s'aiguiser ses facultés créatrices. L'autre jour, l'enfant se demandait tout haut ce qui arriverait si l'on parvenait à construire un escalier immense dans l'espace. « Sam n'aurait jamais posé ce genre de questions auparavant. Il parle maintenant de façon beaucoup plus imaginative. »

Rejeter la compétition peut malgré tout être une épreuve. Les parents qui permettent à leurs enfants de ralentir le rythme sont tenaillés par la peur de ne pas les traiter selon leur juste valeur. Pourtant, de plus en plus se jettent à l'eau. « Quand tant de gens autour de vous sont plongés dans la compétition, vous vous demandez parfois si vous avez fait le bon choix, dit Mme Lamiri. Finalement, il suffit de suivre son instinct. »

C'est d'ailleurs leur instinct qui pousse d'autres parents à déscolariser entièrement leurs enfants. L'enseignement à domicile connaît un succès croissant, et les États-Unis sont en tête du mouvement. Les statistiques sont pour l'heure assez floues, mais l'Institut national de recherche pour l'éducation à domicile estime que plus d'un million de jeunes Américains sont maintenant scolarisés chez eux. Selon d'autres estimations, 100 000 enfants au Canada, 90 000 en Grande-Bretagne, 30 000 en Australie et 8 000 en Nouvelle-Zélande sont concernés.

Les parents font ce choix pour tout un tas de raisons. Pour protéger leurs enfants de la violence, de la drogue ou autres comportements asociaux, pour les élever dans une religion particulière ou dans une tradition morale spécifique. Ou simplement pour leur donner une meilleure éducation. Mais beaucoup voient dans l'école à domicile un moyen de libérer les jeunes de la tyrannie des horaires, de les laisser étudier et vivre à leur propre rythme. Bref, de les laisser prendre leur temps. Même les familles qui abordent cette méthode avec des emplois du temps très structurés finissent généralement par adopter un schéma plus souple et plus libre. À la faveur d'un rayon de soleil, on peut s'orienter vers une marche dans la nature ou une visite au musée. Nous avons déjà vu combien, lorsqu'ils contrôlent leur emploi du temps, les gens sont moins pressés sur leur lieu de travail. Il en va de même pour l'éducation. Les parents comme les enfants confirment que la possibilité de fixer soi-même ses horaires ou de choisir son propre tempo contribue à éviter le réflexe de la hâte. « Une fois que vous contrôlez vos horaires, la pression de l'urgence est bien moins forte, observe un éducateur de Vancouver. Vous ralentissez automatiquement. »

Le choix de l'enseignement à domicile se fait souvent dans les familles qui adoptent une approche plus détendue dans tous les aspects de la vie. Beaucoup de parents observent que leurs priorités se déplacent, qu'ils passent moins de temps à travailler et plus à surveiller les études de leurs enfants. « On s'aperçoit que, quand les gens commencent à se poser des questions sur l'éducation, ils commencent aussi à s'interroger sur tout – la politique, l'environnement, le travail. Le génie sort de la bouteille », affirme Roland Meighan, un expert britannique de l'enseignement à domicile.

Selon la philosophie de la lenteur, *école à domicile* n'est pas synonyme d'« abandon » ou de « laxisme ». Au contraire, cette méthode d'apprentissage semble très efficace. Comme chacun sait, on perd beaucoup de temps à l'école : les élèves doivent se déplacer d'un endroit à l'autre, prendre des pauses à heures fixes, rester assis pendant qu'on leur enseigne une matière qu'ils possèdent déjà, venir à bout de devoirs hors sujet. Quand on étudie seul chez soi, on peut utiliser son temps de façon plus productive. Des recherches ont montré que les enfants scolarisés chez eux apprennent plus vite et mieux que ceux qui fréquentent les salles de classe. L'université les apprécie pour leur curiosité, leur créativité et leur imagination, qui s'accompagnent d'une grande maturité et d'une capacité à s'attaquer à un sujet de façon autonome.

La peur que les enfants se désocialisent en abandonnant les bancs de l'école n'est plus fondée. Les parents s'organisent généralement en réseaux pour mettre en commun l'enseignement et les sorties éducatives et organiser des rencontres. Et comme les enfants travaillent plus vite chez eux, ils ont plus de temps libre pour leurs loisirs, y compris la fréquentation de clubs ou d'équipes sportives où ils retrouvent leurs homologues des écoles traditionnelles.

Beth Wood, qui a commencé à étudier à domicile au début de l'année 2003 à l'âge de treize ans, n'a jamais eu envie de retourner dans une salle de classe. Petite, elle avait d'abord fréquenté une école Steiner, située près de chez elle, à Whistable, un petit port de pêche à soixante-dix kilomètres de Londres. D'une intelligence précoce, Beth a grandi dans un environnement des plus ouverts. Mais quand la classe a accueilli plusieurs éléments perturbateurs, elle s'est sentie frustrée au point que sa mère, Claire, a décidé de la changer d'école. Comme les écoles primaires alentour étaient au-dessous de la moyenne, elle a commencé à faire le tour des écoles privées du secteur. Plusieurs d'entre elles promirent à Beth une bourse et un « apprentissage accéléré ». Ne voulant pas de cette pédagogie pour sa fille, Claire décida de passer à l'enseignement à domicile. Ce choix a également modifié sa propre vie : en 2000, elle a quitté son emploi stressant d'agent d'assurances maritimes, aux horaires infernaux, pour créer chez elle un atelier de fabrication de savons.

L'enseignement à domicile a fait merveille auprès de Beth. Elle est plus détendue, confiante, et savoure la liberté d'apprendre à son propre rythme. Si elle n'a pas envie d'étudier la géographie le lundi, elle la repousse à un autre jour de la semaine. Et quand un sujet capte son intérêt, elle se plonge dedans. La souplesse de ses horaires et le fait qu'elle travaille deux fois plus vite qu'en classe lui laissent beaucoup de temps pour des activités extrascolaires. Elle a des tas d'amis, joue du violon dans un orchestre de jeunes, fréquente une classe d'art hebdomadaire, et elle est la seule fille de l'équipe de polo locale. Le plus important pour cette grande adolescente qui paraît plus mûre que son âge, c'est de ne jamais se sentir pressée ni tributaire de la sonnerie. Avoir la maîtrise de ses horaires l'immunise contre la maladie du temps : « Mes amis sont toujours pressés et stressés à l'école ou bien ils en ont marre. Moi, je n'ai jamais ce sentiment. J'ai vraiment plaisir à étudier. »

Sous la surveillance distante de sa mère, Beth suit le programme national et va même plus loin sur certains sujets. Passionnée d'histoire, elle souhaiterait étudier plus tard l'archéologie à Oxford ou Cambridge. Elle va bientôt commencer à préparer le GCSE, diplôme que les élèves anglais passent à l'âge de seize ans. Claire pense qu'il lui faudrait un an là où les autres en mettent deux, mais elle a l'intention de la freiner. « Elle pourrait aller très vite, mais on n'est pas aux pièces. Si elle adopte un rythme plus doux et trouve un équilibre entre son travail et ses loisirs, elle apprendra davantage. »

Dès que les parents abordent la question de la détente chez leurs enfants, le jeu est toujours en tête des priorités. Beaucoup d'études montrent que le temps accordé au jeu aide les jeunes enfants à développer leurs capacités sociales et langagières, leur créativité et leur aptitude à apprendre. Ce temps libre dédié au jeu, qui n'est pas structuré, est l'exact opposé du temps dit « de qualité », qui suppose du travail, de l'organisation, un agenda et un objectif. Il n'est pas question ici de cours de danse ou de pratique du football, mais de creuser dans le jardin à la recherche de vers de terre, de jouer dans sa chambre, de construire des châteaux en Lego, de chahuter avec d'autres enfants sur le terrain de jeux ou de regarder tout simplement par la fenêtre. Il s'agit d'explorer le monde, à sa manière et à son rythme. Pour un adulte habitué à compter chaque seconde, le jeu « non structuré » ressemble à du temps perdu, et notre réflexe est de remplir ces plages vides par des activités de divertissement ou d'enrichissement culturel.

Angelika Drabert, ergothérapeute, va dans les jardins d'enfants de Munich parler aux parents de l'importance de ce temps libre et vide d'occupations prédécidées. Elle leur apprend à ne pas presser ni surcharger leurs enfants et peut exhiber un sac entier de lettres de mères reconnaissantes. « Quand on explique aux parents qu'ils n'ont pas besoin de trouver des distractions et des activités pour chaque moment de la journée, tout le monde peut se détendre, et c'est bien. Il faut parfois que les enfants puissent trouver la vie lente et ennuyeuse. »

Beaucoup de parents en sont arrivés à cette conclusion sans l'aide d'un thérapeute. Aux États-Unis, des milliers d'entre eux rejoignent des groupes comme La Famille en premier, qui mène campagne contre les horaires surchargés. En 2002, à Ridgewood, ville de 25 000 habitants du New Jersey, s'est tenue la première journée du mouvement « À vos marques, prêts, détendez-vous ! ». Chaque année au mois de mars, les enseignants de la ville acceptent, pendant une journée, de ne donner aucun travail à faire à la maison. Tous les cours particuliers, les entraînements et rencontres sportifs sont annulés. Les parents s'arrangent pour rentrer à la maison assez tôt pour dîner et passer la soirée avec leurs enfants. L'événement se renouvelle tous les ans, et certaines familles ont commencé à mettre en pratique le credo de la lenteur tout au long de l'année.

Ce sont souvent les enfants qui manifestent le désir de changer de rythme. Prenons la famille Barnes, qui vit dans l'ouest de Londres. Nicola, la mère, travaille à temps partiel pour une société de marketing ; son mari, Alex, est directeur financier d'une maison d'édition. Ce sont des gens occupés, avec des agendas bien remplis. Jusqu'à tout récemment, leur fils de huit ans, Jack, était comme eux : il faisait partie d'une équipe de football et d'une équipe de cricket, prenait des cours de natation et de tennis et jouait dans une troupe de théâtre. Le week-end, la famille arpentait les galeries d'art et les musées, assistait à des événements musicaux et rayonnait autour de Londres pour visiter des centres consacrés à la nature. « On menait nos vies, même celle de Jack, comme une campagne militaire, observe Nicola. Chaque seconde était comptée. »

Puis, un après-midi du printemps dernier, tout a changé. Jack a préféré rester à la maison et jouer dans sa chambre plutôt qu'aller à son cours de tennis. Sa mère a insisté. Tandis qu'ils traversaient en hâte l'ouest de la ville, Nicola faisant crisser les pneus dans les virages et passant les feux à l'orange pour ne pas arriver en retard, Jack était tranquillement installé sur le siège arrière. « J'ai regardé dans le rétroviseur, il était à moitié endormi. Et c'est là que j'ai compris, se rappelle Nicola. Tout d'un coup, j'ai pensé : "C'est fou, je le traîne à une activité qu'il n'a pas envie de faire. Je suis en train d'épuiser mon propre enfant." »

Ce soir-là, la famille Barnes s'est retrouvée autour de la table de la cuisine pour voir comment alléger l'emploi du temps de Jack. Ils décidèrent de le limiter à trois activités extrascolaires : l'enfant choisit le foot, la natation et le théâtre. Ils se mirent aussi d'accord pour restreindre les sorties du week-end. Jack a désormais plus de temps pour suivre son petit train-train dans le jardin, voir des amis dans le parc avoisinant et jouer dans sa chambre. Les samedis, au lieu de s'écrouler dans son lit après le dîner, il invite maintenant des amis à dormir, et le dimanche matin, ils font ensemble des pancakes et du pop-corn. Ralentir le cours des choses demande un certain entraînement, en tout cas pour les parents. Nicola craignait que son fils ne s'ennuie ou ne s'agite, surtout les week-ends. Alex pensait que le cricket et le tennis allaient lui manquer. Pourtant, Jack s'est épanoui grâce à ces horaires allégés. Il est plus vivant, plus disert et a arrêté de se ronger les ongles. Son entraîneur de foot le trouve plus vif, et l'animateur de son groupe de théâtre plus audacieux. « Je pense que sa vie lui plaît davantage, constate sa mère. J'espère seulement que nous avons agi assez tôt. »

Maintenant qu'elle passe plus de temps avec lui, Nicola se sent plus proche de son fils et apprécie que sa propre vie soit aussi moins trépidante. Tous ces trajets d'une activité à l'autre la stressaient et lui prenaient du temps.

Les Barnes désirent maintenant réduire la première de toutes les activités extrascolaires : la télévision. J'avais précédemment comparé la grande ville à un accélérateur géant de particules. C'est une métaphore qui peut très bien s'appliquer à la télévision, en particulier pour les jeunes. Le petit écran accélère l'arrivée des enfants dans le monde adulte en les exposant à des questions qui ne les concernent pas et en les transformant en consommateurs dès leur plus jeune âge. Parce qu'ils la regardent trop – quatre heures par jour en moyenne aux États-Unis –, les enfants doivent se dépêcher pour accomplir toutes les autres activités prévues dans leur emploi du temps. En 2002, dix organisations de santé publique (parmi lesquelles la Société médicale américaine et l'Académie américaine de pédiatrie) ont cosigné une lettre dans laquelle elles affirmaient que le fait de trop regarder la télévision rendait les enfants plus agressifs. Beaucoup d'études laissent entendre que les enfants exposés à la violence de la télé ou des jeux vidéo sont plus souvent agités et incapables de rester assis ou de se concentrer.

Dans les écoles du monde entier, où de plus en plus d'enfants manifestent des désordres et des déficits d'attention, les enseignants incriminent souvent le tube cathodique : la vitesse extrême à laquelle se succèdent les images sur le petit écran a certainement un effet sur les jeunes cerveaux. La télévision japonaise a diffusé en 1997 un épisode des *Pokémon* dont les flashs brillants et multicolores ont déclenché des crises d'épilepsie chez près de sept cents enfants qui la regardaient tranquillement chez eux. Pour éviter les poursuites judiciaires, les sociétés de jeux informatiques ajoutent maintenant des mises en garde sur leurs emballages.

Tout cela explique pourquoi de nombreuses familles en ont assez. Dans le monde entier, des parents restreignent l'accès au petit écran pour leurs enfants et trouvent que leur vie est plus paisible. Pour découvrir moi-même ce qu'est un territoire exempt de télé, j'ai donc rendu visite à Susanne et Jeffrey Clarke, un couple très actif d'une quarantaine d'années, vivant à Toronto avec leurs deux enfants. Jusqu'à il y a peu, la télévision était au centre de la maison. Rivés comme des zombies à l'écran, Michael, dix ans, et Jessica, huit ans, avaient perdu la notion du temps, courant sans arrêt pour ne pas être en retard. Les deux enfants engloutissaient leur repas à toute allure pour retourner devant la boîte à images.

Après avoir lu des articles sur le mouvement antitélévision, les Clarke décidèrent d'en appliquer les principes. Ils rompirent d'un coup avec cette dépendance et firent disparaître leur Panasonic dans un placard sous l'escalier. Après quelques protestations, les résultats se révélèrent étonnants. En l'espace d'une semaine, les enfants couvrirent le sous-sol de matelas et commencèrent à faire ensemble des exercices de gymnastique – la roue, le poirier. Comme d'autres familles dans le même cas, les Clarke ont soudain découvert qu'ils étaient maîtres de leur temps – ce qui les aidait à affronter le rythme de leur vie quotidienne. Les heures passées devant la télévision sont maintenant consacrées à des activités de plus longue haleine : lire, jouer à des jeux de société, s'amuser dans le jardin, étudier la musique ou tout simplement bavarder. Les deux enfants semblaient en meilleure santé et travaillaient mieux à l'école. Michael, qui avait habituellement des difficultés à se concentrer et à lire, est désormais un fan de lecture.

Un vendredi soir, la famille Clarke donnait une image de maison idéale : Susan faisait des pâtes dans la cuisine, Michael lisait *Harry Potter et la Coupe de feu* dans le canapé du salon, à côté de Jeffrey, qui feuilletait le journal. Par terre, Jessica écrivait une lettre à sa grand-mère.

Les Clarke ne sont pas devenus des intégristes antitélévision. La télévision est revenue dans le salon, et les enfants ont le droit de regarder des programmes. Jeffrey m'affirme que la maison est souvent moins chaotique que lors de ma venue. Supprimer la télévision a transformé le tempo sous-jacent de la famille : le *prestissimo* frénétique est devenu un *moderato*, plus agréable. « Il règne aujourd'hui un calme que nous ne connaissions pas chez nous, confie Susan. Nous menons toujours des vies actives et intéressantes ; la différence, c'est que nous ne courons plus dans tous les sens comme des poulets sans tête. »

Dans un monde obsédé par la vitesse, certains auront plus de facilités que d'autres à éduquer leurs enfants à la manière lente. Sortir du système coûte parfois si cher que tout le monde n'en a pas les moyens. Il faut de l'argent pour envoyer ses enfants dans une école privée ou faire le choix de l'enseignement à domicile, et dans ce dernier cas, l'un des deux parents est obligé de travailler moins – ce qui n'est pas toujours possible. Néanmoins, beaucoup des mesures à prendre pour mettre son enfant à l'abri des ravages de la vitesse ne coûtent rien – supprimer la télévision ou réduire les activités extrascolaires, par exemple.

Plus que l'argent, l'obstacle principal à une conception éducative (et donc à une vie) plus calme est l'état d'esprit contemporain. L'envie de pousser ses enfants à aller vite reste forte. Loin d'accueillir favorablement les mesures officielles destinées à alléger la charge de travail dans les classes, de nombreux parents japonais intensifient encore le régime de cours particuliers administré à leurs enfants. Dans le monde industrialisé, parents et politiciens restent assujettis à la compétition scolaire.

Épargner à la génération montante la dictature de la vitesse signifie « réinventer toute notre approche de l'enfance », comme l'ont fait les romantiques il y a deux siècles : accorder plus de liberté et de souplesse à leur éducation, mettre l'accent sur le plaisir d'apprendre, consacrer plus de temps libre au jeu, ne plus se dire que chaque seconde compte et ne pas obliger les enfants à singer les adultes. Les adultes peuvent y contribuer en renonçant à être des superparents et en introduisant dans leurs vies, à titre d'exemple, un peu de cette philosophie de la lenteur. Rien de tout cela n'est facile à mettre en place. Mais à l'évidence, ça en vaut la peine...

Mme Barnes est heureuse que son fils Jack ne vive plus dans la hâte d'en faire le plus possible, à chaque instant de sa journée. « C'est une leçon très importante à retenir, tant pour les enfants que pour les adultes. La vie est bien plus agréable quand on sait aller lentement. »

Conclusion
À la recherche du *tempo giusto*

La lutte pour la vie se résume, dans une certaine mesure, à notre lenteur ou à notre célérité à accomplir les choses.

Sten Nadolny, *La Découverte de la lenteur* (1998)

En 1898, l'écrivain Morgan Robertson publia *Le Naufrage du Titan*, roman d'une étrange prescience ayant pour thème l'obsession de l'époque : battre le record de vitesse de traversée transatlantique à n'importe quel prix. L'histoire débute au moment où une compagnie maritime dévoile le plus grand paquebot jamais construit, un appareil « pratiquement insubmersible » capable de croiser à grande vitesse sur les plus redoutables mers du globe. Mais lors de sa quatrième traversée, le bâtiment coule à la suite d'une collision avec un iceberg. Un témoin de cet accident dénonce alors le « dommage gratuit occasionné à la vie et aux biens, au nom de la vitesse ». Ce bateau imaginaire avait pour nom *Titan*. Quatorze années plus tard, en 1912, le *Titanic* entrait lui aussi en collision avec un iceberg, causant la mort de plus de quatorze cents personnes.

Le naufrage de l'insubmersible *Titanic* présentait tous les attributs d'un signal d'alarme adressé à un monde fasciné par la vitesse. Beaucoup espéraient que cette tragédie obligerait l'humanité à reconsidérer le culte de la vitesse et à comprendre qu'il était temps de ralentir un peu.

Or il n'en fut rien. Cent ans plus tard, le monde s'efforce toujours désespérément de tout faire plus vite – et en paie le prix élevé. Nous ne connaissons que trop bien les victimes de cette culture de la pression constante. C'est non seulement la planète mais encore nous-mêmes que nous menons droit à l'épuisement. Nous manquons tellement de temps, nous entretenons avec lui une relation si pathologique que nous négligeons nos amis, nos familles, nos conjoints. Nous ne parvenons plus à nous réjouir de ce que nous vivons au présent car nous sommes sans cesse en train d'anticiper. Une bonne partie de notre nourriture est fade et malsaine. Alors que nos enfants sont eux-mêmes pris dans ce tourbillon d'une hâte inextinguible, le futur paraît bien sombre.

Pourtant tout n'est pas perdu ! Il est encore temps de changer de cap. Bien que la vitesse, l'activité débridée et l'obsession de gagner du temps soient toujours les caractéristiques de la vie moderne, une puissante vague d'opposition grossit de façon souterraine. Le mouvement en faveur de la lenteur est en marche. Au lieu de tout faire plus vite, beaucoup de gens décident de ralentir le rythme et découvrent que cette lenteur les aide à vivre mieux, à travailler mieux, à mieux réfléchir et négocier les choses.

Mais le mouvement Slow en est-il vraiment un ? Il en présente certainement tous les attributs d'un point de vue théorique – sympathie populaire, projet existentiel novateur, action de terrain. En vérité, il ne dispose pas d'une structure formelle et souffre encore d'un faible taux de reconnaissance. Beaucoup de gens ralentissent le rythme – en travaillant moins longtemps ou, mettons, en prenant le temps de cuisiner – sans avoir le sentiment de prendre part à une croisade mondiale. Pourtant, chaque petit acte de décélération est une pierre de plus à l'édifice.

L'Italie n'est pas loin de devenir le sanctuaire spirituel de la philosophie de la lenteur. De par son intérêt pour les plaisirs et les loisirs, la culture méditerranéenne traditionnelle est un antidote naturel à l'accélération. Slow Food et Citta Slow trouvent leurs racines en Italie, tout comme le renouveau de ce que l'on peut appeler le Slow Sex. Il ne s'agit pas de transformer la planète entière en station balnéaire méditerranéenne. La majeure partie d'entre nous ne souhaite pas voir remplacer le culte de la vitesse par celui de la lenteur. La vitesse peut être amusante, productive et puissante, et nous nous retrouverions démunis sans elle. Ce dont le monde a besoin et qu'offre le mouvement de la lenteur, c'est une troisième voie, une recette mariant la *dolce vita* avec le dynamisme de l'ère de l'information. Son secret ? L'équilibre : au lieu de faire tout plus vite, faire tout à la bonne vitesse. Quelquefois vite, quelquefois lentement, quelquefois un peu des deux. L'attitude lente consiste à ne jamais se hâter, à ne jamais chercher à gagner du temps par principe. Elle suppose de rester calme et serein, même quand les circonstances nous forcent à accélérer. L'un des moyens de cultiver cette tranquillité intérieure est de faire place à des activités qui défient la vitesse – la méditation, le tricot, le jardinage, le yoga, la lecture, la marche, le chi-kong.

Il n'existe pas de formule universelle pour changer de rythme, pas plus qu'il n'existe d'échelle universelle de la vitesse optimale. Chaque personne, chaque acte, chaque moment appelle son propre *eigenzeit.* Certains vivent heureux à une allure qui enverrait prématurément au cimetière la plupart d'entre nous. Quiconque devrait avoir le droit de choisir le rythme de vie qui le satisfait. Comme le dit Uwe Kliemt, pianiste et défenseur du *tempo giusto* : « Le monde ne peut que s'enrichir en faisant place à des vitesses différentes. »

Bien sûr, la philosophie de la lenteur se heurte toujours à des obstacles impressionnants – et non des moindres : nos propres préjugés. Même lorsque nous mourons d'envie de ralentir, nous en sommes empêchés par un mélange d'avidité, d'inertie et d'angoisse de ne pas rester dans la course. Dans un monde configuré pour la vitesse, la Tortue a encore un long travail de persuasion à mener.

Les observateurs renvoient ce mouvement à une mode passagère ou à une philosophie alternative qui ne touchera jamais le grand public. Il est certain que l'aspiration à moins de vitesse n'a guère réussi à stopper l'accélération du monde depuis la révolution industrielle. Et beaucoup de ceux qui ont adhéré à la lenteur dans les années 1960-1970 ont passé les deux décennies suivantes à rattraper leur retard. Quand l'économie mondiale va reprendre du poil de la Bête ou quand la prochaine bulle de type Internet va se produire, tout ce discours sur la lenteur partira-t-il en fumée, à la faveur de profits vite gagnés ? Ne parions pas trop vite. Notre génération, plus que toutes celles qui l'ont précédée, est bien consciente du danger et de la futilité d'une accélération constante, et elle est plus déterminée que jamais à combattre le culte de la vitesse. La démographie semble obéir elle aussi à un cycle de décélération. Dans tout le monde développé, les populations vieillissent, et ce faisant, la plupart d'entre nous ont en commun le besoin de ralentir.

Le mouvement en faveur de la lenteur a sa propre énergie. Dire non à la vitesse demande du courage, et les gens sont plus susceptibles de plonger s'ils savent qu'ils ne sont pas seuls, que d'autres partagent la même vision et prennent les mêmes risques. L'union fait la force du mouvement Slow. Chaque fois qu'un groupe comme le Slow Food ou la Société pour la décélération du temps fait les gros titres, il devient un peu plus facile de remettre la vitesse en question. Qui plus est, une fois que les gens goûtent aux bienfaits de la lenteur dans un domaine de leur vie, ils appliquent souvent la recette partout. Alice Waters, fondatrice du fameux restaurant de Berkeley *Chez Panisse*, est une célébrité du mouvement Slow Food. En 2003, elle a commencé à donner des conférences sur les bienfaits de l'école progressive. Après avoir découvert les plaisirs du tantrisme, Roger Kimber a réduit son temps de travail. Quant à Claire Wood, l'abandon de son poste important dans l'assurance pour un atelier de savon artisanal a correspondu avec sa décision de faire profiter à sa fille de l'enseignement à domicile. Le recours au chi-kong pour trouver le calme intérieur sur les courts de squash a appris à Jim Hughes à prendre son temps tant dans ses missions de conseil que face à ses étudiants. Et le simple fait d'éteindre son mobile après sa journée de travail a donné envie à la banquière Jill Hancock de se mettre à cuisiner. « Une fois que vous remettez en question l'injonction de foncer au travail sans se retourner, vous commencez à le faire dans tous les domaines de votre vie, dit-elle. Vous éprouvez l'envie d'approfondir les choses au lieu de rester en surface. »

Ce sentiment que « quelque chose » manque à nos vies est le fondement d'un attrait général pour la lenteur. Et la question de savoir si ce quelque chose va au-delà d'une meilleure qualité de vie reste ouverte : beaucoup estiment que cette décélération comporte une dimension spirituelle, mais d'autres ne le pensent pas. La philosophie de la lenteur est assez ouverte pour accueillir ces deux tendances. Dans tous les cas, le fossé entre les deux n'est peut-être pas si profond qu'il paraît. Le grand bienfait de la lenteur est de retrouver du temps et de la tranquillité pour établir des relations significatives – avec les autres, avec sa culture, mais aussi avec le travail, la nature, le corps et l'esprit. Certains y voient un simple mieux-vivre, d'autres lui donnent un sens spirituel.

Cette tendance pose sans aucun doute la question du matérialisme sans entraves qui mène l'économie mondiale – d'où les critiques estimant qu'on ne peut se permettre d'y adhérer ou que le choix de changer de rythme demeurera l'apanage des riches. Il est vrai que certaines manifestations de cette philosophie (médecines alternatives, quartiers piétonniers, bœuf bio...) ne sont pas à la portée de tous les budgets. Mais la plupart sont abordables : passer plus de temps en compagnie de ses amis ou de sa famille ne coûte rien, pas plus que la marche, la cuisine, la méditation, faire l'amour autrement, lire ou dîner à table et non devant la télévision. Le simple fait de résister à l'injonction d'aller plus vite est gratuit.

Ce mouvement n'est pas non plus hostile au capitalisme, au contraire, il lui fournit une bouée de sauvetage. Sous sa forme actuelle, le capitalisme mondial nous force à produire, travailler, consommer et vivre plus vite – quel qu'en soit le coût. En traitant les gens et l'environnement comme des biens de valeur au lieu d'en faire des facteurs de production jetables, l'alternative de la lenteur serait en mesure de faire tourner l'économie dans leur intérêt – et non l'inverse. Sous cet angle, le capitalisme pourrait être synonyme d'une croissance plus lente ; ce serait une lourde déception dans un monde obsédé par l'indice Dow Jones... pourtant l'idée qu'il y ait plus à attendre de la vie qu'une maximisation du PIB ou une victoire chèrement conquise au jeu de la compétition acharnée gagne en popularité, en particulier au sein des nations les plus prospères, où de plus en plus de gens sont sensibles au coût que représente cette vie frénétique.

Dans cette ère hédoniste, la philosophie de la lenteur dispose d'un atout de marketing en réserve : elle fait commerce des plaisirs. Son dogme fondateur est de prendre le temps de faire les choses correctement, donc d'en profiter davantage. Quel qu'en soit l'impact sur un bilan économique, elle nous procure les choses qui nous rendent réellement heureux : une bonne santé, un environnement prospère, des liens communautaires et relationnels forts, enfin la liberté de s'affranchir d'une hâte perpétuelle.

Persuader les gens du mérite de la décélération n'est cependant qu'un premier pas. Ce changement de rythme exigera une lutte tant que nous n'aurons pas récrit les règles qui gouvernent presque tous les domaines de la vie – l'économie, le travail, l'urbanisme, l'enseignement, la médecine. Cela implique un cocktail détonnant de persuasion douce, de dirigeants visionnaires, de solides dispositifs légaux et de consensus internationaux. Oui, c'est un défi, mais un défi crucial. Il y a déjà des raisons d'espérer. Au niveau collectif, nous sommes conscients que nos vies sont trop frénétiques et nous voulons ralentir. Individuellement, nous sommes plus nombreux à appuyer sur le frein et à constater que notre qualité de vie s'en ressent. La grande question à présent est de savoir quand ce constat individuel va passer au niveau collectif. Quand toutes ces initiatives personnelles disséminées de par le monde atteindront-elles une masse critique ? Quand la philosophie de la lenteur deviendra-t-elle une révolution ?

Afin d'aider le monde à atteindre ce point de bascule, chacun d'entre nous devrait s'efforcer de faire place à la lenteur. Le simple fait de reconsidérer notre propre relation au temps constitue déjà un bon début. Larry Dossey, le médecin américain à l'origine du concept de « maladie du temps », apprend à ses patients à s'extraire de la durée à l'aide de techniques comme le *biofeedback* (thérapie visant à la mise en place d'un autocontrôle des fonctions physiologiques), la méditation ou la prière pour ménager des sorties « hors du temps ». En se confrontant à la manière dont le temps a gouverné leur vie, ses patients sont à même de ralentir le rythme. Nous pouvons tous apprendre de cette expérience : essayez de penser le temps non pas comme une ressource finie, perpétuellement en train de se tarir, ni comme un tyran à redouter ou à renverser, mais plutôt comme une sorte d'élément bienveillant qui nous environne. Cessez de vivre chaque seconde comme si Frederick Taylor était en train de vous tourner autour, un œil sur le chronomètre et l'autre sur son bloc-notes, sifflant des « tss-tss » désapprobateurs.

Si notre relation au temps devient moins névrotique, nous pourrons commencer à faire un usage plus sensé de cette société du « 24 heures sur 24 ». En commençant ce livre, je soutenais qu'un monde ouvert jour et nuit est un monde qui invite à la précipitation : donnez-nous la possibilité de faire n'importe quoi, à n'importe quelle heure, et nous bourrerons notre emploi du temps à craquer. La logique des « 24 heures ouvrables » n'est pas intrinsèquement diabolique. Si nous l'abordons dans un esprit favorable à la lenteur – accomplir moins de choses en plus de temps –, elle peut nous offrir la flexibilité dont nous avons précisément besoin pour ralentir le rythme.

En matière de lenteur, le mieux est de commencer modestement. Cuisinez-vous un dîner en partant de rien. Allez marcher avec un ami plutôt que de vous précipiter au centre commercial pour acheter des choses dont vous n'avez pas besoin. Lisez le journal sans allumer la télé. Faites entrer le massage dans vos rituels amoureux ou prenez simplement quelques minutes pour rester immobile, au calme.

Si une petite plage de lenteur vous fait du bien, passez à quelque chose de plus consistant. Révisez vos horaires de travail ou faites campagne pour rendre votre quartier plus agréable aux piétons. Au fur et à mesure des améliorations constatées, vous vous poserez la question que je pose souvent : « Pourquoi n'ai-je pas changé de rythme plus tôt ? »

Petit à petit, mon addiction à la vitesse tend à décliner. Je ne ressens plus le temps comme un tyran cruel et irrésistible. Mon travail en free-lance y contribue, tout comme la méditation et le geste de laisser ma montre dans un tiroir. Je cuisine, je lis et j'éteins plus souvent mon téléphone mobile. Le fait d'adopter une approche plus sélective de mes loisirs (en faire moins mais mieux : par exemple, arrêter le tennis tant que mes enfants sont trop petits), a considérablement allégé la pression. Me souvenir que la vitesse n'est pas toujours la meilleure politique et que la hâte est souvent sans objet et contre-productive suffit à dominer chez moi le réflexe de tout accélérer. Si d'aventure je me surprends à foncer pour le principe, je m'arrête, je prends une profonde respiration et je pense : « Il n'y a aucune raison de courir. Détends-toi. Ralentis. »

Les gens autour de moi remarquent la différence. J'avais l'habitude de maudire les caisses de supermarché, que je considérais comme un affront à l'ancienne croisade personnelle que je menais pour la vitesse et l'efficacité. Les femmes fouillant tranquillement dans leur porte-monnaie m'étaient particulièrement insupportables. À présent, j'arrive aisément à faire la queue sans fulminer, même lorsque les autres files semblent aller plus vite. Je ne m'énerve plus à propos de secondes ou de minutes « gaspillées ». Lors d'une récente « expédition-courses », je me suis même entendu proposer ma place au client qui était derrière moi, parce qu'il avait moins d'articles à passer en caisse. Ma femme était abasourdie. « Tu as vraiment ralenti le rythme », m'a-t-elle dit d'un ton approbateur.

Lorsque je me suis décidé à écrire ce livre, la vraie mise à l'épreuve fut néanmoins de vérifier si je pouvais abolir toute hâte au moment de lire un conte à mes enfants avant qu'ils ne s'endorment. Résultat positif. Je peux à présent lire plusieurs histoires d'affilée, sans m'inquiéter une seule fois de l'heure ni ressentir l'envie de sauter une page. Et je lis lentement, en savourant chaque mot, en accentuant les aspects dramatiques ou l'humour de l'histoire, à grand renfort d'imitations et de mimiques. Mon fils, à présent âgé de quatre ans, en raffole, et l'heure des histoires, autrefois assimilable à une guerre de tranchées, s'est muée en vraie complicité. Nos vieilles disputes (« Je veux une autre histoire ! – Non, ça suffit ! ») sont à présent oubliées.

Un soir, il y a peu, quelque chose de remarquable s'est produit. Je m'étais allongé sur le lit de mon fils pour lui lire un long conte de fées où il était question d'un géant. Il me posait des tas de questions, et j'ai pris la peine et le temps de répondre à chacune d'elles. Puis je suis passé à une histoire encore plus longue, qui parlait d'un dragon et du fils d'un fermier. Alors que je fermais le livre, il me vint soudain à l'esprit que, bien que ne sachant pas combien de temps devait me prendre cette lecture (quinze minutes, une demi-heure, peut-être plus), j'étais heureux de continuer. Mon engouement pour la fameuse « histoire-minute pour aller au lit » était désormais bien loin. Je demandai à mon fils s'il avait envie d'entendre une autre histoire. Il se frotta les yeux et répondit : « Papa, je crois que j'ai eu assez d'histoires pour ce soir. Je suis vraiment fatigué. » Il m'a embrassé sur la joue et s'est glissé sous son duvet. J'ai mis la lampe de chevet en veilleuse avant de quitter la chambre. Puis, le sourire aux lèvres, j'ai descendu tout doucement l'escalier.

Notes

Avant-propos : La fureur de vivre

La « maladie du temps » : Larry Dossey, *Space, Time and Medicine* (Boston, Shambhala Publications, 1982).

L'intériorisation psychologique de la notion de vitesse : interview de Guy Claxton en juillet 2002.

Kamei Shuji : Scott North, « Karoshi and converging labor relations in Japan and America », *Labor Center Reporter*, n° 302.

La consommation de drogue sur le lieu de travail aux États-Unis : résultats d'une enquête menée par Quest Diagnostics en 2002.

7 % des Espagnols font encore la sieste : *Official Journal of the American Academy of Neurology* (juin 2002).

La fatigue, cause d'accidents : Leon Kreitzman, *The 24-Hour Society* (London, Profile Books, 1999), p. 109.

Plus de 40 000 tués sur les routes européennes : chiffres de la Commission européenne.

Le *tempo giusto* des musiciens : Percy A. Scholes, *Oxford Companion to Music* (Oxford, Oxford University Press, 1997), p. 1018.

Chapitre 1 : Toujours plus vite

Les moines bénédictins : Jeremy Rifkin, *Time Wars: the Primary Conflict in Human History* (New York, Touchstone, 1987), p. 95.

« *Uvatiarru* » : Jay Griffiths, « Boo to Captain Clock », *New Internationalist*, n° 343, mars 2002.

L'horloge de Cologne : Gerhard Dorn-Van Rossum, *History of the Hour: Clocks and Modern Temporal Orders* (Chicago University Press, 1996), pp. 234-235.

Leon Alberti : Allen C. Bluedorn, *The Human Organization of Time: Temporal Realities and Experience* (Stanford, Stanford University Press, 2002), p. 227.

La ponctualité comme devoir civique : Robert Levine, *A Geography of Time: the Temporal Adventures of a Social Psychologist* (New York, Basic Books, 1997), pp. 67-70.

Frederick Taylor : *ibid.*, pp. 71-72.

Cinq cents millions de nanosecondes : Tracy Kidder, *The Soul of a New Machine* (Boston, Little Brown, 1981), p. 137.

Chapitre 2 : Vive la lenteur !

Les effets délétères de la vitesse : Stephen Kern, *The Culture of Time and Space, 1880-1918* (Cambridge, MA, Harvard University Press, 1983), pp. 125-126.

« Faciès de cycliste » : *ibid.*, p. 111.

Chapitre 3 : Le temps contre le goût

« Les repas durent en moyenne onze minutes au fast-food » : Nicci Gerrard, « The politics of thin », *The Observer,* 5 janvier 2003.

Nourrissage intensif du cochon : Barbara Adams, *Timescapes of Modernity : the Environment and Invisible Hazards,* Global Environmental Change Series (New York, Routledge, 1998).

Le saumon d'Amérique du Nord : James Meek, « Britain Urged to Ban GM Salmon », *Guardian,* 4 septembre 2002.

« Tad's 30 varieties of meals » : Eric Schlosser, *Fast Food Nation: the Dark Side of the All-American Meal* (New York, Penguin, 2001), p. 114.

Restauration rapide : Adam Sage « *Au revoir* to the leisurely lunch » (London), *Times,* 16 octobre 2002.

Intoxication par *Escherichia coli* : Schlosser, *Fast Food Nation,* pp. 196-199.

Variétés d'artichauts : statistiques de Renato Sardo, directeur de Slow Food International, cité par Anna Muoio dans « We all go to the same place: let us go there slowly » (« Nous allons tous au même endroit : tâchons d'y aller lentement »), *Fast Company,* 5 janvier 2002.

Métabolisation des sucres du yacon : National Research Council, *Lost Crops of the Incas: Little Known Plants of the Andes with Promise for*

Worldwide Cultivation (Washington DC, National Academy Press, 1989), p. 115.

Durée des déjeuners d'affaires : étude du magazine *Fast Company.*

Chapitre 4 : La ville entre tradition et modernité

1 500 personnes en moyenne quittent les villes anglaises chaque semaine : chiffres d'un rapport de 2004 intitulé *Social and Economic Change and Diversity in Rural England,* du Rural Evidence Research Centre.

« Politiques du temps urbain » : Jean-Yves Boulain et Ulrich Muckenberger, *Times in the City and Quality of Life* (Bruxelles, Fondation européenne pour l'amélioration des conditions de vie et de travail, 1999).

Lutte contre le bruit en Europe : Emma Dalay, « Trying to quiet another city that barely sleeps », *New York Times,* 7 octobre 2002.

Ralentissement de l'afflux vers les banlieues aux États-Unis : Phillip J. Longman, « American gridlock », *US News and Word Report,* 28 mai 2001.

Exemple de Portland : Charles Siegel, *Slow is Beautiful: Speed Limits are Political Decisons on Urban Form* (Berkeley, Preservation Institute Policy Study, 1996).

Chapitre 5 : Corps et esprit

La relaxation, précurseur de la pensée lente : Guy Claxton, *Hare Brain, Tortoise Mind: Why Intelligence Increases When You Think Less* (London, Fourth Estate, 1997), pp. 76-77.

Les grands penseurs et la pensée lente : *ibid.*, p. 4.

Méditation transcendantale et baisse des taux d'hospitalisation : résultats d'une étude de 5 ans portant sur 2 000 personnes à travers les États-Unis, publiés dans *Psychosomatic Medecine,* n° 49 (1987).

« Être dans la zone » : Robert Levine, *A Geography of Time: the Temporal Adventures of a Social Psychologist* (New York, Basic Books, 1997), pp. 33-34.

15 millions d'Américains pratiquent le yoga : étude réalisée par Harris Interactive Service Bureau for *Yoga Journal* en 2003.

« La marche prend plus de temps... » : Edward Abbey, *The Journey Home: Some Words in Defense of the American West* (New York, Dutton, 1977), p. 205.

L'entraînement régulier au *superslow* améliore le taux de bon cholestérol : lettre de Phillip Alexander M. D., chief of medical staff, College Station Medical Center Faculty, Texas A & M. University, College of medicine.

Chapitre 6 : La santé : médecine et patience

La « médecine du biper » : James Gleik, *Faster: the Acceleration of Everything* (New York, Random House, 1999), p. 85.

Étude de 2002 sur l'infertilité : réalisée par David Dunson du National Institute of Environmental Health Sciences en Caroline du Nord, à partir de données issues de 7 villes européennes.

Nombre croissant des praticiens en médecines alternatives : chiffres publiés en 1998 par la British Medical Association.

Chapitre 7 : Quand l'amour prend son temps

Le temps consacré à l'acte sexuel par semaine : étude de 1994 menée par des chercheurs de l'université de Chicago. Cité par James Gleik, *Faster: the Acceleration of Everything* (New York, Random House, 1999), p. 127.

Arvind et Shanta Kale : citation du livre de Val Sampson, *Tantra: the Art of Mind-Blowing Sex* (London, Vermillion, 2002), p. 112.

Problèmes de couple et productivité : Melinda Forthofer, Howard Markman, Matha Cox, Scott Stanley et Ronald Kessler, « Association between marital distress and work loss in a national sample », *Journal of Marriage and the Family*, n° 58 (août 1996), p. 597.

Chapitre 8 : Travailler moins dur, vivre plus heureux

Benjamin Franklin et le droit au repos : John De Graaf, David Wann et Thomas H. Naylor, *Affluenza: the All-Consuming Epidemic* (San Francisco, Berrett-Koehler, 2001), p. 129.

Richard Nixon et la semaine de quatre jours : Dennis Kaplan et Sharon Chelton, « Is it time to dump the forty-hour week ? », *Conscious Choice,* septembre 1996.

Prévisions du Sénat américain pour le temps de travail : John De Graaf, David Wann et Thomas H. Naylor, *Affluenza: the All-Consuming Epidemic* (San Francisco, Berrett-Koehler, 2001), p. 41.

Les Américains travaillent plus que dans les années 1980 : selon l'Organisation internationale du travail et l'Organisation de coopération économique de développement.

L'Américain moyen travaille 350 heures par an de plus que son alter ego européen : John De Graaf, site Internet « Take back your time day », www.timeday.org.

Les États-Unis ont supplanté le Japon en nombre d'heures travaillées : selon l'Organisation internationale du travail.

Marilyn Machlowitz et le *workaholism* : Matthew Reiss, « American karoshi », *New Internationalist*, n° 343 (mars 2002).

15 % des Canadiens au bord du suicide : sondage IPSOS-REID mené en 2002.

Productivité en Belgique, en France et en Norvège : chiffres basés sur un rapport de 2003 de l'OIT.

Génération Fureeta : Robert Whytmant (London), *Times Magazine*, 4 mai 2002.

Le temps de travail des Allemands a diminué de 15 % : selon l'OIT.

Le Japon et le « modèle hollandais » : Asako Murakami, « Work sharing solves Netherlands' woes », *Japan Times*, 18 mai 2002.

Les Canadiens qui travaillaient moins gagnaient plus : enquête menée en 1997-1998 par Communications, Energy et Paperworkers Union of Canada.

Projet pilote des hôtels Marriott : Bill Munck, « Changing the culture of life », *Harvard Business Review* (novembre 2001).

Donald Hensrud : Ann Fisher, « Exhausted all the Time ? Still getting nowhere ? », *Fortune*, 18 mars 2002.

Étude de la NASA : Jane E. Brody, « New respect for the nap: a pause that refreshes », *Science Times*, 4 janvier 2000.

Churchill et la sieste : Walter Graebner, *My Dear Mister Churchill*, (London, Michael Joseph, 1965).

Chapitre 9 : Pour un art du temps libre

Les Américains et le tricot : chiffres du Carft Yarn Council of America.

Mozart et le tempo : Uwe Kliemt, « On reasonable tempi », essai publié sur le site Internet de Tempo Giusto (www.tempogiusto.de).

Beethoven et les virtuoses : *ibid.*

Chapitre 10 : Pour épargner à nos enfants la dictature de la vitesse

Les enfants et le sommeil : Samantha Levine, « Up too late », *US News and World Report,* 9 septembre 2002.

Les enfants asiatiques et le bachotage : « Asian schools go back to the books », *Times,* 9 avril 2002.

La Finlande et l'éducation : John Crace, « Heaven and Helsinki », *Guardian,* 16 septembre 2003.

Annexes

Mon enquête sur la question de la vitesse, du temps et de la lenteur m'a conduit à consulter de nombreux livres et articles. Je n'ai retenu ici que les ouvrages qui m'ont particulièrement inspiré. Bien que certains soient un peu théoriques, la plupart sont accessibles au lecteur non spécialiste. J'y ai joint une liste de sites Internet qui constitue une bonne base de départ pour une exploration des bienfaits de la lenteur et pour entrer en contact avec celles et ceux qui la privilégient.

BIBLIOGRAPHIE

Blaise Clark, *Time Lord: the Remarkable Canadian Who Missed His Train, and Changed the World*, Knopf Canada, Toronto, 2000.

Bluedorn Allen C., *The Human Organisation of Time: Temporal Realities and Experience*, Stanford Business School, Stanford, 2002.

Boorstin Daniel, *Les Découvreurs*, Robert Laffont, Paris, 1988.

Claxton Guy, *Hare Brain, Tortoise Mind: Why Intelligence Increases When You Think Less*, Fourth Estate, Londres, 1997.

De Graaf John, Wann David et Naylor Thomas, *Affluenza: the All-Consuming Epidemic*, Berrett-Koelher, San Francicso, 2002.

Gleick James, *Toujours plus vite : de l'accélération de tout ou presque*, Hachette Littérature, Paris, 2001.

Glouberman Dina, *The Joy of Burnout: How the End of the Road Can Be a New Beginning*, Hodder & Stoughton, Londres, 2002.

Hirsch-Pasek et Kathy et Michnik Kolinkoff Roberta, *Einstein Never Used Flash Cards: How Our Children Really Learn – And Why They Need to Play More and Memorize Less*, Emmaus, Rodale Pennsylvanie, 2003.

Hutton Will, *The World We're In*, Little Brown, Londres, 2002.
James Matt *The City Gardener*, HarperCollins, Londres, 2003.
Kern Stephen, *The Culture of Time and Space, 1880-1918*, Harvard University Press, Cambridge, 1983.
Kerr Alex, *Dogs and Demons: the Fall of Modern Japan*, Penguin, New York, 2001.
Kreitzman Leon, *The 24-Hour Society*, Profile Book, Londres, 1999.
Kummer Corby, *Les Plaisirs du Slow Food : tradition du goût, goût de la tradition*, Chronicle/Seuil, Paris, 2002.
Kundera Milan, *La Lenteur*, Gallimard, Paris 1995.
Levine Robert, *A Geography of Time: the Temporal Misadventures of a Social Scientist*, Basic Books, New York, 1997.
McDonnell Kathleen, *Honey, We Lost the Kids: Rethinking Childhood in the Multimedia Age*, Second Story Press, Toronto, 2001.
Meiskins Peter et Whalley Peter, *Putting Work in Its Place: a Quiet Revolution*, Cornell University Press, Ithaca, 2002.
Millar Jeremy et Schwartz Michael, *Speed: Visions of an Accelerated Age*, The Photographer's Gallery, Londres, 1998.
Murphy Bernadette, *Zen and the Art of Knitting: Exploring the Links Between Knitting, Spirituality and Creativity*, Adams Media Corporation, Avon, 2002.
Nadolny Sten, *La Découverte de la lenteur*, Grasset, « Les Cahiers rouges », Paris, 1998.
Oiwa Keibo, *Slow is Beautiful*, Heibon-sha, Tokyo, 2001 (en japonais uniquement).
Petrini Carlo, *Slow Food: Collected Thoughts on Taste, Tradition, and the Honest Pleasures of Food*, White River, Chelsea Green Publishing Co, 2001.
Pieper Josef, *Leisure: the Basis of Culture*, St. Augustine's Press, South Bend, Indiana, 1998.
Putnam Robert D., *Bowling Alone: the Collapse and Revival of American Community*, Simon & Schuster, New York, 2001.
Rifkin Jeremy, *Time Wars: the Primary Conflict in Human History*, Touchstone, New York, 1987.
Russell Bertrand, *In Praise of Idleness*, Routledge, Londres, 2001.
Sampson Val, *Tantra: the Art of Mind-Blowing Sex*, Vermillion, Londres 2002.
Schlosser Éric, *Les Empereurs du fast-food : le cauchemar d'un système tentaculaire*, Autrement, Paris, 2003.

Visser Margaret, *The Rituals of Dinner: the Origins, Evolution, Eccentricities, and Meaning of Table Manners*, HarperCollins, New York, 1991.

PRESSE

Kingwell Mark, « Fast Forward: Our High-Speed Chase to Nowhere », *in Harper's Magazine*, mai 1998.

SITES INTERNET

Sur la lenteur en général
www.zeitverein.com (Société pour la décélération du temps, Autriche)
www.slothclub.org (Japon)
www.slow-life.net (Japon)
www.longnow.org (États-Unis)

Nutrition
www.slowfood.com (Italie)
www.farmersmarkets.net (Royaume-Uni)

Urbanisme
www.matogmer.no/slow_cities_citta_slow.htm (Citta Slow, Italie)
www.homezones.org (Royaume-Uni)
www.newurbanism.org (Amérique du Nord)

Corps/esprit
www.tm.org (méditation transcendantale, États-Unis)
www.webcom.com/~imcuk/ (centres de méditation internationaux)
www.superslow.com (méthode de musculation SuperSlow, États-Unis)

Médecines alternatives
www.pitt.edu/~cbw/altm.html (médecines alternatives, États-Unis)
www.haleclinic.com (Royaume-Uni)

Sexualité
www.slowsex.it (Italie)
www.tantra.com (États-Unis)
www.diamondlighttantra.com (Royaume-Uni)

Travail

www.swt.org (Shorter Work Time Group [Association pour la réduction du temps de travail], États-Unis)

www.worktolive.info (États-Unis)

www.employersforwork-lifebalance.org.uk (Royaume-Uni)

www.timeday.org (États-Unis)

Temps libre

www.tvturnoff.org (États-Unis)

www.ausweb.scu.edu.au/aw01/papers/edited/burnett/

Slow Reading (lecture lente, Canada)

www.tempogiusto.de (Allemagne)

Éducation

www.pdkintl.org/kappan/k0212hol.htm (enseignement progressif, États-Unis)

www.home-education.org.uk (Royaume-Uni)

www.nhen.org (enseignement à domicile, États-Unis)

Remerciements

Je n'aurais pu écrire ce livre sans le concours de nombreuses personnes.

Mon investigation au sein du mouvement Slow a commencé par une série d'articles publiés dans le *National Post* et j'en suis reconnaissant à mon ex-rédacteur en chef, John Geiger. La contribution talentueuse de mon agent Patrick Walsh a rendu possible l'existence de ces pages. Michael Schellenberg a été un remarquable éditeur, méticuleux, patient et pertinent dans ses commentaires. Louise Dennys et Angelika Glover chez Knopf Canada, Gideon Weil chez HarperCollins à San Francisco et Sue Sumeraj, ma secrétaire de rédaction, ont également contribué à la réussite de cette entreprise.

Je suis redevable aux centaines de personnes qui ont pris le temps de me faire part de leur histoire, de leur opinion et de leur expérience. Si seules certaines apparaissent dans ce livre, chaque personne interviewée a su apporter au puzzle une pièce supplémentaire. J'exprime un remerciement tout particulier à Lou Abato, Danira Caleta, Jeff Crump, Diane Dorney, Kyoko Goto, Kathy Hirsch-Pasek, Uwe Kliemt, George Popper, Carlo Petrini et tous les gens de Slow Food, sans oublier David Rooney, Val Sampson, Alberto Vitale et Gabriele Wulff.

J'aimerais remercier mes parents pour leurs encouragements et pour m'avoir aidé à peaufiner ce livre. Enfin, je suis infiniment reconnaissant à ma femme, Miranda France, pour son généreux soutien, son sens des mots et son don de saisir l'aspect comique des choses.

Index

E

F

G

H

T

U

V

W

Y

Z